2006

για μια συντροφιά
ανάμεσά μας

ΝΙΚΟΣ ΘΕΜΕΛΗΣ

για μια συντροφιά ανάμεσά μας

ΤΡΙΑΚΟΣΤΗ ΟΓΔΟΗ ΕΚΔΟΣΗ

ΚΕΔΡΟΣ

ISBN 960-04-2886-7

1

Στο τέλος του μυθιστορήματος παρατίθεται γλωσσάρι για τους κερχυραϊκούς ιδιωματισμούς.

Τι ήταν ετούτο το κακό; Έβρεχε ασταμάτητα εβδομάδες τώρα στη Στεφανόπολη, αλλά και σ' όλα τα Καρπάθια. Η πόλη με τις δεκαοχτώ χιλιάδες ψυχές και τις σαράντα τρεις συντεχνίες — αυτή που οι Σάξονες ονόμαζαν Κρόνενστατ και οι Τρανσυλβανοί Μπρασόφ, όπως κι οι Μολδαβοί κι οι Βλάχοι — χωρίς εχθρούς, πανούκλα ή χολέρα, ένιωθε και πάλι πολιορκημένη, έτοιμη να γονατίσει. Μπόρες και καταιγίδες απ' τα δυτικά, και σαν αργαλειός που υφαίνει αδιάκοπα να απλώνεται το φιλοβρόχι. Η απότομη βουνοπλαγιά της Τσίνε κρεμόταν απειλητική πάνω από την πόλη και έστελνε τα νερά της να την πνίξει. Από τα ψηλά της δυτικής πύλης της Αικατερίνης δυο χείμαρροι διέσχιζαν την πόλη δεξιά και αριστερά της κεντρικής πλατείας και χύνονταν στην ανατολική τάφρο που είχε γίνει πια σωστό ποτάμι. Τα βουνά, τα

9

γύρω δάση, όγκοι σκοτεινοί, σχεδόν συμπαγείς, δύσκολα ξεχώριζαν ακόμη και οι δενδροκορφές τους. Η πόλη σφιχταγκαλιασμένη μέσα στα παμπάλαια τείχη της, μουντή και μελαγχολική, να αντέχει, όμως να εξαντλούνται πια απ' την υπομονή οι αντοχές της. Βουβαίνονταν πλατείες και σοκάκια, αναστέναζε και βαρυγκωμούσε η αγορά. Απούλητες έμεναν τόσες πραμάτειες, άλλες μέχρι να φθάσουνε απ' το Πλοέστι ή τη Βράιλα σάπιζαν απ' την πολλή υγρασία. Αλεύρια και μπαχαρικά, σκόνες κάθε λογής, όλα μαζί σχεδόν μια λάσπη. Ψυχή να μην πατάει από το Βουκουρέστι. Η επικοινωνία με τη Βιέννα, τη Βούδα και την Πέστη είχε πια καταρρεύσει. Η ταχυδρομική άμαξα έφθανε με καθυστέρηση μέχρι τη Χέρμανστατ. Τα δρομολόγια από εκεί μέχρι τη Στεφανόπολη αβέβαια, εξαρτιόνταν μάλλον από την αποφασιστικότητα κάποιου πεισματάρη αμαξηλάτη και το βαρύ πουγκί αυτού που θα τον άμειβε για την αποκοτιά του.

Αραιά και πού καρότσες κι άμαξες έτρεχαν στο λιθόστρωτο σαν από δαιμονικά κυνηγημένες, καμιά να μην σταματά μπροστά στο Δημαρχείο, στη Μαύρη Εκκλησία ή στο πολυκατάστημα της Απολλώνιας Χίρσερ. Αργόσυρτα τα κάρα πάλευαν με τη βροχή στην ανηφόρα και τρέκλιζαν ξεψυχισμένα στις λακκούβες. Οι τοξωτές αυλόθυρες σφαλισμένες προστάτευαν κάτω από το θόλο τους τα άλογα με τις άμαξες ή τις καρότσες τους μέχρι να στεγνώσουν. Άλλα ζωντανά πιο τυχερά κούρνιαζαν σε κοτέτσια, σε σταύλους κι αχυρώνες.

10

Οι έμποροι σε απόγνωση, οι άνθρωποι της γης σε πένθος κι οι χίλιοι διακόσιοι είκοσι επτά αρχιμάστορες έκαναν κάθε τόσο το σταυρό τους, καθώς σιγόσβηναν στα εργαστήρια οι δουλειές τους. Μόνο δυο αλευρόμυλοι δούλευαν κουτσά στραβά τη μυλόπετρά τους για να μην πεινάσει ο κόσμος, καθώς και ο κηροποιοί που δεν πρόφταιναν τη ζήτηση με τους συνηθισμένους ρυθμούς τους.

Το φουντωμένο γρασίδι βούρκωνε από το πολύ νερό, η γης βούλιαζε κάτω από το πέλμα. Τα λιθόστρωτα στα ισώματα πλημμύριζαν, ξεχώριζαν σαν νησίδες σε υδάτινες επιφάνειες που απλώνονταν και φούσκωναν συνέχεια. Μικροί, μεγάλοι, πλούσιοι, φτωχοί να προχωρούν αδέξια, πηδώντας από τη μια στην άλλη ή προσπαθώντας να αποφύγουν τα ορμητικά ρυάκια που έτρεχαν στη βουλιαγμένη ραχοκοκαλιά του δρόμου. Παπούτσια, μπότες, ποδόγυροι, μπαστούνια, ό,τι κοντά στη γης λίγο ως πολύ πιτσιλισμένο, λασπωμένο. Οι πλέον εύποροι ξεχώριζαν μόνο από τα αλεξιβρόχια και τα μεγάλα τους καπέλα. Μουσκεμένες μπέρτες, κάπες, πανωφόρια δεν προλάβαιναν όλη τη νύχτα να στραγγίσουν. Άψυχα και ζωντανά να περιμένουν κάθε σούρουπο την επομένη να στεγνώσουν. Τζάκια, φουφούδες, μπρούντζινες θερμοφόρες πολεμούσαν μάταια την υγρασία. Αρχές καλοκαιριού κι οι καπνοδόχες φουντωμένες. Άρχισαν να σώνονται τα αποθέματα στις ξυλαποθήκες, μα ποιος να πάει στο δάσος για να κόψει. Οι γύρω εξοχές ερημωμένες. Οι

11

υλοτόμοι αργομεθούσαν κατηφείς στα καπηλειά όλη τη μέρα. Οι πιο ξύπνιοι προέβλεπαν ότι όπου να 'ναι από τη δυνατή, την ασταμάτητη βροχή θα παρασύρονταν οι πλάκες των μνημάτων από το κατηφορικό κοιμητήριο του Αϊ-Νικόλα, ενώ οι πιο ευσεβείς κάνοντας το σταυρό τους μάντευαν με σιγουριά ότι θα ξύπναγαν οι πεθαμένοι. Στο Δημαρχείο έλεγαν πως λίγο πιο έξω, πρώτη φορά ανοιξιάτικα, είχαν αρκούδες ξεθαρρέψει. Όμως κανείς δεν εντυπωσιαζόταν, όπως με τους ψίθυρους που έφθαναν από της Απολλώνιας απέναντί τους. Διεμήνυαν ότι ακόμη πιο ψηλά, στα σκοτεινά περάσματα του δάσους για το Ρόζεναου, εκεί που του ήλιου οι αχτίδες δεν άγγιζαν τις φουντωμένες άγριες φτέρες, τελώνια και νεράιδες — άλλοι μιλούσανε απλώς για έξυπνους ληστές — έκαναν πάλι καρτέρι.

Οι νοικοκυρές να κοπανούν τα γουδοχέρια, να συναγωνίζονται η μια την άλλη σε ξόρκια, όσο οι μπουγάδες γάριαζαν στριμωγμένες στα δώματα κάτω από τις στέγες των σπιτιών. Τα ίδια στα δώματα του υφαντουργείου με τα τεράστια ανοίγματά του έκθετα στον καθαρό αέρα και μέρες τώρα στη βροχή. Αραιά και πού πρόσωπα χλωμά σήκωναν τα δαντελωτά κουρτινάκια και κοιτούσαν πίσω από τα τζάμια συνοφρυωμένα, ψάχνοντας στον ουρανό ένα σημάδι για να ελπίσουν, ή έστω απέλπιδες να κάνουν το σταυρό τους. Και κάθε τόσο εδώ κι εκεί, κάποιοι γονατιστοί, άλλοι σκυμμένοι με την απόγνωση στα χείλη, ν' αδειάζουν βιαστικά το νερό που είχε πλημμυρίσει τα υπάρχοντά τους.

Το βράδυ έσβηναν οι βηματισμοί από νωρίς στους δρόμους. Οι νυχτοφύλακες αραίωσαν, δεν έβγαιναν πια για νυχτερινή περιπολία. Άναβαν με το ζόρι το απόβραδο τους λιγοστούς λύχνους της κεντρικής πλατείας και εγκατέλειπαν πάραυτα όσους δεν είχαν άλλο λάδι. Τη νύχτα τ' αστροπελέκια φώτιζαν, καθώς ησύχαζε, την πόλη σαν να 'ταν στοιχειωμένη και τρομοκρατούσαν με μπουμπουνητά ξύπνιους και κοιμισμένους. Βουβαίνονταν τα νυχτοπούλια κι οι νυχτερίδες γιόρταζαν στο βασίλειό τους.

Όπου κι αν έστρεφες το βλέμμα σου, η ίδια παντού εικόνα. Το νερό να σουρώνει από παντού. Μέσα κι έξω από τους τοίχους, τις εξώθυρες, τα παράθυρα, τις καπνοδόχες. Απ' το πανύψηλο καμπαναριό και τη δίρριχτη μαυριδερή σκεπή της Μαύρης Εκκλησίας, μαύρης από την κάπνα της πυρκαγιάς πριν εκατό χρόνια, έτρεχε στις πέτρινες υδρορροές που έδεναν σαν κομποσκοίνι στο μέτωπό της, μπούκωνε στις απολήξεις τους και πεταγόταν σαν να 'βγαινε από σιντριβάνι. Από ψηλά, από χαμηλά, να τρέχουν τα νερά στ' αυλάκια, να κυνηγούν ανθρώπους, καλικάντζαρους, ποντίκια.

Εκείνο το απόγευμα της Κυριακής λαμπύριζαν απρόσμενα τ' απανταχού νερά, καθώς κάτω από τον μπλαβή ασήκωτο ουρανό μια χαραμάδα πάνω απ' τη βουνοκορφή άφηνε σαν λόγχες του ήλιου τις αχτίδες να πλαγιοκοπούνε με το δυνατό φως τους την κοιλά-

13

δα, τα φουντωμένα δάση απ' τις οξιές στα υψώματα και τη μικρή πολιτεία στην αγκαλιά τους. Χρύσιζαν ξαφνικά τα τζαμιλίκια των σπιτιών που το δεχόντουσαν κατά πρόσωπο και το αντανακλούσαν. Έλαμπε η Μαύρη Εκκλησία, όλη σαν μια υδάτινη επιφάνεια απ' τα νερά που πάνω της γλιστρούσαν και γυαλοκοπούσαν στο γλυκό φως του ήλιου. Ολοφώτεινες οι πρασινάδες σε τόσες αποχρώσεις, όπου τύχαινε αχτίδα ήλιου να τις αναδείξει απ' το μουντό περίγυρό τους. Οι αγελάδες σκόρπιες στα ξέφωτα και στα λιβάδια, αίφνης ακίνητες με το κεφάλι στραμμένο προς τη δύση. Το άνοιγμα στον ουρανό μεγάλωνε. Το φως ξεχυνόταν όλο και πιο γλυκό, διαπερνώντας τα διαβατάρικα ποτιστήρια της βροχής κι άπλωνε τα χρώματα της ίριδας άτακτα πάνω από τα δάση. Αρχές Ιουνίου — Ιούνιος του 1794 — η απογευματινή ψύχρα θύμιζε χειμωνιάτικη, όμως ο ήλιος ευτυχώς αργούσε ακόμη να χαμηλώσει.

Σταμάτησε απότομα το φιλοβρόχι. Απλώθηκε το μουρμουρητό του απόβροχου πάνω από τη σιωπή της πόλης. Ξεχώρισαν κάποια λούκια να στραγγίζουν κι εδώ κι εκεί στα χαμηλά να κελαρύζουνε ρυάκια. Άρχισε να σηκώνεται αργά το θρόισμα μιας φυλλωσιάς. Ακούστηκε ξαφνικά ένα ξεπέταγμα κι ένα σμήνος από μικρά πουλιά πετάρισε, εγκαταλείποντας μια αιωνόβια δρυ όπου ήταν κουρνιασμένα. Άρχισαν σαν σύννεφο τρελό ν' αλλάζουν σχήμα διαρκώς και να απομακρύνονται προς το άνοιγμα του ουρανού. Πετάχτηκε ξοπίσω τους μια κίσσα, που άρχισε να πετά πάνω απ' την πλατεία και να κράζει, μα κανέναν δεν συγκίνησε, δεν φάνηκε να ξεμυτά ψυχή στο δρόμο. Η κίσσα ξεθάρρεψε προς στιγμή, έκανε μια γρήγορη βόλτα πάνω από τον αυλόγυρο της εκκλησίας, πέρασε σχεδόν ξυστά μπροστά από το παράθυρο του Θεοφάνη και πέταξε να κρυφτεί στο καμπαναριό.

Ο Θεοφάνης, βουλιαγμένος στην ξύλινη πολυθρόνα του γαμπινέτου* του, θύμιζε με το ράθυμο όγκο του μάλλον ξεχασμένο μπόγο. Στραμμένος στο παράθυρο απολάμβανε το θέαμα, τα χρώματα του τόξου που έφτιαχνε το φως με τις σταγόνες της βροχής. Αραιά και πού κατέβαζε μια γουλιά από το δίχταμό του ή ρουφούσε τη μακρύλαιμη ακριβή του πίπα. Την προτιμούσε σε ώρες ψυχαγωγίας ή ραστώνης, που δεν ήταν πάντως και πολλές, για να λέμε και του θεού την αλήθεια. Η κακοκαιρία των ημερών ελάχιστα τον είχε αγγίξει στη διάθεσή του. Ένιωθε καλοδιάθετος και ικανοποιημένος με τον απολογισμό και τούτης της εβδομάδας. Ιδίως όταν αναλογιζόταν πόσα άλλα χειρότερα είχαν αποτραπεί ή ο ίδιος είχε καταφέρει ν' αποφύγει. Από τη φύση του αισιόδοξος είχε για κανόνα, ή έστω προσπαθούσε, οι αναποδιές να μην τον παίρνουν από κάτω. Οι δουλειές του άλλωστε πήγαιναν περίφημα κι η θαλπωρή της οικογένειάς του ήταν το στήριγμά του για να κοιτά τα πράγματα με κατανόηση, καλοσυνάτα,

---

* Ο χώρος του γραφείου

15

εφόσον δεν έθιγαν σημαντικά τον ίδιο. Όλες τις μέρες της βροχής μονολογούσε: «μπόρα είναι, θα περάσει», κι αν δεν ήταν αυτή η αναθεματισμένη κίσσα να του θυμίσει την ύπαρξη του καμπαναριού, τίποτα δεν θα τον έβγαζε απ' τη γλυκιά του ρέμβη.

Τον δαιμόνιζε, για πολλοστή φορά, πώς τους είχε διαφύγει και γιατί η δική τους εκκλησιά, εκκλησία της ορθοδοξίας, που μόλις πριν λίγα χρόνια, το 1787, είχαν αξιωθεί να στήσουν με τη στήριξη των ομογενών εμπόρων — αλλά κυρίως την ευεργεσία του σεβαστού του φίλου Παναγιώτη Χατζή Νίκου —, δεν είχε ένα ισάξιο καμπαναριό, όπως ετούτο των Σαξόνων. Χριστιανοί κι εκείνοι, καθολικοί ή λουθηρανοί, όμως όπως και να το κάνομε αντίπαλοι. Έστω και αν το περιβόητο filioque δεν του ήταν ιδιαίτερα κατανοητό, ως αιτία για τόση φασαρία. Πάντως είχε τη γνώμη ότι οι Λουθηρανοί με τους Καθολικούς τρωγόντουσαν μεταξύ τους χειρότερα απ' ό,τι οι Ουνίτες με τους Ορθοδόξους. Μύλος τα ιντερέσα τους, πού να βγάλεις άκρη.

Όμως σαν καλός χριστιανός ο Θεοφάνης πίστευε και δεν ερευνούσε. Εννοείται σε όσα αφορούσαν στην εκκλησία, διότι όλα όσα ξέφευγαν από τα χωράφια της, επιφυλάσσοντας μάλιστα για τον εαυτό του το προνόμιο να καθορίζει τα σύνορά τους, και τα έφαχνε και τα ερευνούσε. Και στα εγκόσμια δεν ανήκαν μόνο τα αυτονόητα, όπως το εμπόριο, η γερακίσια επιθετικότητά του, η τόλμη χάριν της κερδοσκοπίας, τα

16

συμφέροντα της εμπορικής κομπανίας των Γραικών, τα πράγματα της πόλης. Ανήκαν και όλα τα προσωπικά ενδιαφέροντά του, είτε αφορούσαν σ' αυτόν και στη φαμελιά του, είτε ευρύτερα στο καλό και στην προκοπή της κοινότητας των Γραικών. Δημόσια και ιδιωτικά συνταίριαζαν στα μάτια του έναν κόσμο αρμονικό, όπου η αρετή της ευταξίας τον καθοδηγούσε κι η σωφροσύνη τον προφύλασσε από ολισθήματα, εκτροπές και κάθε λογής κινδύνους, που θα απειλούσανε τα πράγματα και την πορεία τους, όπως ήταν λίγο ως πολύ προδιαγεγραμμένα. Αυτή η σιγουριά για την πορεία των πραγμάτων, αλλά και η βαθιά πεποίθησή του ότι μπορούσε να την επηρεάζει, η ικανότητα πρόβλεψης αυτών που μπορούσαν να επισυμβούν και η πρόληψή τους, η ικανότητά του ν' αποφεύγει ρίσκα που ξέφευγαν από το λελογισμένο μέτρο, όλα μαζί, συνέθεταν τη δύναμή του. Το έρμα του και τη βαρύτητα του ονόματός του.

Έμπορος ξακουστός τρίτης, μπορεί και τέταρτης γενιάς, από πάππου προς πάππον, όπως έλεγε η συγχωρεμένη η γιαγιά του, ήταν ένας — και όχι ο τελευταίος — από τους τριάντα ένα Γραικούς, σε σύνολο εκατόν είκοσι εμπόρων πρώτης τάξεως της πόλης, κατεξοχήν Σαξόνων. Ήταν μέλος επιφανές της Εμπορικής Κομπανίας των Γραικών, που με τη βούλα του Μαγίστρου είχε συσταθεί το 1678 με ξεχωριστές ελευθερίες και προνόμια. Ξεχώριζε για τις επιδόσεις του, όπως και ο μακαρίτης ο πατέρας του, σε εμπορεύματα

17

εκλεκτά, που όμως είχαν δρόμο πολύ και ρίσκο μεγάλο μέχρι να φθάσουν σώα.

Είχε καταφέρει να γίνει πρώτο όνομα για όλα τ' αγαθά του νότου και της ανατολής. Από βαλανίδια για τους βυρσοδέψες μέχρι υφαντά και καρυκεύματα για τα νοικοκυριά, που έφθαναν στη Στεφανόπολη, και από εκεί πολλά από αυτά τροφοδοτούσαν την Αυστρία και τις γύρω επαρχίες της, καθώς και τα γερμανόφωνα βασίλεια της Εσπερίας. Όμως εκείνα που τον είχαν κάνει πιο γνωστό και τ' όνομά του εγγύηση για την ποιότητά τους, ήταν τα ανεκτίμητα χαλιά, πολλά από τα οποία προορίζονταν ως προσφορά στη Μαύρη Εκκλησία και ήδη κρέμονταν στους ψυχρούς της τοίχους. Κι ακόμα, το εκλεκτό μαλλί, το μυρωδάτο τουμπεκί κι ο αιθέριος κρόκος απ' την Πόλη και την Τραπεζούντα, σαμίτι πρώτης τάξεως σε τόπια από την Άνδρο και πάνω απ' όλα — ποιος θα το πίστευε — κρασί κι ηδύποτα απ' τον Μοριά που τα φόρτωναν Άνδριοι καραβοκύρηδες στη Μονεμβασιά και τα 'φερναν μέχρι την Κωνστάντζα ή τη Βράιλα. Από κει έφθαναν με καραβάνια στην πόρτα της μεγάλης αποθήκης του, έξω από τα τείχη της πόλης, ή στο κατώγι του σπιτιού του, όπου είχε το εμπορικό κατάστημά του. Ήταν λιγότερο γνωστός για όσα έστελνε στην Πόλη, υφάσματα ακριβά από το Άμστερνταμ και τη Λειψία, ιδίως μουσελίνες, τα οποία όμως του άφηναν κέρδη, ίσως και ισοδύναμα με αυτά που απεκόμιζε από τις εισαγωγές του.

18

Κι όλα λειτουργούσαν σαν ρολόι χάρη στο δίκτυο εμπορικών συνεργασιών που είχε στήσει μ' έναν Αρμένη έμπορο από την Τραπεζούντα, τον αδελφό του Μιλτιάδη στην Τεργέστη κι έμπιστους ομογενείς στο Αράντ, στη Βούδα, στη Βιέννα, στην Πράγα και στην Πόλη. Δεύτερο μάτι άγρυπνο, ο επιστάτης του ο Πέτρος. Γύρω από αυτούς ολόκληρος ένας κόσμος κομμισιονάριων, προβιζιονάριων, αγέντηδων, σπεδιτόρων, καρικατόρων και ρακομανδατόρων έκοβαν κι έραβαν, έπλεκαν καθημερινά το δίχτυ της ευημερίας και της προκοπής τους. Ο Θεοφάνης ένιωθε μάλιστα ώριμος πια να προχωρήσει στο μεγάλο βήμα, να στήσει δική του κομπανία με μεγαλύτερες φιλοδοξίες και περισσότερα οφέλη.

Ήξερε και κατά κανόνα ισορροπούσε τις πεποιθήσεις του ανάμεσα σε εκκλησία και κατά κόσμον κοινωνία. Άμεμπτος στις υποχρεώσεις και στη συμπεριφορά του απέναντι και στις δύο. Έχαιρε εκτίμησης όχι μόνο από ομογενείς, για τη γενναιοδωρία του, τον ευδιάθετο χαρακτήρα του, τη φροντίδα του για την υποδειγματική οικογένειά του. Αλλά και γιατί τον θεωρούσαν κοσμογυρισμένο. Ήταν μια εντύπωση που ο ίδιος με ευχαρίστηση καλλιεργούσε, όταν στις κάθε λογής συναναστροφές, αφού αναμασούσαν τις προφητείες του Αγαθάγγελου, που πουθενά δεν οδηγούσαν, ξέμεναν από εκείνα τα αφηγήματα που τόσο λαχταρούσαν. Αντλούσε από τα ταξίδια του και την παρουσία του στις μεγάλες εμποροπανηγύρεις της Ευρώπης, από τις επισκέψεις του στην Πόλη, στη Βού-

19

δα, στη Βιέννα, στην Τεργέστη, στο κοντινό τους Βουκουρέστι. Μα πάνω απ' όλα, απ' την επίσκεψή του στη μία και μοναδική Κέρκυρα που, όπως έλεγε, καμία άλλη πόλη μετά τη Βιέννα δεν τον είχε τόσο εντυπωσιάσει. Τι άνθρωποι, τι άρχοντες, τι τρόποι και η γλώσσα των Γραικών η πρώτη.

Υπερασπιζόταν το γένος των Γραικών με την πίστη τους, τα ήθη και τα έθιμά τους, που κρατούσανε με πείσμα απέναντι στους Σάξονες, στους Ούγγρους, στους Τρανσυλβανούς, στους Βλάχους. Αντίθετα, δεν λογάριαζε πια τον Σουλτάνο και το Ισλάμ ως πραγματική απειλή μετά την πρόσφατη συνθήκη ειρήνης με την Αυστρία. Όπως και δεν λογάριαζε τις μύχιες σκέψεις για το υποδουλωμένο γένος τόσων κατατρεγμένων που είχαν προσφύγει στη Βλαχία και τη νότιο Ρωσία μετά τη νίλα των ορλωφικών. Πίστευε ότι δεν είχανε ελπίδα. Όσο γι' αυτά που έγραφε ο Βούλγαρης, και ακολουθούσαν τόσοι και τόσοι, ότι ο Μόσχοβος θα ελευθέρωνε από την ημισέληνο το γένος, τα έβρισκε μάταιες, ίσως και επικίνδυνες κουβέντες. Καλύτερα να καθόντουσαν στ' αυγά τους. Κάτι ξέρανε από αυτά οι πλέον συνετοί από τους Φαναριώτες.

Σημαία του είχε τη γλώσσα τη ρωμαίικη, γι' αυτήν έδινε με συνέπεια, με πάθος, όλες του τις μάχες. Αυτήν θεωρούσε ως τον πιο δυνατό δεσμό, τον μοναδικό, ανάμεσα στους άλλους, που αρκούσε για να κάνει την κοινότητα των Γραικών να νιώθει συνοχή, αλληλεγγύη και να ξεχωρίζει. Την ευαγγελιζόταν όπου βρισκόταν και στεκόταν. Τη μιλούσε σε κάθε ευκαιρία. Κάκιζε όσους αποξεχνιόντουσαν και την αποξεχνούσαν. Πάσχιζε να την κάνει τουλάχιστον γλώσσα ισότιμη με εκείνη των Σαξόνων στις εμπορικές συναλλαγές του, υποστηρίζοντας αυτό που ξέραν όλοι: Ότι κάτω από το Δούναβη ήταν η πρώτη γλώσσα των πραματευτάδων. Κατέβαλλε κάθε προσπάθεια για να κρατήσει τη διγλωσσία στην κοινότητά τους. Τα γερμανικά ήταν βέβαια η επίσημη γλώσσα της πόλης και των αρχόντων της, αλλά ήθελε κατά προτεραιότητα ολοζώντανα τα ρωμαίικα για τη ζωή στην οικογένεια και στην ευεπίφορη σε κάθε σκέψη προκοπής, σίγουρα όχι ευκαταφρόνητη σε μέγεθος κοινότητά τους.

Πρωτοστατούσε σε ό,τι στήριζε και υπηρετούσε την άνθιση και τη διάδοσή της. *Την γλώσσα των Ελλήνων*, όπως είχε πει κάποτε κάποιος και τον είχε εντυπωσιάσει. Τα γράμματα που δίδασκε ο φιλότιμος ιερέας δεν του αρκούσαν. Γκρίνιαζε με κάθε αφορμή ότι η κοινότητα είχε ανάγκη ένα σχολειό δικό της. Έφερνε για παράδειγμα τους Σάξονες που είχαν στην πόλη τους όχι μόνο σχολείο, αλλά και τυπογραφείο εδώ και διακόσια χρόνια. Ζήλευε τους Τρανσυλβανούς που είχαν μετατρέψει τον αυλόγυρο του Αϊ-Νικόλα σε εστία γραμμάτων και φιλομάθειας. Παρακινούσε ανθρώπους φωτισμένους, κυρίως από άλλες παροικίες των Γραικών, να έρθουν έστω από μακριά για να μιλήσουν, όπως τον Καρτζή ή τον Φιλιππίδη, και φρόντιζε για ό,τι ήταν αναγκαίο για να ευκολύνει τον

21

ερχομό και την παραμονή τους. Είχε βάλει στο μάτι έναν ιερομόναχο και δάσκαλο μαζί από το Βουκουρέστι, κάποιον Νεόφυτο Δούκα, γνωστό για την προσήλωσή του στην αρχαία γλώσσα, και προσπαθούσε να τον κερδίσει για την κοινότητά τους, φθάνοντας για το σκοπό αυτό μέχρι τον Δοσίθεο, τον μητροπολίτη Ουγγροβλαχίας. Δεν του αρκούσε ότι στο ρουμάνικο τυπογραφείο εκδίδονταν κατά καιρούς στη γλώσσα του βιβλία. Έψαχνε ανάμεσα στους Γραικούς τους κατάλληλους για να ανοίξουν και στα μέρη τους ένα τυπογραφείο. Αναζητούσε ακόμη πρόθυμους που με τη συμβολή τους θα έφτιαχναν μια κοινή Βιβλιοθήκη, μιμούμενοι εν ανάγκη το παράδειγμα του Νικολάου Μαυροκορδάτου στο μοναστήρι Βακαρέτσι.

Ακόμη και τη νέα εκκλησία τους — αυτό όμως ποτέ του δεν το ομολογούσε — την είχε στηρίξει με κάθε τρόπο, όχι μόνο από κίνητρα πίστης και θεοσέβειας, αλλά και από τη βαθιά πεποίθησή του ότι ήταν ο πιο σίγουρος και πειστικός θεματοφύλακας για τη μετάδοση της γλώσσας των Γραικών στους πιο απλούς ανθρώπους, ίσως το πιο ακλόνητο προπύργιό της. Άλλωστε και στα έγγραφα της ίδρυσης της Αγίας Τριάδας γραφότανε ξεκάθαρα ότι κύριος σκοπός της ήταν ν' ακούγεται η ακολουθία στη γραικική διάλεκτο. Εύλογο, αφού εκκλησίες της ορθοδοξίας υπήρχανε και άλλες με πρώτο και καλύτερο τον Άγιο Νικόλαο στην έξω πόλη, που μάζευε πια κυρίως Τρανσυλβανούς, Βλάχους και Τσιγγάνους.

22

Κι όμως έβλεπε και κάθε τόσο διεπίστωνε πως η γλώσσα τους με τον καιρό χανόταν. Μαζί μ' αυτήν και η συνείδηση για το γένος τους και την καταγωγή τους. Πόσοι και πόσοι δεν ονομάτιζαν πια την πόλη τους Βρασοβό αντί για Στεφανόπολη. Από γενιά σε γενιά, όσο κι αν πρόκοβαν, όσο κι αν ανέβαζαν το κρέδιτον και την υπόληψή τους, όλο και περισσότεροι αφομοιώνονταν από τους άλλους ντόπιους. Ίσως γιατί εκείνοι ήταν πολυπληθέστεροι από τους ίδιους, ίσως γιατί επικρατούσα γλώσσα ήταν εκείνη των Σαξόνων. Ίσως ακόμα γιατί όσες από τις θυγατέρες τους δεν παντρευόντουσαν Γραικούς, στο νέο σπιτικό τους το πρώτο που ξεγράφανε ήταν τη μητρική τους γλώσσα, το δεύτερο, να τη μάθουν στα παιδιά τους. Το αντίστροφο, ιδίως με τις Γερμανίδες συμβίες των Ρωμιών, σπάνια συνέβαινε. Γρήγορα τα παιδιά μιλούσαν άπταιστα τα γερμανικά, κουτσαίνοντας στα ρωμαίικα, προς έκπληξη δυσάρεστη των πατεράδων. Όσο για τους ανάμιχτους γάμους στους κόλπους της ευρύτερης αδελφότητας της ορθοδοξίας, που πλήθαιναν χρόνο με το χρόνο, εκεί από την πρώτη κιόλας γενιά δυσκολευόσουν να ξεχωρίσεις τους Γραικούς από τους Βλάχους και τους Τρανσυλβανούς.

«Όλα κι όλα!» είχε πει ο Θεοφάνης μια και δυο φορές σ' αυτόν που εκτιμούσε πάνω απ' όλους, στον μοναδικό συμβουλάτορα και φίλο του Παναγιώτη Χατζή Νίχου. «Την κόρη μου θα τη δώσω μόνο σε Γραικό. Θέλω τα εγγόνια μου να μάθουνε και να μι-

23

λούν την γραικική.» Κι ας έφθαναν τα προξενιά ακόμη και από βογιάρους, που έρχονταν στη Στεφανόπολη να γιατρευτούν από τα ιαματικά νερά της κι αρρώσταιναν πιο βαριά οι άμοιροι, όταν ετύχαινε να ακούσουν σε πανηγύρι ή σε γιορτή να τραγουδά σαν αηδόνα η Ζωή, η ακριβή του θυγατέρα.

Άλλωστε είχε πει πια το πρώτο «ναι» σ' ένα προξενιό που του είχε κάνει ο κόντε Σπύρος, ο μοναδικός Κερκυραίος με τον οποίο είχε κατά τύχη κάνει γνωριμία. Αυτό φαίνεται ότι ήταν το γραφτό της κόρης του, αφού στη Στεφανόπολη ή όπου γύρω είχε ψάξει, δεν έβρισκε γαμπρό Γραικό ισάξιό της. Οι δυο τρεις πιο άξιοι, μα και φιλόδοξοι, δεν τους χωρούσε ο τόπος. Είχαν ξεμυαλισθεί από την Οδησσό, που μόλις είχε κτίσει η Αικατερίνη στη Μαύρη Θάλασσα. Είχαν φύγει για λίγες εβδομάδες από τον τόπο τους να κάνουνε εμπόριο και καταπώς φαίνεται είχαν οριστικά αποκτήσει νέα πατρίδα. Οι υπόλοιποι ελεύθεροι Γραικοί, αδιάφοροι, επιπόλαιοι ή λογοδοσμένοι. Η Ζωίτσα του είχε πατήσει πια τα είκοσι κι ο ίδιος ανησυχούσε πιο πολύ κι από εκείνη.

Ο κόντε Σπύρος είχε έναν γιο που μόλις είχε αποφοιτήσει ιατρός απ' το Πανεπιστήμιο της Πάντοβας. Οι μέλλοντες συμπέθεροι τα είχανε μισοσυμφωνήσει σε μια επίσκεψη του Θεοφάνη στην Τεργέστη, παρουσία του αδελφού του Μιλτιάδη, τσουγκρίζοντας απανωτά γκράπες στο μέλλον των παιδιών τους. Είχαν μιλήσει ακόμη και για το ύψος της προίκας: «Ό,τι

24

έχω και δεν έχω στο σεντούκι και στον τόκο, τριάντα χιλιάδες φλορίνια». Και παρά την ειλικρινή επιθυμία του Θεοφάνη να πάρει τη θυγατέρα του και να κατέβουνε στην Κέρκυρα, που τόσο ο ίδιος θαύμαζε και κάθε τόσο ιστορούσε, ο κόντε Σπύρος επέμενε να έρθει ο ίδιος με τον γιο του στη Στεφανόπολη, στην ποδιά της μέλλουσας κοντέσας. Έτσι σε δύο εβδομάδες περίμεναν τη μεγάλη επίσκεψη του κόντε με τον γιο του Βίκτορα. Αν όλα πήγαιναν καλά, θα προχωρούσανε στους αρραβώνες. Επιστρέφοντας στην Κέρκυρα ο κόντε Σπύρος θα έπαιρνε τη θύγω του να της δείξει τη νέα της πατρίδα και σ' ένα μήνα θα κατέβαινε κι ο ίδιος για τον γάμο. Ήλπιζε στο αβίαστο «ναι» τους, όπως ήλπιζε και στους γνήσιους Γραικούς απόγονους που θα ακολουθούσαν. Το τίμημα βέβαια θα ήτανε βαρύ, θα έχανε την κόρη του από κοντά του. Όμως αντλούσε δύναμη για τον αποχωρισμό, παρομοιάζοντάς τον με εκείνον που αντέχει ο γονιός σαν έχει τάξει τη θυγατέρα του σε άγιο.

«Ευανθία...» βροντοφώναξε ξαφνικά ο Θεοφάνης. Μέχρι να πάρει ανάσα φάνηκε αυτή, που χρόνια τώρα, αγόγγυστα νοιαζόταν απ' τα χαράματα για το σπίτι κι έπεφτε τελευταία στο σκληρό κρεβάτι της, αφού φρόντιζε να θάψει τις φωτιές, να σβήσει τους λύχνους και να προσευχηθεί μπροστά σ' έναν ξύλινο σταυρό στο κατάγυμνο κελί της. «Ευανθία... Τη λεκάνη» επανέλαβε, σκεφτόμενος ότι ήταν ευκαιρία να μουλιάσει τα ποδάρια του και να περιποιηθεί τους κάλους που είχαν πάλι μεγαλώσει. Η Ευανθία αντί να συμμορφωθεί, έγειρε προς τον αφέντη της και του ψιθύρισε εμπιστευτικά. «Λένε πως στο δάσος βγήκε πάλι... η καλογριά που είναι μισός άνθρωπος και μισός λύκος.» «Α, να χαθείς, η πολύ βροχή κι η καταχνιά θόλωσε πάλι τα μυαλά σας», την αποπήρε ο Θεοφάνης, τραβολογώντας την αυστηρά από τη μαύρη της μαντίλα. Απεχθανόταν τις δεισιδαιμονίες όσο λίγα πράγματα και συνέχισε να μονολογεί και ν' αναρωτιέται πότε θα ξαστερώσουν τα μυαλά των ανθρώπων. Λίγο αργότερα, σκυμμένος πάνω από μια μπρούντζινη λεκάνη με ζεστό νερό και άγνωστα βοτάνια, βογκώντας και ξεφυσώντας, καθώς πίεζε την ευτραφή κοιλιά του, μουρμούρισε: «Αχ, πού είσαι, βρε Ειρήνη...» και βούρκωσε. Αναλογίσθηκε πόσο σημαντική έγινε ξαφνικά γι' αυτόν η οικογένειά του, όταν έχασε την άγια εκείνη δέσποινα από κοντά του. Ψέλλισε την ευγνωμοσύνη του για την ευλογία της που του είχε δώσει απογόνους.

Η Ειρήνη, η γυναίκα του, είχε φύγει απ' τη ζωή πριν δέκα χρόνια. Από τη μια μέρα στην άλλη έσβησε, χωρίς να μπορέσουνε οι γιατροί μήτε να υποψιασθούν τι είχε. Ο Θεοφάνης έκλαψε, πένθησε κι έμειναν τα παιδιά του και ο χρόνος να τον βοηθούν με τον καιρό να ξεχαστεί και να το ξεπεράσει. Ο πατέρας του, άνθρωπος αγέλαστος, αυταρχικός, αμίλητος μέσα στην

26

οικογένεια, είπε ένα βράδυ: «Αα...!» Προσπάθησε να αναπνεύσει, ξερόβηξε και έμεινε στον τόπο, δίχως ποτέ κανείς τους να μαντεύσει, αν ήθελε έστω εκείνη τη στιγμή να τους αφήσει κάτι πιο χειροπιαστό για παρακαταθήκη. Η μάνα του η κερα-Μερόπη, όχι πως ανακουφίσθηκε, αλλά ένιωσε για λίγα χρόνια αφέντρα, έως ότου κατέπεσε από πόνους στις κλειδώσεις που από μόνοι τους την έβαλαν στο περιθώριο και την έσπρωξαν ακόμη πιο πολύ στα Θεία. Δεν πέρασαν λίγοι μήνες, άρχισε σιγά σιγά και να τα χάνει.

Ένιωσε το σπίτι βουβό, σκοτεινό και άδειο... «Ευανθία, τους λύχνους...» ανέκραξε δίχως να συνεχίσει. Απ' τα παιδιά του τα δυο είχανε φύγει ήδη με το δικό τους τρόπο. Η μεγάλη θυγατέρα του η Μερόπη, αφού είχε ξεμυαλισθεί με έναν εβραίο έμπορο από το Μπρόντι, που δεν ήξερε καν στα ρωμαίικα να πει την καλημέρα, είχε καλοπαντρευτεί τον γιο ενός γνωστού του εμπόρου από την κοινότητα των Γραικών στο Λέμπεργκ της Γαλικίας. Εγγόνες τέσσερις, λάθος, πέντε, αρσενικά κανένα. Οκτώ μέρες δρόμος, όλο βορινά, ανάμεσα σε λύκους και αρκούδες, και βέβαια εφ' όσον τα περάσματα δεν έκλειναν από τα χιόνια, αρκούσαν για να βλέπονται ο πατέρας με τη θυγατέρα του μία φορά το χρόνο. Ο πρώτος του γιος ο Χριστόδουλος ισχυριζόταν πως σπούδαζε μηχανικός στη Βιέννα. Τελευταία φορά που είχε γράμμα του πριν μήνες, έγραφε πως ήδη δούλευε ως βοηθός ενός αρχιμάστορα στο κτίσιμο μιας εκκλησίας. Όμως ξεμυαλισμένος με μία

Βοημή, όπως του είχανε προφτάσει, ήτανε σαν να μην τον είχε. Έμεναν δίπλα του ο μικρότερος, ο Νεόφυτος, για τον οποίο ένιωθε υπερήφανος που είχε τελειώσει το γυμνάσιο Χόντερους και τον προόριζε διάδοχο στο εμπορικό του και — ίσως για λίγες εβδομάδες ακόμη — η μεγάλη του αδυναμία, η μικρότερή του θυγατέρα, η Ζωή. «Δώρο Θεού» συνόψιζε με δύο λέξεις ό,τι ένιωθε ο Θεοφάνης για εκείνη και τις αρετές της. Όσο για την απόκρυφη γωνίτσα της ζωής του, την αγκαλιά μίας Βλάχας, όποτε τύχαινε στο Βουκουρέστι, αυτή βέβαια δεν τη μετρούσε στην οικογένειά του, ούτε καν σαν μια ψυχή όπου μπορούσε να ανοίξει την καρδιά του.

Έγειρε από το παράθυρο χαζεύοντας τον έρημο δρόμο και διέκρινε στο βάθος την κυρα-Γιαννοβιά με τη θυγατέρα της Σοφία να τσαλαβουτούν αδέξια στο ανώμαλο λιθόστρωτο. «Αυτή κι αν δεν είναι νύφη....» σκέφθηκε για λογαριασμό του γιου του, υπολογίζοντας στην πλούσια προίκα που θα της εξασφάλιζε η ζάπλουτη μητέρα της. Όμως τι είχε συμβεί και Κυριακή απόγευμα έλειπαν και τα δυο βλαστάρια του από το σπίτι. «Ευανθία, τα παιδιά...» ανέκραξε και πάλι δίχως να συνεχίσει. «Τι τρέχει, αφέντη μου, στους ορισμούς σου», προσέτρεξε η Ευανθία σκουπίζοντας τα χέρια της στην κάτασπρη ποδιά της. «Σε ρώτησα πού είναι τα παιδιά, καλή μου Ευανθία», της απήντησε μελιστάλαχτα ο Θεοφάνης. Τον φώτισε αμέσως η δήθεν «καλή» του: Με τις ευχές του ίδιου

28

η Ζωή είχε πάει με την εξαδέλφη της Μαρία, κόρη της αδελφής του Θεοδώρας Σνελ, στη χορωδία της κοινότητας και με εντολή του ο Νεόφυτος είχε πεταχτεί να επιδείξει μεταξωτά στο σπίτι του Δικαστή, του εξοχότατου Μίχαελ Τράουγκοτ Φρόνιους, μετά από δική του επιθυμία. «Σωστά, πολύ σωστά», μουρμούρισε ο Θεοφάνης, όμως ένιωσε κάποια στιγμή να πλαντάζει.

Σκούπισε βιαστικά τα πόδια του κι άνοιξε τα παραθυρόφυλλα για να πάρει μια βαθιά αναπνοή από τον καθαρό αέρα. Ο ουρανός είχε ανοίξει, ακόμη κι ο εσπερινός διακρινόταν να αστράφτει. Το μάτι του πήρε τον γιο τού γείτονα, τον μικρό Ευτύχη, που αλαλάζοντας μπαινόβγαινε σαν δαιμονισμένος από την ορθάνοιχτη αυλόπορτα του σπιτιού τους. Έφερε τα δυο δάχτυλα στα χείλη και σφύριξε με δύναμη που ξάφνιασε τον πιτσιρίκο. Του έκανε νόημα να πλησιάσει. Τον ρώτησε τι τρέχει κι εκείνος αποκρίθηκε ότι μόλις είχαν καταφθάσει κάτι συγγενείς τους από την Κοζάνη. Με τη βοήθεια του Χριστού θα μένανε μακριά από τον Τούρκο, για πάντα πια κοντά τους.

Ο Θεοφάνης κούνησε το κεφάλι του συγκαταβατικά. Όμως συχνά αναρωτιόταν πώς κατάφεραν τόσοι Γραικοί να 'χουν ριζώσει με οικογένεια, βιος και προκοπή σε τούτη τη μακρινή γωνιά του κόσμου, χαμένη, κρυμμένη ανάμεσα σε βουνά και δάση, δέκα μέρες απόσταση από την Πόλη και δυο βδομάδες από τη Σαλονίκη. «Δυο βδομάδες και...» από τη Βιέννα.

Κανένας δεν μπορούσε με βεβαιότητα, με κάποια χειροπιαστά στοιχεία να το εξηγήσει. Καθ' όλα τόπος μακρινός κι απ' την πατρίδα των Σαξόνων, στρατηγικό κι εμπορικό προπύργιό τους, πύλη και πέρασμα σε κόσμους άγνωστους, πλούσιους και μαγικούς, αλλά και επικίνδυνους, πότε στους Τάταρους και άλλοτε στο ισλάμ εκτεθειμένος.

Έλεγαν πως όταν κούρσεψαν οι Οθωμανοί την αυτοκρατορία, σόγια και οικογένειες πήραν των ομματιών τους και εγκατέλειψαν τον τόπο τους, προσπαθώντας να σώσουν το κεφάλι τους και την τιμή τους, ίσως και κάτι από το βιος τους. Προσέφυγαν στα πιο γνωστά βασίλεια της Εσπερίας, αλλά και σ' άλλα απρόσιτα κατά βορρά, πέρα από του Δούναβη το όριο. Άλλοι είχαν κινήσει από τα παράλια του Πόντου κι άλλοι από την Ήπειρο και τη Μακεδονία. Πολλοί είχανε φθάσει και κρυφθεί στις παραδουνάβιες χώρες. Αργότερα, όταν οι Οθωμανοί προχώρησαν μέχρι την κεντρική Ευρώπη με τη μεγάλη νίκη τους στο Μόχατς, άρχισαν οι Γραικοί ως Οθωμανοί υπήκοοι να αλωνίζουνε ελεύθερα τις κατακτημένες επαρχίες. Ακόμη περισσότεροι κατέκλυσαν αργότερα την Αυστρία, τις ανατολικές της επαρχίες, αλλά και τις παραδουνάβιες ηγεμονίες, όταν έφυγαν οι Οθωμανοί. Οι Αυστριακοί ανοίξανε τις πόρτες τους στο εμπόριο, τραβώντας με προνόμια και διευκολύνσεις βαλκάνιους πραματευτάδες. Μόνο στην Ουγγαρία οι Γραικοί μετρούσαν προ πολλού πάνω από τριάντα παροικίες. Τα ίδια στη Βλαχία, στη Μολδαβία, στη νότιο Ρωσία. Παρόμοια και στην Τρανσυλβανία.

Λέγαν πως πολύ παλιά κάποιες φαμελιές απόσωσαν κάποτε με το καραβάνι τους μπροστά στα τείχη αυτής της πόλης, όμως ο Σάξων Μάγιστρος δεν τους επέτρεψε να μπούνε μέσα και να εγκατασταθούν. Άλλωστε τέτοιο δικαίωμα δεν είχαν ούτε οι Ούγγροι μήτε οι Τρανσυλβανοί ή οι Βλάχοι. Τους τσιγγάνους έτσι κι αλλιώς κανείς δεν τους μετρούσε. Μέχρι να δοθούν τα προνόμια του Ρακότσζη το 1636, μόνο ένα προνόμιο είχαν καταφέρει να κατακτήσουν το 1588. Να κυκλοφορούν ελεύθερα έξω από τις πόλεις των Σαξόνων για να πουλούνε τις πραμάτειες τους σε τιμές κατώτερες εκείνων που πουλούσανε οι έμποροι της πόλης.

Κάποτε έπεσε θανατικό — μπορεί και να 'τανε χολέρα ή πανούκλα — κι ο χάρος άρχισε να θερίζει αδιάκριτα άνδρες, γυναίκες, γέρους και νιους. Λέγαν πως ανάμεσα στους Ρωμιούς βρέθηκε ένας φαρμακοτρίφτης που ήξερε το μυστικό — να 'τανε άραγε ο Παντελής ο φαρμακοποιός, στην πανούκλα του 1588, που τ' όνομά του τύλιγε έκτοτε μια φήμη μαγική για όσα γνώριζε στην τέχνη του ή κάποιος απόγονός του; — ποιος ξέρει. Έγιανε άρρωστους πολλούς απ' όλους ήδη καταδικασμένους, με τους γιατρούς συντετριμμένους να κάνουν πια προσευχές και τους παπάδες σε απόγνωση να ψάχνουνε για γιατροσόφια. Αυτός και το γουδί του έσωσαν την πόλη. Έτσι λοιπόν, για να τον ανταμείψει ο Μάγιστρος της πόλης δέχθηκε την παράκληση των

31

Γραικών να μπουν και να εγκατασταθούν στην πόλη. Ετούτα έλεγαν — αλήθεια, παραμύθια — ούτε που γνώριζε κανείς το πότε και το πώς, μήτε αν ήτανε κάπου γραμμένο. Κι αν έλεγε ο Θεοφάνης πως δεν είχε τόσο σημασία, κάπου βαθύτερα πίστευε ότι και όμως είχε. Αναλογιζότανε τους Σάξονες, που στα κιτάπια τους κρατούσαν με επιμέλεια από το 1353 ένα προς ένα τα ονόματα του δημάρχου, του δικαστή, του ληξιάρχου. Θυμόταν τις αφηγήσεις του μέλλοντα συμπέθερού του για τις επώνυμες γενιές των Κερκυραίων, που πήγαιναν πίσω μέχρι την άλωση της Πόλης. Ονόματα, ημερομηνίες, τοπωνύμια με τη δική τους ξεχωριστή ιστορία, και η κοινότητα των Γραικών στη Στεφανόπολη, εκτός από το πενιχρό ληξιαρχικό βιβλίο της εκκλησίας να μην έχει ένα κειμήλιο, ένα κιτάπι για το πού κρατά η σκούφια της και πούθε η γενιά της. «Ντροπής πράγματα...» μουρμούριζε περιφρονητικά, όταν σκεφτόταν τους άγνωστους προγόνους του που είχαν αμελήσει ένα τέτοιο καθήκον. Όμως τα 'βαζε και με τον εαυτό του. Εδώ δεν γνώριζε ο ίδιος πούθε κρατούσε η σκούφια τής δικής του φαμελιάς. Όταν ξύπνησε και πρωτορώτησε τη μάνα του — η γιαγιά και ο πατέρας του είχαν πεθάνει — δεν μπόρεσε να βγάλει άκρη. Γιαννιώτες του είπε την πρώτη φορά, για Κοζανίτες του μιλούσε την επομένη, λες κι ήταν το ίδιο πράγμα. Άντε να βγάλεις άκρη.

Γι' αυτό κι ο ίδιος στα εμπορικά βιβλία του, όπου

κατέγραφε παραγγελίες και δοσοληψίες με κάθε επιμέλεια και ακρίβεια, σεβόμενος πρωτίστως τις φορολογικές του υποχρεώσεις στον Μαγίστρο, σημείωνε και καθετί σημαντικό που έκρινε αναγκαίο, έστω και αν δεν είχε σχέση με το εμπόριο. Όπως όταν κατέφθασε κάποτε ιερέας από το Αιγαίο ή όταν πάντρεψε τη μεγάλη θυγατέρα του ή ξέκοψε ακόμη και την καλημέρα σ' έναν φίλο του ομογενή, μετά από μια άγρια λογομαχία για τη γλώσσα των Γραικών. «Με το καλό...» φώναξε στον μικρό Ευτύχη και σκέφθηκε ότι θα έπρεπε να καταχωρίσει την άφιξή τους. Άλλη ώρα θα μάθαινε και την αιτία του ξεριζωμού τους.

Ένιωσε ξαφνικά να δυσανασχετεί. «Θα με φάει η μούχλα κι η κλεισούρα...» μουρμούρισε και τότε μόλις θυμήθηκε ότι μέρες τώρα ο Χατζή Νίκου του είχε μηνύσει με ραβάσι* ότι ήθελε να του μιλήσει. Έτσι αποφάσισε δίχως δεύτερη σκέψη να κάνει μια επίσκεψη στον σεβαστό του φίλο. Τον ένιωθε ανάλογα με τις περιστάσεις και σαν πατέρα, αφού τους χώριζαν κοντά τριάντα χρόνια. Φόρεσε το καφτάνι του, έστρωσε πρόχειρα με το δεξί τα γένια του μπρος στον καθρέφτη και ψιθύρισε: «Δόξα σοι ο Θεός, τίποτα δεν μας λείπει». Στερέωσε στην κεφαλή το καθημερινό καλπάκι** του και κατέβηκε ανάλαφρα παρά τον όγκο του

* Σημείωμα
** Κυλινδρικό καπέλο εποχής

την ξύλινη σκάλα που οδηγούσε στην εξώπορτά του. Έριξε μια γρήγορη ματιά στο άλογό του που ήταν δεμένο στην αυλή, ψηλαφώντας το αν ήτανε βρεγμένο και δρασκέλισε την αυλόθυρά του. Επιθεώρησε τον κεντρικό δρόμο πάνω κάτω μέχρι εκεί που έφθανε το μάτι. Παρά το δυνατό ακόμη φως του σούρουπου, σιωπή και ερημία. Ένας σκύλος τον διέσχισε νωχελικά και χάθηκε προς την πλατεία. Σκέφθηκε να περάσει πρώτα από το φαρμακείο, να πει μια καλησπέρα. Το βρήκε κλειστό και σκοτεινό. Κούνησε το κεφάλι του με κατανόηση και τράβηξε για του Χατζή Νίκου.

Ο Νεόφυτος έλεγξε με μια γρήγορη ματιά τον καλοδεμένο μπόγο με τα μεταξωτά που με περισσή επιμέλεια είχε ετοιμάσει κι έριξε μια δεύτερη ματιά για να βεβαιωθεί ότι η βροχή είχε σταματήσει. Μ' ένα «Οπ!» τον έριξε στον ώμο και τον μετέφερε στην καρότσα που τον περίμενε στην αυλή τους. Έσυρε την παλάμη του στη χαίτη του καστανόχρωμου συντρόφου του στα εμπορικά του δρομολόγια, πήρε στα χέρια του τα γκέμια κι ο ίδιος μπροστά πεζή ξεκίνησε για του κυρίου Δικαστή το σπίτι. «Τι δουλειά κι αυτή...!» βαρυγκώμησε, όπως συνήθιζε πίσω από την πλάτη του γονιού του.

Χτύπησε δύσθυμος, αλλά με τον δέοντα σεβασμό, το σήμαντρο της πόρτας του εξοχότατου κυρίου Μίχαελ Τράουγκοτ Φρόνιους. Το αρχοντικό του ήταν

34

ανάλογο του αξιώματός του, ως επικεφαλής του ανωτάτου θεσμού κυβέρνησης της πόλης, του Συμβουλίου των Μαγίστρων. Πρόλαβε και είδε να τον παρατηρούν πίσω από ένα μισοσηκωμένο κουρτινάκι. Η πόρτα άνοιξε ευθύς και δίχως χρονοτριβή ένα χέρι στρουμπουλό στα άσπρα του έκανε νόημα να περάσει μέσα. Ο Νεόφυτος μόλις τότε επέστρεφε στην καρότσα του, φορτώθηκε τον τεράστιο μπόγο και μπήκε βιαστικά μέσα στο σπίτι. Δύο τεράστια τσομπανόσκυλα μπροστά στο σβησμένο τζάκι της σάλας δεν καταδέχθηκαν να τον πλησιάσουν. Ανασήκωσαν το κεφάλι τους κι έγειραν πάλι πλάι. Αντίθετα τον υποδέχθηκαν τρεχάτες τέσσερις γυναίκες με το χαμόγελο στα χείλη, όλες αφράτες και καλοντυμένες. Η πιο νέα κοκκίνισε λέγοντας καλησπέρα κι έσκυψε το κεφάλι. «Καλησπέρα», ψέλλισε θαμπωμένος από την ομορφιά της και εκείνος. Ανάμεσά τους ανεγνώρισε μόνο την οικονόμο του σπιτιού, τη φράου Λότε, που επισκεπτόταν τακτικά το εμπορικό τους. Οι δέσποινες τον οδήγησαν στη μεγάλη σάλα του σπιτιού και του έδειξαν ένα τεράστιο μακρόστενο τραπέζι για να αποθέσει την πραμάτεια του.

Η φράου Λότε αναφώνησε: «Τρέχω να ειδοποιήσω τον κύριο Δικαστή», και χάθηκε πίσω από μια μεγάλη πόρτα φορτωμένη με ανάγλυφες παραστάσεις από το βασίλειο του δάσους. Εμφανίσθηκε σχεδόν αμέσως με ύφος ζεματισμένο και ψέλλισε: «Είπε να περιμένουμε». Κάθισαν όλοι δίχως σχόλια στα δύο ξύλινα καναπεδάκια, που πλαισίωναν τη μεγάλη πόρτα. Καθώς είχε μείνει μισάνοιχτη από τη φούρια της μαντατοφόρου, ο Νεόφυτος διέκρινε τον κύριο Δικαστή να πηγαίνει πέρα δώθε. Από μια άλλη πόρτα φάνηκε ξαφνικά να έρχεται μια δούλα, κρατώντας σε δίσκο ένα τσαγερό με ισάριθμα για την ομήγυρη φλιτζάνια. Πίνοντας σιωπηλά και υπομονετικά το αφέψημά τους, άκουγαν τη συνομιλία ανάμεσα στον κύριο Δικαστή και κάποιους επισκέπτες του που είχαν έρθει σχεδόν απρόσκλητοι, όπως δικαιολογήθηκε η φράου Λότε. «Κατέφθασαν για να τον δούνε χωρίς προειδοποίηση καμία», υπογράμμισε το ατόπημά τους, δαγκώνοντας τα χείλη της και κρύβοντας τα χέρια της στα φαρδουλά μανίκια της.

Επισκέπτες και οικοδεσπότης μιλούσαν για τα πράγματα στη Γαλλία. Δεν πήγαινε άλλο με τον Ροβεσπιέρο. Αυτός κι ο κύκλος του στρεφόντουσαν και κατά της μεσαίας τάξης, την οποία υποτίθεται ότι υπηρετούσαν οι αρχές της επανάστασης. Το αίμα έτρεχε αδιακρίτως. Ανάμεσα στα θύματα της επανάστασης οι οπαδοί τής μοναρχίας ήταν μόνο μία μικρή μειοψηφία. Έκαναν στενάχωρους συνειρμούς με τα δικά τους. Στην Τρανσυλβανία δεν είχε ξεχασθεί η εξέγερση του Χορέα και των απανταχού χωρικών και εξαθλιωμένων, κι ας είχε πνιγεί τότε στο αίμα. Και κάθε τόσο αναρωτιόντουσαν, ποια άραγε εξέλιξη θα ήταν η επιθυμητή, με δεδομένη τη σύγκρουση Γαλλίας και Αυστρίας, που θα μπορούσε να έχει επίπτωση και στα δικά τους. Επιζητούσαν, όχι σπουδαία πράγματα, να... ηγεμόνες λιγότερο δεσποτικούς, που θα ανέχονταν για τους υπηκόους τους, ιδιαίτερα για τους ίδιους και τους όμοιούς τους, μία σταλιά ελευθερία. Κυρίως — κι αυτό ήταν ο καημός τους — θα τους απάλλασσαν με τρόπο αναίμακτο και δίχως φασαρίες από την καταδυνάστευσή τους από την ουγγρική αριστοκρατία. Οι οικοδέσποινες άκουγαν και δυσανασχετούσαν. Φούσκωναν και ξεφούσκωναν, έστριβαν εκνευρισμένες τα κεντημένα μαντιλάκια στις αλαβάστρινες γροθιές τους. Αντίθετα ο Νεόφυτος, μισογερμένος προς την πόρτα, είχε στήσει αυτί και παρακολουθούσε με απροκάλυπτο ενδιαφέρον τη συζήτηση, σαν να 'τανε αυτός ο σκοπός της επίσκεψής του. Κόντευαν πέντε χρόνια από τότε που είχε ξεσπάσει η επανάσταση και δεν είχε πάψει να είναι το πρώτο θέμα κάθε συζήτησης, όταν έστρεφε το βλέμμα της στον έξω κόσμο.

Οι ιδέες της επανάστασης, ο αέρας μιας πρωτόγνωρης ελευθερίας, τα γεγονότα και οι εξελίξεις, έστω και αν οι τελευταίες έφθαναν με κάποια καθυστέρηση, συγκλόνιζαν κάθε φορά προύχοντες και απλούς ανθρώπους. Ανάμεσά τους και τον Νεόφυτο, που ένιωθε συνεπαρμένος από τον κόσμο των φώτων που ανέτελλε και τόσα υποσχόταν. Ένιωθε στην πόλη του να ασφυκτιά, η κοινότητα των Γραικών με τα κουτσομπολιά της να τον πνίγει. Όλοι μαζί με τις προκαταλήψεις και τις δεισιδαιμονίες τους, τα ξόρκια, τα σημάδια και τα φυλαχτά τους να προσκυνούν μια δεύτερη θρησκεία στη σκιά της χριστιανοσύνης, ένα με την καταχνιά και τη θολούρα. Όλοι μαζί με τη μεγαλόσχημη ευσέβεια, την επιδειχτική εγκράτεια και τις μετάνοιές τους, να προσπαθούν να κάνουνε από κάθε μικροχαρά μια αμαρτία. Και κάθε τόσο να φθάνουν μέχρι τα Καρπάθια οι ομοβροντίες του Πατριαρχείου για τους μακρινούς άθεους εχθρούς στη δύση, που σκέφτονταν αλλιώς και πρέσβευαν νέες ιδέες, πολεμώντας άδικα κατά το Φανάρι τον κλήρο και τα δήθεν προνόμιά του. Όσο για την απόφαση του πατέρα του να συνεχίσει αυτός το εμπορικό τους, ήταν γι' αυτόν μία απόφαση όμοια με την αργή πορεία προς τη λαιμητόμο.

Με τέτοια λόγια άνοιγε την καρδιά του μόνο στην αδελφή του, που έδειχνε από συμπάθεια να τον κατανοεί και να τον νιώθει. Αντίθετα, ο σεβασμός κι η αγάπη στον πατέρα τον έκαναν να του κρύβει τις σκέψεις και τα μαύρα συναισθήματά του. Ακόμη και την αντίθεσή του με αυτά που έγραφε εναντίον των Γάλλων η γαζέτα «Εφημερίς» που εξέδιδαν οι αδελφοί Πούλιου από τη Βιέννα και ασπαζόταν ο πατέρας του ως φρόνιμος καισαροβασιλικός υπήκοος. Αραιά και πού ψέλλιζε κάτι, μα ο πατέρας του τον απόπαιρνε κι απ' τη σκοπιά του μπορεί να είχε και δίκιο, όταν του έλεγε ότι μια χούφτα μόνο νιοι στη Στεφανόπολη είχαν στρωμένα, έτοιμα τα πάντα, βιος, δουλειά, προοπτική, και ήταν αχάριστος να γκρινιάζει.

Ο Νεόφυτος χάθηκε προς στιγμήν με τη φαντασία του σε όσα συνέβαιναν στο Παρίσιο, στον αγώνα του

38

Ροβεσπιέρου και στα ιδανικά του, ώσπου άνοιξε διάπλατα η πόρτα. Ένευσε ταπεινά μαζί με τις οικοδέσποινες προς τους επισκέπτες που καλησπέρισαν ευγενικά και προσπέρασαν, συνοδευόμενοι από τον κύριο Δικαστή μέχρι την πόρτα.

«Λοιπόν, τι έχουμε, νεαρέ μου;» αναφώνησε ευδιάθετος ο κύριος Δικαστής, σμίγοντας με θέρμη τις παλάμες του, σαν να έσφιγγε του Νεόφυτου το χέρι. Ο Νεόφυτος σιωπηλός μ' ένα χαμόγελο ευγένειας, αλλά και τρόπων που επέβαλλαν η επαγγελματική του συμπεριφορά, έπεσε στα δυο γόνατα και άρχισε με προσοχή να λύνει έναν έναν τους κόμπους, ελευθερώνοντας τον μπόγο από το εξωτερικό δέσιμό του. Οι γυναίκες απογοητεύθηκαν προς στιγμήν, όταν διαπίστωσαν ότι ένα δεύτερο περιτύλιγμα έκρυβε την ποθητή πραμάτεια, που έπρεπε κι αυτό με προσοχή — κι ευλάβεια θα έλεγε ο Θεοφάνης — να απαλλαγεί από τους σπάγκους του και τα κουμπώματά του. Και επιτέλους ήρθε η στιγμή.

Πρώτα ανέσυρε ο Νεόφυτος ένα τόπι ύφασμα μεταξωτό σε χρώμα βαθυπόρφυρο. Ξεδιπλώνοντάς το επιδέξια επτά κι οχτώ φορές επάνω στο λείο δρύινο τραπέζι, προκάλεσε ένα επιφώνημα θαυμασμού απ' όλες τις δέσποινες και έκοφε αμέσως τη λαλιά τους. Εκείνη που φαινόταν από την εσθήτα της, αλλά και τα χρόνια της, να 'ναι η πρώτη κυρία του σπιτιού, άπλωσε δειλά το χέρι της και άγγιξε την επιφάνεια του πολύτιμου μεταξωτού, ψιθυρίζοντας λόγια θαυμασμού.

Ο Νεόφυτος δίχως να σχολιάσει, έσυρε το δεύτερο τόπι και το ξετύλιξε με όμοιο τρόπο πάνω στο τραπέζι. «Ένα γλαυκό σαν το Αιγαίο πέλαγο», ψιθύρισε στη νεαρά δεσποσύνη που τον είχε γοητεύσει. Το φίνο μετάξι γλίστρησε σαν νερό πάνω στο ξύλο. Ακολούθησε το τρίτο, ένα κιτρινωπό, που πήγαινε σε ώχρα και τέλος το τέταρτο, βαθυπράσινο, μάλλον πιο φωτεινό από τα κυπαρίσσια. Και τότε άρχισε ο Νεόφυτος να λέει δυο λόγια για το καθένα, γι' αυτό που ήταν από άγρια μέταξα, για εκείνο που ήταν με το πιο φίνο νήμα υφασμένο, για την υψηλή ποιότητα του μεταξιού, για την τέχνη αυτών που το είχανε βάψει ή υφάνει. Οι δέσποινες πήρανε θάρρος και άρχισαν απαλά να τα αγγίζουν, να τα ψηλαφούν, να τα χαϊδεύουν ένα προς ένα. Να θαυμάζουν και να εκθειάζουνε, να λέει η καθεμία την προτίμησή της. Ν' αλλάζουν γνώμη με την παλάμη τους πότε στο μάγουλο και πότε μπρος στο στόμα, να δυσκολεύονται να επιλέξουν, να μην μπορούν να καταλήξουν.

Η εξοχότητά του ο κύριος Δικαστής παρακολουθούσε την επίδειξη ικανοποιημένος, δίχως ωστόσο να δείχνει παρόμοιο ενθουσιασμό με εκείνον του γυναικόκοσμου που είχε κοντά του. Όμως γι' αυτόν επεφύλασσε ο Νεόφυτος την τελευταία έκπληξη, ίσως την πιο μεγάλη. Αφού άφησε τις δέσποινες να περιεργαστούν ό,τι είχε απλώσει μπρος στα μάτια τους και να καταλαγιάσουν τα ενθουσιώδη σχόλια, είπε σαν να το είχε ξεχάσει: «Α! και κάτι ακόμη...» και γονάτισε μπροστά στον μισοάδειο μπόγο. Πήρε με προσοχή το τελευταίο εμπόρευμά του, σηκώθηκε αργά, πρώτα στο ένα γόνατο, μετά στο άλλο και κρατώντας το με τα χέρια προτεταμένα, το απόθεσε με ευλάβεια θρησκευτική μπροστά στον κύριο Δικαστή. Έγειρε από πάνω του και με δυο κινήσεις το άνοιξε, το άπλωσε για να φανεί σε όλο του το μεγαλείο. Προτού ανασηκωθεί για να αφήσει την ομήγυρη ανεμπόδιστα να το θαυμάσει, άκουσε από πάνω του το «Ααα!» της ανυπόκριτης έκπληξης και του απέραντου θαυμασμού της. Μόνος άφωνος είχε απομείνει ο κύριος δικαστής. Όμως δεν έκρυβε το δικό του θαυμασμό, καθώς τα φρύδια του υψώθηκαν, μεγάλωσαν τα μάτια του, τα μέχρι πριν κλειστά του χείλη μισάνοιξαν κι απόμειναν έτσι να θωρούν αυτό που είχαν μπροστά τους. Μια βαθυκόκκινη, ποδήρη τήβεννο, ένα καφτάνι από χοντροΰφασμένο μετάξι, με κάπως φουσκωμένα τα μανίκια ψηλά στους ώμους, που σχημάτιζε στην ύφανσή του σχέδια διακριτικά, κυρίως από μικρούς και μεγάλους ρόμβους με ένα τριφύλλι σε κάθε κορυφή τους. Και γύρω γύρω από το λαιμό, κατά μήκος της μακρόστενης διχάλας μπροστά στο στήθος και μέχρι τον ποδόγυρο, καθώς και στα φαρδιά περιμανίκια, μια τρέσα με χρυσή κλωστή, αλλού ψιλή κι αλλού διπλοστριμμένη, από χέρι μαστόρισσας τεχνίτρας κεντημένη. «Σαμίτι ανδριώτικο και σχέδιο βενετσιάνικο, αρχοντικό, άξιο της εξοχότητάς σας», σχολίασε ο Νεόφυτος χαμηλόφωνα, χωρίς την οιαδήποτε προσπάθεια

41

να πείσει για τα λεγόμενά του, αφού το πανωφόρι μιλούσε από μοναχό του.

Θαμπωμένος ο κύριος Δικαστής από την ομορφιά του, ένιωσε να ξυπνά ξαφνικά μία γλυκιά ματαιοδοξία για την εμφάνισή του, κάτι πολύ πιο έντονο από το αρχικό του ενδιαφέρον για μια καινούργια τήβεννο για επίσημες περιστάσεις. Κατάφερε με προσπάθεια πολλή να μην εκφρασθεί αυθόρμητα για το πόσο ήθελε να την αποκτήσει. Κι όταν η νεαρότερη δεσποσύνη με θάρρος την πήρε στα χέρια της και του την έριξε στους ώμους, κάνοντας την ομήγυρη να βγάλει πάλι επιφωνήματα θαυμασμού: «Τι αρχοντιά και τι φινέτσα...», «τι επιβλητικότητα και τι χάρη...», εκείνος ξεπέρασε τον εαυτό του και βρήκε τη δύναμη να ισχυρισθεί ασύστολα ψευδόμενος, με ύφος δήθεν σοβαρό, κουνώντας απαξιωτικά το χέρι: «Αυτά δεν είναι για μένα». Σκόπευε απλώς να ενδώσει λίγο αργότερα υπό την ομόφωνη πίεση εκείνων που τον φρόντιζαν και τον αγαπούσαν. Αυτό ήταν το πρέπον.

Μούδιασαν οι δέσποινες, χαμήλωσε ο Νεόφυτος το κεφάλι. Στράφηκαν προς τα τόπια με τα μεταξωτά και βρήκαν αμέσως την προηγούμενη διάθεσή τους. Δίχως δισταγμούς άρχισαν να δίνουν στον Νεόφυτο οδηγίες τι ήθελαν απ' το καθένα. Και κάθε τόσο κάτι θυμόντουσαν και ζητούσαν κάτι παραπάνω, ν' ανακατεύονται οι πήχεις, οι οργιές, οι γιάρδες, ο Νεόφυτος σιωπηλός να υπακούει, να κόβει, να τυλίγει, μα το μυαλό του να τρέχει στον Ροβεσπιέρο. Οι δέσποινες κάθε τόσο να

42

κοιτούν τον κύριο Δικαστή και να ζητούν με μια ματιά την έγκρισή του κι εκείνος δίχως δισταγμό να τους τη δίνει. Απ' όλες πιο περιχαρής, σχεδόν με νάζι, η νεότερη δεσποσύνη, που όπως αντιλήφθηκε ο Νεόφυτος την έλεγαν Γκρέτχεν, ζητούσε διαρκώς τη γνώμη του Νεόφυτου, σαν να νοιαζόταν μόνο για το γούστο το δικό του. Τόλμησε μάλιστα κάποια στιγμή να ρωτήσει, αν η ίδια θα του άρεσε με κάποιον συνδυασμό που αυτοσχεδίασε στο μπούστο της επάνω, αλλά η φράου Λότε την τσίμπησε βιαστικά στο γοφό κι εκείνη συμμάζεψε τη ζωντάνια και τον αυθορμητισμό, που είχαν αποκλειστικά τον Νεόφυτο για αποδέκτη.

Τέλειωσαν οι δέσποινες με τις επιθυμίες τους και ο κύριος Δικαστής ένιωσε ότι είχε έρθει η σειρά του. Όμως καμία τους δεν τόλμησε να αντιμιλήσει στον άρχοντά τους και να τον στεναχωρήσει. Άλλωστε καθένας διαλέγει μόνος του το ντύσιμο κι εκείνος ήξερε καλύτερα απ' όλους, μουρμούρισε η φράου Λότε. Ανάλογες σκέψεις έκανε και ο Νεόφυτος. Σίγουρα θα 'βρισκε άλλον άρχοντα, που θα εκτιμούσε ένα τέτοιο μοναδικό καφτάνι, και πάντως παράπονο δεν είχε, οι δέσποινες είχαν ψωνίσει σχεδόν τη μισή πραμάτεια. Έσκυψε προσεχτικά να συμμαζέψει ό,τι είχε απομείνει.

Ο κύριος Δικαστής άρχισε ν' αντιλαμβάνεται ότι απομακρυνόταν η προοπτική ν' αποκτήσει κάτι, μία μικροχαρά, τόσο σπάνια στη μονότονη και αυστηρή ζωή του. Αποφάσισε να ξιφουλκήσει και σχολίασε προσπαθώντας να ισορροπήσει ανάμεσα στο δέον ύφος ενός ψυχρού παρατηρητή και στη ζέση που εξέπεμπε η κρυφή του επιθυμία. «Κι όμως είναι τόσο όμορφο ετούτο το καφτάνι.» Προσπάθησε συγχρόνως με τη ματιά του να εμφυχώσει τη γυναικεία ομήγυρη για μια καλή κουβέντα. Η οικονόμος του σπιτιού θέλησε ν' ανταποκριθεί και να συμπλεύσει, όπως νόμιζε μεθερμηνεύοντας αυτόν, που από μικρό μεγάλωσε και τώρα υπηρετούσε. Έτσι δεν δίστασε να πει: «Όμορφο είναι, άρχοντά μου, αλλά αν θέλεις τη γνώμη μου, δεν είναι για την αφεντιά σου».

Ο κύριος Δικαστής κόντεψε να εκραγεί, να πει ορθά κοφτά: «Κι όμως εγώ το θέλω», αλλά συγκρατήθηκε. Δεν θέλησε να δείξει ότι υποχωρούσε έτσι εύκολα και εθελούσια από την αρχική του θέση. Αναζητούσε εναγώνια μια κουβέντα, κάτι απ' όπου να πιαστεί, για να δικαιολογήσει ότι άλλαζε γνώμη. Κι όσο περνούσε η ώρα και το καφτάνι απομακρυνόταν, τόσο η επιθυμία του γι' αυτό μεγάλωνε, το ήθελε, το απαιτούσε. «Εσείς τι λέτε;» στράφηκε προς τις άλλες δέσποινες. Εκείνες κοιτάχτηκαν κλεφτά αναμεταξύ τους, εκτιμώντας ότι όπως συνήθιζε μάλλον ήθελε να τις ελέγξει, παρά τη γνώμη τους ν' ακούσει. Δίχως να το πιστεύουν, ξίνισαν τα μούτρα τους κι εκείνη που φαινόταν για οικοδέσποινα στο σπίτι φέλλισε απαξιωτικά: «Δεν είναι για σένα, άρχοντά μου». Ο κύριος Δικαστής έσφιξε δόντια και χείλια, ανοιγόκλεισε σπασμωδικά τα βλέφαρά του και πήρε με δυσκολία μια βαθιά ανάσα. Κατάφερε με μεγάλη προσπάθεια να

44

επιβληθεί στις επιθυμίες και στον εαυτό του. Όσο άρχοντας κι αν ήταν, αυτό ήταν το πρέπον και όχι το τι επιθυμούσε η καρδιά του.

Ο Νεόφυτος παρακολούθησε υπομονετικά τα έτσι και τα αλλιώς πάνω από το διάπλατο καφτάνι κι ένιωσε όχι μόνο μία φορά να εξαντλείται η υπομονή του. Τουλάχιστον αμείφθηκε επιτόπου μ' ένα πουγκί φλορίνια, με χαμόγελα και με μία λάμψη ξεχωριστή στα μάτια της Γκρέτχεν, που τον είχε καταγοητεύσει. Έσκυψε το κεφάλι του ευγενικά, καθώς τους αποχαιρετούσε, παίρνοντας μαζί του το τόσο άδικα παρεξηγημένο καφτάνι.

Εκείνο το βράδυ ο Μίχαελ Τράουγκοτ Φρόνιους, χαζεύοντας το σούρουπο απ' το παράθυρό του, ένιωθε πως ήταν η πιο δυστυχισμένη ψυχή στην πόλη. Ακουμπισμένος στο δικό του παραθύρι, ο Νεόφυτος έφερε στο μυαλό του την επίσκεψη στο σπίτι του Δικαστή, το ακατανόητο βλέμμα απόγνωσής του, μα σκέφθηκε ότι μπορεί να έκανε και λάθος. Έφερε μπρος στα μάτια του το γλυκό προσωπάκι της Γκρέτχεν κι ένιωσε κάτι να φτερουγίζει στα φύλλα της καρδιάς του. Να 'ταν κόρη του δικαστή, ανιψιά ή ψυχοκόρη; Θα μπορούσε να το μάθει, όπως θα μπορούσε και να την ξαναδεί, αν το 'βαζε με το μυαλό του, μα όνειρα σίγουρα δεν θα μπορούσε γύρω της να πλέξει. Όποια και να 'ταν που δεν θα είχε τη γραικική για μητρική της γλώσσα, αποκλειόταν από τα όνειρά του με απόφαση του γεννήτορά του. Και να σκεφθεί κανείς ότι καιρό είχε να δει μια κοπελιά που να του αρέσει. Άτυχος κι εδώ, όπως και το ριζικό του στο Μπρασόβ.

Αναρωτήθηκε αν η υπόλοιπη ζωή του θα ξετυλιγόταν ανάμεσα σε προσπάθειες, άλλοτε ευπρόσδεκτων κι άλλοτε περιφρονημένων εμπορευμάτων, προσπάθειες ανάλογες με τη σημερινή και χαμογέλασε με πίκρα. Φουρκισμένος κάλπασε με το νου του σαν τρελός στη Γαλλία και στον Ροβεσπιέρο, αφήνοντας την Γκρέτχεν στον ορίζοντα να χάνεται, να σβήνει.

«Γύρισες κιόλας;» ακούστηκε ξαφνικά σαν κανονιά η φωνή της Ευανθίας απ' το άνοιγμα της πόρτας. Ο Νεόφυτος κατατρομαγμένος επέστρεφε αυτοστιγμεί από τον κόσμο των ονείρων του στην κάμαρή του. Σαν κάποιος που τον συνελάμβαναν να διαπράττει με τη σκέψη το ύψιστο έγκλημά του. Απόμεινε να σκέφτεται από τη μια τη γαλήνη και την ομόνοια στην οικογένειά του κι από την άλλη την τριχυμία της φυγής προς την ελευθερία και την επανάσταση, που έκρυβε στα σωθικά του.

Αμφιταλαντεύθηκε προς στιγμή, ο πατέρας του ακόμη δεν είχε επιστρέψει και φωνάζοντας ότι πήγαινε να βρει τον γιο του Γυμνασιάρχη, ξεπόρτισε κατεβαίνοντας δυο δυο τις σκάλες. Ο φίλος του ο Γιούλιους απουσίαζε, θα τον έβρισκε όπως τον διαβεβαίωσαν στη Βιβλιοθήκη. Ο Νεόφυτος ανοιγόκλεισε τα μάτια του σαν να έλαμψε κάτι στο μυαλό του. Θυμήθηκε ότι ο Γιούλιους του είχε πει ότι εδώ και λίγες μέρες η Βιβλιοθήκη είχε αποκτήσει έναν ανεκτίμητο θησαυρό. Τον νέο εγκυκλοπαιδικό άτλαντα, έκδοση μόλις του 1791, που κατέγραφε τις πλέον επίκαιρες και πρόσφατες γνώσεις για τον κόσμο τον γνωστό, αλλά και τον άγνωστό τους. Δεν εξεπλάγη όταν βρήκε τον φίλο του σχεδόν πεσμένο μπρούμυτα δίπλα σ' ένα κερί να ξεφυλλίζει το απόκτημά τους. Δίχως καν να του απευθύνει μια καλησπέρα, με ένα νεύμα συνεννόησης βουβής στριμώχθηκε δίπλα του πάνω από τον μαγευτικό κόσμο του άτλαντα. Ξεφύλλισαν μέχρι τη σελίδα 246, ψάχνοντας λεπτομέρειες για τη σύγχρονη ζωή στην επαναστατημένη Γαλλία. Στο κρίσιμο ωστόσο ερώτημα που τους απασχολούσε, ποια ήταν η πολιτειακή συγκρότηση της Γαλλίας, η απάντηση δεν ήταν ιδιαίτερα διαφωτιστική. Η σχετική παράγραφος ξεκινούσε με την αποκαρδιωτική φράση: «Δύσκολο να απαντηθεί» και συνέχιζε με μια γενικόλογη περιγραφή γεγονότων, που σίγουρα δεν ικανοποιούσε τα ξεσηκωμένα μυαλά του Νεόφυτου. Πιο συγκεκριμένες οι πληροφορίες για το ονειρικό Παρίσιο, για την περίμετρό του, που οριζόταν στις επτά ώρες, τα είκοσι τέσσερις χιλιάδες σπίτια του, που κάποια έφθαναν τους επτά ορόφους και τις εξακόσιες χιλιάδες κατοίκους του. Με μια μεγάλη αναφορά στη Σορβόννη και στους επιστημονικούς και καλλιτεχνικούς της κλάδους, καθώς και στις συντεχνίες των κάθε λογής τεχνιτών, που ομόρφαιναν τη ζωή του, φούντωνε τη φαντασία όσων ονειρεύονταν ν' αξιωθούν να το επισκεφθούνε. Ο Νεόφυτος δεν αποτελούσε εξαίρεση.

47

2

Ο Παναγιώτης Χατζή Νίκου, Ηπειρώτης απ' τα Γιάννενα, γουναράς και γουναρέμπορος ξακουστός σε όλα τα Βαλκάνια, άγαμος, άκληρος και συνετός σε όλη τη ζωή του, προστάτης αρχικά και ύστερα συνέταιρος του άλλου μεγαλέμπορα, του Ζώη του Καπλάνη, έκανε με το μόχθο του περιουσία αξιοζήλευτη κι έγινε πρώτο όνομα στο Βουκουρέστι. Όταν ένιωσε να τον εγκαταλείπουν οι δυνάμεις του, αποτραβήχτηκε στη Στεφανόπολη για να ησυχάσει, ζώντας κυρίως απ' το βιος που τόσα χρόνια είχε αποκτήσει. Άνθρωπος μοναχικός, λιγομίλητος, απολάμβανε το σεβασμό της κοινότητας των Γραικών για τη σώφρονα σκέψη του και τη μακρά του εμπειρία. Κυρίως όμως για τις αγαθοεργίες του, αφού χάρη σ' αυτόν είχαν μπορέσει να χτίσουν την καινούργια εκκλησία της ορθοδοξίας. Χάρη σ' αυτόν τόσα και τόσα

51

σπίτια φτωχά ή ξεπεσμένα, έβρισκαν πόρους για να ζήσουν, από ένα ταμείο των πτωχών που είχε συστήσει, αφού είχε καταθέσει δέκα χιλιάδες φλορίνια στη Βασιλική Τράπεζα της Βιέννας. Μάλιστα, μια και δεν είχε οικογένεια, ήτανε για πολλούς πλούσιους ή φτωχούς, ιδίως της νεότερης γενιάς, ο πάτερ φαμίλιας της κοινότητάς τους.

Ο Χατζή Νίκου υποδέχθηκε τον Θεοφάνη μ' ένα αχνό, γλυκό μειδίαμα, όσο του επέτρεπαν τα ογδόντα τρία του χρόνια και με βήματα αργά τον οδήγησε στο λιακωτό. Μισοξάπλωσε με το δεξί πλευρό στις μαξιλάρες της γωνιάς που προτιμούσε και μ' ένα νεύμα του χεριού έδειξε την απέναντι στον Θεοφάνη. Η δούλα σιωπηλή στο άνοιγμα της πόρτας περίμενε να πάρει παραγγελία απ' το αφεντικό της. Εκείνος δίχως να ρωτήσει τον Θεοφάνη, ύψωσε το χέρι του και πρότεινε τα δύο δάχτυλά του, χωρίς άλλη κουβέντα. Η δούλα πήρε το μήνυμα και έτρεξε να ετοιμάσει δυο καφέδες και τους ναργιλέδες.

«Τι νέα μας φέρνεις, Θεοφάνη, και πρώτα απ' όλα πώς είναι η υγεία της οικογένειάς σου;» ρώτησε ο οικοδεσπότης και αφέθηκε στα χείλη του προσκεκλημένου του, δίχως να βιάζεται ο ίδιος να μιλήσει. Ο Θεοφάνης δεν ήθελε άλλη ενθάρρυνση, ανταποκρίθηκε σαν ποταμός. Αφού βεβαίωσε για την υγεία όλων και τα σέβη του καθενός ξεχωριστά στον προσφιλή τους κύριο Παναγιώτη, ξεκίνησε με τι άλλο, με το εμπόριο και τις δουλειές, άλλες έτσι, άλλες αλλιώς. Κάποιοι είχαν προβλήματα κι η γκρίνια τους άλλοτε χαμηλόφωνα κι άλλοτε πίσω από χαραμάδες ακουγόταν. Άλλοι που πήγαιναν μια χαρά, εκείνοι τσιμουδιά, ελάχιστοι τους έπαιρναν χαμπάρι. Συνέχισε με τις ζημιές που είχαν προκληθεί απ' τις πολλές βροχές, στο τέλος μίλησε για τα πιο μακρινά, για όσα ακούγονταν στις γειτονικές ηγεμονίες, στην αυλή του Φραγκίσκου και στο επίκεντρο του έξω κόσμου, στη Γαλλία. Ιδίως αυτά που κρατούσαν ζωντανή τη σπίθα μιας νέας εξέγερσης των χωρικών — και ίσως όλων των Τρανσυλβανών — κατά των Ούγγρων ευγενών και για τα οποία δεν ήξερε, αν θα έπρεπε να ανησυχεί ή να επιχαίρει.

Αραιά και πού μια διευκρινιστική ερώτηση του οικοδεσπότη και ο Θεοφάνης γέμιζε τα πνευμόνια του με αέρα και βουρ συνέχιζε να απαντά και να αδειάζει ό,τι ήξερε από ειδήσεις, γεγονότα, κουτσομπολιά ή φήμες. Ρώτησε τότε ο Χατζή Νίκου, αν είχε ακούσει κάτι για κάποιον Ρήγα, όμως ο Θεοφάνης πρώτη φορά άκουγε τ' όνομά του. Έξυσε τα γένια του κι έκανε μια γκριμάτσα άγνοιας και αμηχανίας. «Τι θες να μάθεις;» ρώτησε, όμως απάντηση δεν πήρε. Όσο κι αν έφαχνε με το μυαλό του, δεν μπορούσε ακόμη να φανταστεί ποιος ήταν ο λόγος που τον είχε προσκαλέσει ο φίλος της οικογένειας και πρώτος συμβουλάτοράς του.

Έπεσε ξαφνικά σιωπή απέραντης αμηχανίας, σαν να 'χαν εξαντληθεί όλα τα ζητήματα απ' την κουβέντα. Γουργούριζαν οι ναργιλέδες, ώσπου ο Χατζή Νίκου άρχισε να ξεροβήχει. Μάλλον έδειχνε πως είχε

53

έρθει η στιγμή για να αποκαλύψει αυτά που είχε στο νου του. Ανασηκώθηκε ελαφρά, ακούμπησε στην άκρη το μαρκούτσι του ναργιλέ και έπιασε από τα δίπλα του ένα κεχριμπαρένιο κομπολόι. Η ασκητική μορφή του σοβάρεψε ακόμη πιο πολύ. Άρχισε να μιλά με φράσεις σύντομες, κοφτές, με παύσεις ανάμεσά τους. Ξεκίνησε λέγοντας πόσο δυσβάσταχτη είναι η μοναξιά, ιδίως όταν περνούν τα χρόνια. Να μην έχεις σε ποιον να ακουμπήσεις τις δύσκολες στιγμές. Με ποιον να μοιραστείς τις όμορφες, γιατί κι αυτές υπάρχουν. Με ποιον να χαρείς τις μέρες της γιορτής, με ποιον να μιλήσεις γυρίζοντας στο άδειο σπίτι μετά την εκκλησία, με ποιον ν' ανταλλάξεις δυο κουβέντες τα μελαγχολικά απογεύματα της Κυριακής. Να μοιρασθείς πράγματα απλά που έχουν τη σημασία τους, πολλές φορές έχουν και αξία, πράγματα που σε άλλους καιρούς τα προσπερνούσες, δίχως να τα προσέχεις. Κάτι απλό, να, όπως η εναλλαγή των εποχών, που παρασέρνει τα χρώματα, τις μυρουδιές και τα ακούσματα της φύσης.

Συνέχισε με παρόμοιες σκέψεις, σαν να μονολογούσε. Ο Θεοφάνης έβλεπε περίπου πού ήθελε ο Χατζή Νίκου να καταλήξει. Ήθελε προφανώς τη συμπαράσταση της οικογένειάς του στα δύσκολα και μοναχικά γηρατειά του. Και ο ίδιος βέβαια ήτανε έτοιμος να του τη δώσει. Όμως με ποιον άραγε τρόπο; Να τον πάρουνε στο δικό τους σπίτι; Ο Θεοφάνης δεν βασανίσθηκε πολύ. Ο Χατζή Νίκου αλλάζοντας ξαφνικά ύφος και τόνο στη φωνή, του είπε αποφασιστικά: «Άκουσε,

Θεοφάνη. Σπάνια, δηλαδή για την ακρίβεια ποτέ, δεν έχω αναλάβει ένα τέτοιο άβολο καθήκον. Το κάνω γιατί, όπως θα καταλάβεις, με δένουν στενοί δεσμοί μαζί σας». Ξερόβηξε και πάλι. «Σου φέρνω προξενιό», είπε και σταμάτησε για να ελέγξει έναν απότομο λόξιγκά του. Ο Θεοφάνης τα 'χασε. Χαμογέλασε αμήχανα και ψέλλισε αυθόρμητα: «Πούθε;» Ο Χατζή Νίκου τον κοίταξε κατάματα, έγειρε ελαφρά προς το μέρος του και είπε χαμηλόφωνα: «Από τη Γιαννοβιά, τη χήρα του Χατζή Δούκα. Ξέρεις πόσο την εκτιμώ και πώς προσέχω μάνα και κόρη μετά τον άδικο χαμό του μακαρίτη. Την ξέρεις άλλωστε κι εσύ και δεν χρειάζονται συστάσεις».

Ο Θεοφάνης δεν αιφνιδιάσθηκε. Για πολλοστή φορά έφερε στο μυαλό του τη μοναχοκόρη της Γιαννοβιάς, τη Σοφία, που από καιρό την καλόβλεπε για νύφη. Είχε ψαρέψει μάλιστα τη γνώμη της δικής του θυγατέρας, η οποία είχε εκφρασθεί με λόγια συμπάθειας και εκτίμησης για το πρόσωπό της και για το υψηλό της ήθος. Όσο για τα οικονομικά τους, δεν είχε χρεία για πληροφορίες. Όλος ο κόσμος ήξερε ότι τα κτήματα που της είχε αφήσει ο μακαρίτης έφτιαχναν μία αξιοζήλευτη περιουσία. Και τέλος πάντων ήταν μια κόρη που μιλούσε τη γραικική, ίσως καλύτερα και από τον ίδιο. Σκέφθηκε πώς τα έφερνε η τύχη. Θα έχανε τη Ζωίτσα από κοντά του και θ' αποχτούσε μια καινούργια θυγατέρα. Σ' ένα χρόνο και εγγόνια.

Χαμογέλασε στον Χατζή Νίκου και κούνησε το κεφάλι του επιδοκιμαστικά, δείχνοντας πόσο καλοδεχούμενη ήταν η είδηση εκείνη. Ανασηκώθηκε από τις μαξιλάρες του, εξέφρασε εκ βάθους τις ευχαριστίες του για το διαμεσολαβητικό του ρόλο και υποσχέθηκε ότι σε λίγες μέρες θα του έδινε απάντηση. Έτσι ήταν το σωστό, σε λίγες μέρες, προεξοφλώντας του Νεόφυτου το «ναι» χωρίς δεύτερη σκέψη.

Ανακουφισμένος ο Χατζή Νίκου, που δεν χρειάσθηκε να επιχειρηματολογήσει και να επιμείνει, βρίσκοντας λογικό ότι τέτοιες απαντήσεις δεν δίνονται επιτόπου δίχως σκέψη, πέρασε στο επόμενο θέμα που είχε κατά νου του. «Ο δεύτερος λόγος που σε κάλεσα είναι ετούτος...» Ο Θεοφάνης άκουσε για άλλη μια φορά αυτά που πίστευε κι ο ίδιος για τη γλώσσα των Γραικών που λίγο λίγο μαράζωνε και εξαφανιζόταν. Πόσο σημαντική ήταν για τη συνέχεια και την ταυτότητα του γένους. Πως μόνο με την προσπάθεια του ιερέα ο σκοπός της διάσωσης και της διάδοσής της δεν είχε μέλλον. Έπρεπε επιτέλους να φτιάξουν στη Στεφανόπολη ένα ελληνικό σχολείο.

Εδώ ο Θεοφάνης αιφνιδιάσθηκε και αναπήδησε απ' τη χαρά του. «Παναγιώτη μου, γεια στο στόμα σου!» και αρπάζοντας από τα χέρια του το κομπολόι, όπως συνήθιζε όταν φούντωνε μες στην κουβέντα, συνέχισε με όλη τη ζέση της ψυχής του να μιλά για τη μεγάλη υπόθεση, την πιο σημαντική που πίστευε ότι είχε ανάγκη η κοινότητά τους. Ο Χατζή Νίκου περί-

μενε να καταλαγιάσει ο ενθουσιασμός του και συ-
μπλήρωσε ότι ήταν έτοιμος να κάνει το πρώτο βήμα.
Όμως τα γηρατειά του δεν του επέτρεπαν πια να
μπει μπροστά. Ευθύνη των άλλων ήταν να συνεχί-
σουν. Πρόσθεσε ότι ήταν έτοιμος να δώσει το μεγαλύ-
τερο μέρος της προσωπικής του περιουσίας για τον
αγαθό αυτό σκοπό. «Δέκα χιλιάδες φλορίνια και το
τρέξιμο δικό σας.»
    Ο Θεοφάνης στο άκουσμα αυτού του ποσού ένιωσε
να αναρριγά απ' τη συγκίνηση, το δέος. Δεν πρόλαβε
να σχολιάσει. «Τι θέλω από σένα, Θεοφάνη; Ίσως
το πιο δύσκολο απ' όλα, αλλά δεν έχω πού αλλού ν'
απευθυνθώ. Θέλω να στερηθείς τον Νεόφυτο, όσο
χρειάζεται, για να πάρει τα φλορίνια και να τα πάει
στη Βιέννα. Να τα σιγουρέψει στην Τράπεζα κι ύστε-
ρα βλέπουμε πώς προχωράμε. Κι αν συμφωνείς, να
μου τον στείλεις να του μιλήσω εγώ και να συνεννοη-
θούμε.» Ο Θεοφάνης δαγκώθηκε, ένιωσε να του ζη-
τάνε το δεξί του χέρι. Πήγαινε έλα στη Βιέννα πέντε
εβδομάδες κι αυτός μόνος με τον Πέτρο, τα τσιράκια
και τους χαμάληδες στο μαγαζί του. Μόνος χωρίς
τον Νεόφυτο, δεν το χωρούσε το μυαλό του. Μα πώς
να αρνηθεί στον Παναγιώτη και μάλιστα για έναν τέ-
τοιο σκοπό; «Με την ευχή μου», αποκρίθηκε ζεματι-
σμένος και του επέστρεφε το κομπολόι, «με την ευχή
μου», ψέλλισε για δεύτερη φορά, αμφίθυμος, παρα-
παίοντας ανάμεσα στη χαρά της είδησης και στο προ-
σωπικό του ζόρι.

57

Χώρισαν ικανοποιημένοι, χωρίς ωστόσο να έχουν συμφωνήσει σε όλα όσα είχαν συζητήσει. Ούτε ο Χατζή Νίκου υποπτεύθηκε ότι ο Θεοφάνης παρανόησε την πρόταση του προξενιού, ότι σκέφθηκε και σχεδόν αποδέχθηκε για νύφη του τη θυγατέρα της Γιαννοβιάς, τη Σοφία, μήτε του Θεοφάνη πήγε το μυαλό σ' αυτό που είπε κι εννοούσε ο Χατζή Νίκου: Ότι το προξενιό αφορούσε στην ίδια τη Γιαννοβιά, που είχε πατήσει τα σαράντα και φυσικά είχε αποδέκτη τον ίδιο τον Θεοφάνη κι όχι τον γιο του.

Στο δρόμο της επιστροφής ο Θεοφάνης κάθε τόσο κοντοστεκόταν κι έδενε τα χέρια του πίσω στη μέση. Ανάμεσα σε δυο χαιρετούρες περαστικών προς την ευγένειά του σκεφτόταν ότι οι επόμενες εβδομάδες θα 'τανε όλο φούριες. Το συνοικέσιο της κόρης του, το συνοικέσιο του γιου του, το ξεκίνημα της εκπλήρωσης του ονείρου του να αποκτήσουνε ένα ελληνικό σχολείο, η δυσβάστακτη απουσία έστω για λίγες εβδομάδες του Νεόφυτου από κοντά του. Η προετοιμασία του στη συνέχεια για την εμποροπανήγυρη της Λειψίας. Ένιωθε χαρούμενος, αλλά και αναστατωμένος. Κοντοστάθηκε. Σκέφθηκε ότι με σύνεση και φρόνηση θα τα 'φερνε όλα βόλτα, κατά βάθος δεν ανησυχούσε. Σε λίγες εβδομάδες, σε ένα δυο μήνες, θ' άλλαζαν τόσα πράγματα. Τα έξοδα των δύο γάμων και η προίκα που αυτονόητα θα έδινε στη μονάκριβή του σίγουρα θα τον ξεπαράδιαζαν, όμως χαλάλι. Στο μέτρο του δυνατού θα συνεισέφερε με όλες του τις δυνάμεις και για το σχολείο, έτσι όπως επέβαλλε το όνομά του, αλλά και ομόθυμα η ψυχή του. Γρήγορα θα ερχόταν και η ανάσα από την προίκα της Σοφίας. Το μόνο που χρειαζόταν ήταν να σκεφθεί, να βάλει κάποια τάξη, τι πάει πρώτο, τι έρχεται μετά, για να γίνουν όλα καθώς πρέπει.

Στο σπίτι τον υποδέχθηκε η Ζωή μ' ένα γλυκό και τρανταχτό «αφέντη μου», μόλις άκουσε το συνήθη βρόντο της πόρτας, που έκλεινε πίσω απ' την πλάτη του γονιού της. Με γλυκόλογα και τσιριμόνιες, που ήταν πάντα ευπρόσδεκτες από μέρους του Θεοφάνη, τον περίμενε στο κεφαλόσκαλο και έπεσε στην αγκαλιά του. Έχωσε τα δάχτυλά της στα πυκνά του γένια κι ανασηκώθηκε στις μύτες των ποδιών για να επισφραγίσει μ' ένα φιλί στο μάγουλο την τρυφερή υποδοχή της. «Το φαγητό είναι έτοιμο και κρυώνει» ακούσθηκε από μέσα η φωνή της Ευανθίας. Το τραπέζι ήταν στρωμένο και τους περίμενε. Το ίδιο και η κερα-Μερόπη, μισοκατάκοιτη στην πολυθρόνα της και με εξαντλημένη την υπομονή της. Έκανε συνέχεια το σταυρό της, περιμένοντας — εις μάτην — από στιγμή σε στιγμή να της δώσουνε στα γόνατα το πιάτο της για να δειπνήσει.

Κάθισαν στο τραπέζι, ο Θεοφάνης είπε το «πάτερ ημών» κι άρχισαν όλοι, ο καθένας με τον τρόπο του, να φτιάχνουνε μεγάλες, μικρές παπάρες στο βραστό, που πλουσιοπάροχα είχε περισσέψει απ' το μεσημέρι. Μετά τις πρώτες μπουκιές που έκοψαν την ορμή της

όρεξής του, ο Θεοφάνης ρώτησε τον γιο του πώς πή
γε η επίσκεψη στον κύριο δικαστή. Ο Νεόφυτος με
δυο κουβέντες απάντησε ότι είχε ξεπουλήσει σχεδόν
τα τόπια που είχε πάρει, μα το καφτάνι δίστασε ο δι
καστής να το αγοράσει. Ο Θεοφάνης αναπήδησε από
τη θέση του, αποκαλύπτοντας ότι αυτό ήταν η κύρια
αιτία της επίσκεψής του. Το καφτάνι του το 'χε πα
ραγγείλει ο ίδιος ο δικαστής και τα υπόλοιπα μετα
ξωτά τα 'χε ζητήσει για να δώσει και μια χαρά στις
κυράδες του σπιτιού του. Ανόρεχτος ο Νεόφυτος για
οποιαδήποτε κουβέντα, που θα πληροφορούσε για το
τι είχε συμβεί ή τι πίστευε ο ίδιος, ανασήκωσε τους
ώμους του κι έσκυψε πάλι πάνω από το πιάτο του. Ο
Θεοφάνης συνέχισε να μονολογεί παινεύοντας την
ανεκτίμητη αξία της παραγγελιάς που του είχε φέρει,
ότι δεν μπορούσε να καταλάβει την άρνηση του Δικα
στή, ότι το Βένετο δεν είχε δει τέτοιο καφτάνι.

Όμως ο νους του έτρεχε αλλιώς κι αλλού. Περίμε
νε να αποφάγουν για να αναγγείλει στην οικογένεια
τα μαντάτα, ελπίζοντας, ίσως και προεξοφλώντας, ν'
ακούσει το «ναι» ασμένως από τα χείλη του γιου του.
Κι όταν ήρθε η ώρα, σκούπισε τα γένια γύρω από το
στόμα του, πήρε το ύφος το ανάλογο για τέτοιες περι
στάσεις κι είπε λακωνικά: «Σας φέρνω ένα προξενιό».
«Κι άλλο;» πετάχτηκε η Ζωή. «Όχι για σένα, αλλά
για τον αδελφό σου», της αποκρίθηκε και έστρεφε λά
μποντας το βλέμμα του σε εκείνον. Ο Νεόφυτος άνοιξε
τα μάτια του όλος απορία κι ακούμπησε στο πιάτο του

60

το κουταλάκι, πριν προλάβει να απολαύσει την αγριο-
ζαφορά με μέλι και μπόλικο σουσάμι, που είχε φτιάξει
η Ευανθία. Δεν είπε τίποτα. Αμήχανος κοιτούσε τον
πατέρα του κατάματα, περιμένοντας την επόμενή του
φράση. «Και ποια είναι η καλότυχη;» ρώτησε αυθόρ-
μητα η αδελφή του. Κι ο Θεοφάνης, δίχως περιστρο-
φές είπε απλά: «Η θυγατέρα της Γιαννοβιάς».
Ο Νεόφυτος πάλι δεν μίλησε. Του είχε έρθει τέ-
τοιος ταμπλάς που είχε χάσει τη λαλιά του. Άρχισε
μέσα του να βράζει, να φουντώνει, όμως κρατήθηκε
από το σεβασμό που έτρεφε προς τον γεννήτορά του.
Αντιθέτως η Ζωή χτύπησε αμέσως ενθουσιασμένη πα-
λαμάκια. Άρχισε να επαινεί τη Σοφία για το ήθος, τη
νοικοκυροσύνη, την αυστηρότητά της και συμπλήρωσε
χαριτολογώντας, μάλλον για να εμπνεύσει τον πατέ-
ρα της, παρά να ενισχύσει την απόφαση του αδελφού
της, ότι μιλούσε και έγραφε τη γραικική καλύτερα
από όλους.
Έκπληκτη η Ευανθία, πρόλαβε να πετάξει: «Μα
αυτή θέλει να γίνει καλογριά κι η μάνα της με το ζό-
ρι την κρατάει», όμως κανείς δεν της έδωσε σημασία.
«Είναι και λίγο αλλήθωρη...» συνέχισε η Ευανθία
χολωμένη, όμως έκαναν πως δεν την άκουσαν.
«Καλέ, τι τρέχει;» ακούσθηκε από τη γωνιά της η
γιαγιά Μερόπη. «Παντρεύεται ο Νεόφυτος», απήντη-
σε εύθυμα η Ζωή για να τον τσιγκλήσει. «Και ποιον
παίρνει;» ξαναρώτησε η γιαγιά, όμως θεώρησαν ότι
δεν είχε νόημα να της απαντήσουν, μήτε επέμεινε κι

εκείνη. Πατέρας και κόρη κοίταζαν χαμογελώντας κατάματα τον Νεόφυτο και περίμεναν την πρώτη αντίδρασή του. Η Ευανθία από την αναστάτωση τόλμησε και κάθισε στο τραπέζι. Ο Θεοφάνης βλέποντας να μαζεύονται σύννεφα γύρω απ' το μαντάτο, άρχισε καλοσυνάτα να απαριθμεί τα προσόντα της Σοφίας, τη σκοπιμότητα του γάμου, τα ωφελήματα που θα προέκυπταν για όλους. Στράφηκε και προς την Ευανθία και ζήτησε να τους βάλει λίγο καϊμάκι με μέλι για να γλυκάνει τα λεγόμενά του.

Ο Νεόφυτος έφερε μεμιάς στο μυαλό του πώς διαγραφόταν η ζωή του στο εμπορικό του πατέρα του. Δεν ήταν η πρώτη φορά που με τη σκέψη του έπαιρνε το ίδιο μονοπάτι. Μια ζωή μονότονη με «πούλα-αγόραζε» δίχως αρχή και τέλος. Μια ζωή ζωσμένη από βουνά στην πνιγηρή παροικία τους, με επιστέγασμα την ταφόπλακα ενός γάμου με την κακάσχημη Σοφία. Ένιωσε όσο ποτέ άλλοτε στριμωγμένος. Σκέφθηκε προς στιγμήν να υπεκφύγει, ζητώντας λίγο χρόνο για να το σκεφθεί, όμως προς τι, δεν είχε σημασία καμιά, με ποιο τρόπο θα σέρβιρε το «όχι». Φύσηξε, ξεφύσηξε, πήρε βαθιά ανάσα, ξερόβηξε να καθαρίσει το στεγνό λαιμό του και κοιτώντας τον πατέρα του παρακλητικά, σχεδόν ικετευτικά, με μάτια από την αγωνία υγραμένα, είπε: «Σεβαστέ μου πατέρα, αξιολάτρευτε πατέρα μου...», κόμπιασε και συνέχισε: «Όχι... σε παρακαλώ, όχι και πάλι όχι». Κοίταξε τη Ζωή και την Ευανθία αναζητώντας συμπαράσταση, μα δεν τη βρήκε. Έσκυψε το κεφάλι του πλέκοντας τα δάχτυλα μες στα μαλλιά του, στηρίχθηκε στους αγκώνες του και δεν ξαναμίλησε. Ένιωθε ήδη συντετριμμένος. Ο Θεοφάνης έβλεπε να επαληθεύεται αυτό που μόνο ένα στα χίλια μπορούσε να τον απογοητεύσει. Χρυσός και άγιος ο γιος του, όμως περίεργος πολλές φορές και άγνωστο τι έτρεχε στο άγουρο μυαλό και στη νεανική ψυχή του. Γρήγορα κατέληξε: Φρόνιμο παιδί, μα δίχως φρονιμάδα. Ζύγιασε πως η στιγμή δεν ήτανε κατάλληλη για να δώσει συνέχεια στην κουβέντα, όμως ήτανε αποφασισμένος να τον μεταπείσει. Να ασκήσει επάνω του όλο το κύρος που έχει ένας πατέρας απέναντι στα παιδιά του. Ιδίως όταν ένα τέτοιο ζήτημα αφορά στο μέλλον τους και στο καλό τους. «Τουλάχιστον να τα ξανασκεφθείς, προτού μου δώσεις για δεύτερη φορά την απόκρισή σου», συμπλήρωσε κατσουφιασμένος.

Χάιδεψε τα γένια του μηχανικά, έβαλε στο στόμα του δύο μεγάλους κόκκους χιώτικη μαστίχα και χαμογελώντας μετά βίας πέρασε από το ένα θέμα στο άλλο. Μίλησε για την πρόθεση του Χατζή Νίκου να δώσει χρήματα να χτίσουνε ένα ελληνικό σχολείο και για τη βοήθεια που του ζητούσε, ώστε να γίνει το πρώτο βήμα. «Μετά χαράς» αποκρίθηκε ο Νεόφυτος αμέσως, όμως με μούτρα κατεβασμένα, από την απειλή που ένιωθε να επικρέμεται ακόμη πάνω από την κεφαλή του. «Να πας να τον βρεις, να τα πείτε, να συνεννοηθείτε», ήταν η τελευταία κουβέντα του Θεοφάνη, που συγχυσμένος από την έκβαση της προηγουμένης, σηκώθηκε απ' το τραπέζι και ξεφυσώντας ένα «καληνύχτα», πορεύθηκε για την κρεβατοκάμαρά του. Η γιαγιά Μερόπη έκανε το σταυρό της και η Ευανθία έτρεξε ξοπίσω του κουβαλώντας το απαστράπτον φαγεντιανό δοχείο της νυκτός.

Ο ολόλαμπρος ήλιος της επομένης μετά τόσες μέρες βροχής και αντάρας αφύπνισε μεμιάς την πόλη. Ο αέρας μύριζε αγριοκύμινο, δυόσμο η όποιο άλλο μυρωδικό η βροχή είχε ξετρελάνει. Τα σπίτια σωστός καρνάβαλος με τόσα λευκά και παρδαλά στον ήλιο κρεμασμένα να στεγνώνουν. Ο κόσμος όλος σαν να κάπνιζε, καθώς στέγνωνε με τους ατμούς του. Μπήκαν με ορμή μπροστά οι καθημερινές δουλειές που απ' τη βροχή είχαν σχολάσει. Οι υλοτόμοι έφυγαν πρώτοι για τις γύρω πλαγιές κατσουφιασμένοι, οι καλλιεργητές ανήσυχοι στο πόδι τους ξοπίσω. Άνδρες γυναίκες ξεχύθηκαν στους δρόμους, γέμισε από φωνές η αγορά, αλλά και από κάθε λογής πουλερικά και άλλα ζωντανά προς πώληση προορισμένα. Οι χήνες πρώτες και καλύτερες να κράζουν. Σιδηρουργοί, μπακιρτζήδες, πεταλωτές να φουντώνουν τις φωτιές τους, οι χτίστες στις σκαλωσιές, οι βυρσοδέψες στην αυλή τους τα δικά τους. Η ημέρα κύλησε μέσα σε μια φούρια αγοραπωλησιών, παραγγελιών και τρεχαμάτων. Ο τζίρος να ξεπερνά το καμπαναριό της πόλης!

Κοντά στο σούρουπο, ο Νεόφυτος πήρε την άδεια του πατέρα του και παρά την κούραση όλης της μέρας, τράβηξε κατά το αρχοντικό του Χατζή Νίκου. Ένιωθε ωστόσο ανάλαφρος, καθώς πήγαινε να αναλάβει την αποστολή του. Αισθανόταν βαθιά ικανοποιημένος, σχεδόν υπερήφανος για την εμπιστοσύνη που του έδειχνε ο κύριος Παναγιώτης, αλλά και ενθουσιασμένος για το αναπάντεχο ταξίδι. Μια ευκαιρία μοναδική να ξεφύγει για τόσες εβδομάδες από τον περίγυρο της πόλης του και να επισκεφθεί τον αδελφό του και τη Βιέννα. Κατά βάθος μάλιστα χαιρόταν περισσότερο που θα 'βλεπε για δεύτερη φορά τη λαμπρή πρωτεύουσα της Αυστρίας, παρά τον αγαπημένο αδελφό του. Τον μάγευαν οι φήμες που έφθαναν μέχρι το Μπρασοβό για έναν κόσμο όχι όπως εκείνον του Παρισίου, αλλά πάντως ανήσυχο, περίεργο, τολμηρό. Κόσμο με σκέψεις επικίνδυνα φιλελεύθερες, δίπλα στον κόσμο της Αυλής, στους αξιωματούχους της αυστηρότητας και της καταπίεσής της.

Βρήκε τον Χατζή Νίκου να διαβάζει απορροφημένος ένα γερμανικό βιβλίο, να ξύνει το κούτελό του, να δείχνει προβληματισμένος. Ο οικοδεσπότης μόλις τον αντιλήφθηκε, ρώτησε αμέσως. «Τα γερμανικά σου είναι καλά ή σου τα στέρησε ο πατέρας σου για το χατίρι της δικής μας γλώσσας;» Ο Νεόφυτος τον βεβαίωσε ότι ήταν εξίσου καλά με τη γνώση της γλώσσας του γένους και προσφέρθηκε να βοηθήσει τον αγαπητό τους γέροντα, που προσπαθούσε να ανιχνεύσει ένα

65

κείμενο του Ιμάνουελ Καντ για τον διαφωτισμό. Άναφαν μάλιστα το λύχνο και έμειναν για ώρα σκυμμένοι πάνω από την κρίσιμη φράση για το τι σήμαινε διαφωτισμός, διαβάζοντας ξανά και ξανά τα φύλλα μπρος πίσω, με το δείχτη πάνω τους να καθοδηγεί τα μάτια λέξη προς λέξη. Έδειχναν προβληματισμένοι, εντυπωσιασμένοι μπροστά στα νοήματα που ξεδιπλώνονταν μπροστά τους.

Ο Χατζή Νίκου σαν να συνήλθε ξαφνικά, ρώτησε τον Νεόφυτο για τον πατέρα του και το λόγο της επίσκεψής του. Από εκεί και πέρα η συνάντηση δεν κράτησε πολύ. Σε ό,τι κι αν έλεγε ο σεβαστός φίλος του πατέρα του, ο Νεόφυτος κουνούσε το κεφάλι καταφατικά. Κάθε τόσο με «βεβαίως» και «οπωσδήποτε» επισφράγιζε ότι σημείωνε προσεκτικά τις οδηγίες και τις παραινέσεις του εντολέα του καθησυχάζοντάς τον. Στο τέλος τον βεβαίωσε ότι όλα θα προχωρούσαν σύμφωνα με τις επιθυμίες του και να 'ταν ήσυχος ότι θα εκπλήρωνε την υψηλή αποστολή του. Η προθυμία, ο ενθουσιασμός, η φούρια του Νεόφυτου, αλλά και ο λιγομίλητος χαρακτήρας τού Χατζή Νίκου δεν άφησαν περιθώρια ν' ανοίξει η συζήτηση πέρα απ' το σημαντικό και το αναγκαίο. Στο τέλος ο Χατζή Νίκου άφησε να εννοηθεί ότι θα του 'δινε κι ένα μικρό κομπόδεμα για το ταξίδι και του ζήτησε για την ημέρα που θα αποφάσιζε ο ίδιος να κινήσει, να έχει μία ειδοποίηση από την προηγουμένη για να του ετοιμάσει το πολύτιμο δέμα. Ο Νεόφυτος κούνησε και πάλι συναινώντας το κεφάλι, φίλησε το χέρι του κι έφυγε παίρνοντας τους χαιρετισμούς του Χατζή Νίκου προς τον γονιό του.

Το βράδυ στο τραπέζι ο Νεόφυτος λάμποντας από χαρά, αφηγήθηκε με κάθε λεπτομέρεια στον πατέρα και στην αδελφή του τη συνάντησή του με τον κύριο Παναγιώτη. Ομολόγησε, μάλιστα, ότι ένιωθε και ανα- στατωμένος από την ευθύνη που ανελάμβανε να διεκπε- ραιώσει ένα τόσο σοβαρό έργο. «Μέχρι να φύγεις όμως τσιμουδιά, καημένε μου», του είπε με ύφος βλοσυρό ο Θεοφάνης, υπογραμμίζοντας πόσο επικίνδυνη ήταν πά- ντα μια τέτοια αποστολή. Είχαν συμβεί τόσα και τόσα και του αράδιασε δυο τρία. Ο Νεόφυτος κοίταξε τον πατέρα του και κούνησε το κεφάλι του με νόημα, δεί- χνοντας ότι συμφωνούσε απόλυτα μαζί του.

Αποδείπνησαν χωρίς να έχει διευκρινισθεί κάτι ση- μαντικό ανάμεσά τους.«Και πότε λέτε, πατέρα, ότι μπορώ να φύγω;» ρώτησε ο Νεόφυτος, γνωρίζοντας ότι κι αυτό όπως και τόσα άλλα κρέμονταν από τη θέληση και την απόφαση του γονιού του. Ο Θεοφάνης σκέφθηκε, υπολόγισε κι απήντησε χαμηλόφωνα: «Θα έλεγα... μετά την επίσκεψη του κόντε Σπύρου». Ο Νεόφυτος αναπήδησε, όμως ελέγχοντας όσο μπορούσε τη φωνή του είπε τάχα αδιάφορα ότι ο Χατζή Νίκου έδειχνε να βιάζεται. Αφού είχανε πει δίχως περιστρο- φές το «ναι», ίσως δεν ήτανε σωστό να τον αφήσουνε να περιμένει. Η Ζωή άπλωσε το χέρι της και τον έπιασε απ' τον καρπό του ψιθυρίζοντας ικετευτικά:

67

«Σε παρακαλώ, μείνε». Η Ευανθία έκανε το σταυρό της και ακούστηκε πίσω απ' την πλάτη του να τραυλίζει: «Μνήσθητί μου κύριε».

Ο Θεοφάνης τράβηξε απανωτά δυο τρεις ρουφηξιές από την πίπα του που πήγαινε να σβήσει, τον κοίταξε πλάγια και με ήρεμο ύφος του απήντησε: «Μήπως και τρελάθηκες; Αρραβωνιάζεται η αδελφή σου, θα 'χουμε ξένους κι εσύ θα 'σαι αλλού; Είπαμε, θα είσαι εδώ, μαζί να τους υποδεχθούμε. Θα μείνεις και την επομένη κι ύστερα φεύγεις. Δεν χάθηκε ο κόσμος για δυο βδομάδες καθυστέρηση σ' αυτά που έχεις αναλάβει». Στραβομουτσούνιασε ο Νεόφυτος, μα βρήκε ότι ο πατέρας του είχε δίκιο. Άλλωστε άλλες ιδέες πιο σοβαρές είχαν αρχίσει να του μπαίνουν στο μυαλό και να τον δαιμονίζουν. Το πότε θα αναχωρούσε δεν είχε ίσως τόση σημασία.

Η συζήτηση έδειχνε να ξεθυμαίνει, όταν ο Θεοφάνης άρχισε να κολοτρίβεται επάνω στην καρέκλα του και να δείχνει κάτι να τον τρώει. Στράφηκε στον γιο του και τον ρώτησε ευθέως. «Τίποτα άλλο δεν σου είπε ο Χατζή Νίκου;» Ο Νεόφυτος τον κοίταξε με απορία κι αφού σκέφθηκε για λίγο αποκρίθηκε: «Όχι... τίποτα άλλο». Ο Θεοφάνης ξεφύσηξε δείχνοντας ότι κάτι τον βασάνιζε. Αφού το κλωθογύρισε μες στο μυαλό του, χτενίζοντας με τα δάχτυλα την πλούσιά του κώμη, έφερε ξανά το θέμα που τον απασχολούσε από την προηγουμένη. «Νεόφυτε, πρέπει επιτέλους πια να παντρευτείς. Έκλεισες τα είκοσι τρία.»

Κι άρχισε πάλι να του αραδιάζει όσα επιχειρήματα ήξερε αυτός που θα συνηγορούσαν για να πει ο Νεόφυτος το «ναι» του. Τα λόγια που λένε οι φρόνιμοι για τον προορισμό της ζωής, την οικογένεια, τους απογόνους. Στο τέλος θυμήθηκε κι αυτά που έλεγε ο Χατζή Νίκου για τη μοναξιά, τα 'πε κι αυτά κι έμεινε με μια φράση στον αέρα, περιμένοντας κάποια αντίδραση απ' τον Νεόφυτο. Ήτανε αποφασισμένος να γίνει το δικό του. Ωστόσο ήθελε να τον πείσει να πει κι εκείνος το «ναι», ένας γάμος ήταν κάτι που πίστευε ότι δεν μπορούσε να διατάξει. Αλλά το «ναι» του Νεόφυτου αργούσε. Σηκώθηκαν απ' το τραπέζι κατηφείς μετά από μια δυσβάσταχτη σιωπή να τους πλακώνει το στήθος.

«Ορίστε μας!» συνέχισε απότομα ο Θεοφάνης, «αντί να μιλάμε για τα αρραβωνιάσματα της Ζωής, ασχολούμαστε με τα καμώματά σου». Φύσηξε ξεφύσηξε κι αποσύρθηκε στη γωνιά του, πέφτοντας ανάσκελα σαν μπόγος πάνω στις μαξιλάρες. Η Ευανθία έτρεξε και του έφερε ένα ματσάκι δυόσμο να μυρίσει. Ο Νεόφυτος άκουγε με τα μάτια κατεβασμένα και δεν αποκρινόταν. Ένιωθε να συνθλίβεται κάτω από το μπουρ-μπουρ του γονιού του, χωρίς ελπίδα βοηθείας από πουθενά. Η αδελφή του από δίπλα έδειχνε με το ύφος της μάλλον να παίρνει το μέρος του πατέρα τους, επιδοκιμάζοντας σαν περιστέρα με ένα νεύμα κάθε τόσο τα επιχειρήματά του. Όμως όσο τον πίεζε ο γονιός του, ένιωθε μέσα του πρώτη φορά να δυναμώνει το αντίθετο της θέλησης εκείνου. Το όχι να πετρώνει. Το ταξίδι για τη Βιέννα να παίρνει άλλες διαστάσεις. Αποσύρθηκε με τα δόντια σφιγμένα στο δωμάτιό του, δίχως ένα καληνύχτα.

Καθώς περνούσαν οι ημέρες, ο Θεοφάνης διαπίστωνε ότι ο γιος του είχε μουλαρώσει για τα καλά. Δεν ύψωνε τη φωνή του μήτε καν του αντιμιλούσε, μονάχα τον ικέτευε να μην επιμένει άλλο, δεν είχε έρθει η ώρα του για γάμο. Ο Θεοφάνης ζήτησε τη συμβουλή της Ευανθίας, που είχε κάποια πείρα από προξενιά, σίγουρα μεγαλύτερη απ' όσα γνώριζε ο ίδιος. Όμως η Ευανθία δεν μπόρεσε να τον φωτίσει. Αντιθέτως τον αναστάτωσε, λέγοντας στο τέλος: «Αυθέντη μου, μπας κι είναι ξεμυαλισμένος με καμιά παρακατιανή και δειλιάζει να τ' ομολογήσει;» «Λες;» αποκρίθηκε έντρομος ο Θεοφάνης. «Εκτός και αν τον ενοχλεί που όταν θα του μιλά η Σοφία, το μάτι της το δεξί θα κοιτά πότε τη χάρη σας και πότε εμένα», συμπλήρωσε θυμόσοφα η Ευανθία. «Α, να χαθείς», την αποπήρε ο Θεοφάνης κι εκείνη συμμαζεύτηκε αμέσως. Όμως σαν κάτι να σκέφθηκε τότε, σοβαρεύθηκε αμέσως και τον πλησίασε με ύφος συνωμοτικό: «Αυθέντη μου, να χαρείς... άσε με να του ετοιμάσω ένα μαντζούνι με απήγανο και μανδραγόρα για τη χάση του φεγγαριού. Να τον ποτίσουμε και μανόγαλο πριν βγει ο ήλιος... Αλλά πρέπει κι εσύ σαν γονιός να πεις δυο λόγια πάνω από το πουκάμισό του και...» Ο Θεοφάνης δεν καταδέχτηκε μήτε να της

70

απαντήσει. Ύψωσε μόνο την παλάμη του σαν να την απειλούσε κι απομακρύνθηκε σκεφτικός, αφήνοντάς την να φελλίζει μόνη της την περιγραφή της ολοκλήρωσης της μαγγανείας.

Ο Θεοφάνης έπιασε στη συνέχεια την κόρη του ν' ακούσει τη γνώμη της, αλλά κυρίως να της ζητήσει να του μιλήσει, μήπως και καταφέρει να τον γλυκάνει. Αλλά ούτε η Ζωή μπόρεσε με τις απαντήσεις της να φωτίσει τις αγωνίες του γονιού της. Το μόνο που αποκάλυψε ήταν ότι στις ώρες της μοναχικότητάς του δεν διάβαζε μόνο βιβλία – πράγμα που γνώριζε ο Θεοφάνης και το ευχαριστιόταν – αλλά και έγραφε σονέτα. «Σονέτα; Κύριε των δυνάμεων! Και τι σημαίνει τούτο;» «Τι να σημαίνει...» του απήντησε η Ζωή «...ότι έχει ευγενική ψυχή και τίποτα άλλο». Η εξήγηση της Ζωής δεν άρεσε στον Θεοφάνη. Της ζήτησε να του μιλήσει, να ερευνήσει τι είχε πιο βαθιά μες στο μυαλό και στην καρδιά του. Και βέβαια να υποστηρίξει με όποιο τρόπο εκείνη θα 'κρινε καλύτερο το γάμο του με τη Σοφία.

Πέρασαν δυο ίσως και τρεις ημέρες με τη Ζωή να τον ακούει κάθε τόσο μονότονα πίσω από το αυτί της: «Του μίλησες... του μίλησες;» Κάποια στιγμή κατάφερε να ξεμοναχιάσει τον αδελφό της. Μετά από ώρα επέστρεφε απογοητευμένη στον ανυπόμονο πατέρα. Δίχως περιστροφές του ανακοίνωσε ότι τίποτα δεν είχε καταφέρει. Εκείνη μιλούσε, ο αδελφός της άκουγε, πότε χαμογελούσε αινιγματικά και πότε με κάποια ειρω-

71

νεία, στο τέλος την πήρε στην αγκαλιά του και της εί-
πε τρυφερά ότι αυτό που ήταν για εκείνη το σωστό και
το καλό, δεν σήμαινε ότι ήταν όμοιο και για τον ίδιο.
«Και τα σονέτα του για ποια τα γράφει;» ρώτησε ξαφ-
νικά ο Θεοφάνης, μήπως και βρει μια άκρη. Η Ζωή
σήκωσε αμήχανα τους ώμους κι αποκρίθηκε ότι σ' ένα
μονάχα που της είχε δώσει κάποτε να διαβάσει, έγρα-
φε για ελευθερία, ισότητα, αδελφοσύνη. Ο Θεοφάνης
έκανε μια γκριμάτσα απαξιωτική, κουνώντας πέρα δώ-
θε το κεφάλι. Με βλέμμα απλανές, χαμένο στο βάθος
του εμπορικού του, φίλησε τη θυγατέρα του στο μέτω-
πο βαθιά απογοητευμένος.

Ήταν σε τέτοια απόγνωση, ώστε έκανε νεύμα στα
τσιράκια του να σφαλίσουν την αυλόθυρα πριν καν σκο-
τεινιάσει. «Και αύριο μέρα είναι...» ένιωσε την ανά-
γκη να τους δικαιολογηθεί. Έφθασε να εξομολογηθεί
στην γιαγιά τη στεναχώρια του, παρ' όλο που πίστευε
ότι η μητέρα του τα είχε μισοχαμένα. Εκείνη τον
άκουσε προσεχτικά και στο τέλος κατεβάζοντας τις βε-
λόνες του πλεχτού της τον ρώτησε: «Κι αυτός ποιον
θέλει;» Ο Θεοφάνης έκανε το σταυρό του, έχοντας με-
τανιώσει που της είχε μιλήσει. Βούλιαξε αργά μες
στην απελπισία, αυτός που πάντα έβρισκε διεξόδους.
Πλησίαζε η Κυριακή, θα συναντούσε σίγουρα τον Χα-
τζή Νίκου στην εκκλησία, κάτι θα έπρεπε να του πει
και τίποτα δεν είχε.

Ξημέρωσε η Κυριακή μ' ένα καταγάλανο ουρανό κι
ο Θεοφάνης έβλεπε μόνο σύννεφα τριγύρω. Ήπιε σιω-

πηλός το γάλα του, φόρεσε, δίχως να δώσει προσοχή, ό,τι του είχε σιδερώσει η Ευανθία κι έριξε από πάνω το κυριακάτικο καφτάνι του. Στάθηκε καταμεσής στη σάλα και με το βλέμμα καρφωμένο στο ταβάνι, φώναξε κακόκεφα: «Έτοιμοι; ...Πάμε», σαν να πήγαινε σε αγγαρεία. Στη στιγμή πρόβαλαν η Ζωή, ο Νεόφυτος και η Ευανθία ντυμένοι στα κυριακάτικά τους. Καλημέρισαν τη γιαγιά και της υποσχέθηκαν ως συνήθως το αντίδωρό της.

Μπροστά ο Θεοφάνης με τη Ζωή στο μπράτσο του, πίσω τους ο Νεόφυτος με την Ευανθία, πορεύτηκαν δίχως κουβέντες προς την Αγία Τριάδα. Ήταν σχεδόν γεμάτη. Άναψαν το κερί τους, προσκύνησαν και χώρισαν επιτόπου. Οι γυναίκες πίσω, στον γυναικωνίτη, ο Νεόφυτος στριμώχτηκε στη γωνία κι ο Θεοφάνης προχώρησε στο ατομικό στασίδι του μαζί με τους άλλους επιτρόπους. Έριξε μια γρήγορη ματιά ψάχνοντας για τον Παναγιώτη κι ελπίζοντας σε κάποια μικρή αναποδιά, που θα τον εμπόδιζε να ερχόταν. Το διπλανό στασίδι τού Παναγιώτη Χατζή Νίκου, με τ' όνομά του χαραγμένο, ήτανε άδειο. Ανάσανε, όμως δεν πρόλαβε να χαρεί για πολύ την ανακούφισή του. Λίγο αργότερα τον είδε στην πόρτα της εκκλησίας να προσέρχεται με βήματα αργά επάνω στο τρεμάμενο μπαστούνι του. Σκέφθηκε για να τον αποφύγει να καταφύγει στο παρακείμενο κοιμητήριο, όπου αναπαυόταν η αγαπημένη του Ειρήνη, όμως προς τι, θα έπρεπε κάποια στιγμή να επιστρέψει και

73

μάλιστα κοντά του. Χρειαζόταν κάτι να σοφιστεί για να κερδίσει χρόνο, όμως η ευρηματικότητά του είχε στερέψει. Ο Χατζή Νίκου πήρε τη θέση του και μ' ένα νεύμα φιλικό, ένα βλέμμα συνεννόησης έστειλε στον Θεοφάνη την καλημέρα του και το χαμόγελό του. Ο Θεοφάνης αμήχανος του το ανταπέδωσε με κάποια υπερβολή αμέσως. Στη συνέχεια έπλεξε τα δάχτυλά του κάτω από τα γένια του και κόλλησε το βλέμμα του στο χρυσοστόλιστο ξυλόγλυπτο τέμπλο. Σαν να το θαύμαζε για πρώτη φορά με τέτοιο δέος, δεν ξαναστράφηκε προς τον καλό του φίλο.

Η λειτουργία έβαινε προς το τέλος της κι οι νεωκόροι με τα πανεράκια μοίραζαν τα αντίδωρα, όταν ο Χατζή Νίκου τον πλησίασε διακριτικά, έγειρε προς το μέρος του και τον ρώτησε: «Τα σκέφθηκες;» Ο Θεοφάνης που περίμενε αργά ή γρήγορα τη δυσβάστακτη ερώτηση, είχε επιλέξει το δρόμο της αλήθειας. Στράφηκε προς το μέρος του και ψιθύρισε: «Εγώ τα σκέφθηκα, αλλά, Παναγιώτη μου, αντιδρά ο γιος μου. Καταλαβαίνεις... Όμως θα μαλακώσει, είμαι σίγουρος ότι σε λίγες μέρες θα πει το ναι». «Καταλαβαίνω, καταλαβαίνω» αποκρίθηκε ο Χατζή Νίκου χαμηλόφωνα, μετά από μία μικρή σιωπή.

Δίχως άλλη κουβέντα για το προξενιό παρακολούθησαν το τέλος της λειτουργίας. Ο Θεοφάνης ανακουφισμένος έτρεξε αλλού με το νου του. Απόμεινε να κοιτά το εκκλησίασμα, έναν προς έναν τους συμπολίτες του, να κοντοστέκεται στους πλέον εύπορους, να τους ζυγιάζει. Προτού ο ιερέας πει το τελικό «αμήν», σαν να θυμήθηκε κάτι, χάιδεφε με τα ακροδάχτυλά του υπαινικτικά τη δερμάτινη τρέσα στο καφτάνι του Χατζή Νίκου και ρώτησε χαμηλόφωνα με ύφος εμπιστευτικό: «Μήπως και ξέρεις κανέναν που θα ενδιαφερόταν για ένα μεταξωτό χρυσοκέντητο καφτάνι; Σε βεβαιώνω, έργο τέχνης μοναδικό, όμοιό του δεύτερο δεν υπάρχει στον κόσμο όλο». Ο Χατζή Νίκου τον κοίταξε παραξενεμένος. Δίχως να το πολυσκεφθεί, αποκρίθηκε ότι δεν γνώριζε κανέναν και πάντως ο ίδιος δεν ενδιαφερόταν.

Καθώς έβγαιναν από την εκκλησία, ο Χατζή Νίκου κρατώντας τον Θεοφάνη από το μπράτσο για να στηρίζεται καλύτερα και παρατηρώντας γύρω τους με το γερακίσιο βλέμμα του, μην πλησιάσει ο Νεόφυτος και τους ακούσει, του είπε βιαστικά: «Δεν έρχεσθε το βράδυ βίζιτα στο σπίτι μου, να πω και στη Γιαννοβιά να έρθουν; Έτσι, να μιλήσουμε, να φάμε, να πλησιάσουν οι δυο οικογένειες η μια την άλλη;» «Μετά χαράς», απάντησε αυθόρμητα ο Θεοφάνης, όμως την ίδια στιγμή θεώρησε πιο σκόπιμο να αντιστρέφει την πρόσκληση και είπε: «Δεν έρχεσθε καλύτερα εσείς σε μας;» «Σύμφωνοι», αποκρίθηκε ο Χατζή Νίκου κι άπλωσε το χέρι του στη Ζωή που ήδη είχε πλησιάσει και έσκυβε να το φιλήσει. Κοντοστάθηκαν στον κεντρικό δρόμο μπροστά στον αυλόγυρο της εκκλησίας, εκεί που κάθε Κυριακή συναντιόταν το εκκλησίασμα της Αγίας Τριάδας με το εκκλησίασμα της απέναντι Μαύρης Εκκλησίας. Ο Νεόφυτος και η Ευανθία πλησίασαν κι έδωσαν με τη σειρά τους την καλημέρα και τα σέβη τους στον κύριο Πανα-γιώτη. Το ίδιο και ένα ζεύγος φίλων Σαξόνων στον Θεο-φάνη. Όμως ο Θεοφάνης βιαζόταν να απομακρυνθούν. Σίγουρα η Γιαννοβιά θα ήταν με την κόρη της κάπου ανάμεσα στο εκκλησίασμα κι ένιωθε ανέτοιμος για μια συνάντηση μαζί τους. Κυρίως φοβόταν μήπως ο Νεόφυ-τος κατέβαζε τα μούτρα του, όταν θ' αντίκριζε τη Σο-φία. Χώρισαν υψώνοντας το χέρι τους και λέγοντας λα-κωνικά ο Θεοφάνης στον Παναγιώτη: «Το βράδυ» κι ο Παναγιώτης με ένα νεύμα όλο νόημα το ίδιο.

Η Γιαννοβιά, η χήρα του αείμνηστου και αδικοχα-μένου Κωνσταντίνου Χατζή Δούκα, ήταν γνωστή στην πόλη, πολύ πιο πέρα από τα όρια της κοινότη-τας των Γραικών. Όχι μόνο για τις γενναιοδωρίες της στους πάσχοντες και σε όσους είχαν ανάγκη, ή για το αρχοντικό, ίσως φιλάρεσκο, παράστημά της, όποτε κι αν τη συναντούσανε στην αγορά, στην εκ-κλησία, σε εορτές ή σχόλες. Οι πιο απόμακροι είχαν τουλάχιστον ακούσει για τα πλούτη της, οι πιο κοντι-νοί μιλούσαν επιπλέον για τα αφράτα κάλλη της, τα μαύρα μάτια, την κατάλευκη επιδερμίδα της. Οι κου-τσομπόληδες για την ελιά που ξεχώριζε από το άνοιγμα πάνω στο πλούσιό της στήθος. Όσοι είχαν γιο ανύπαντρο ζύγιαζαν την προίκα που θα 'δινε στη θυγατέρα της, κι οι προξενήτρες κάθε τόσο τρέχαν στην ποδιά της μ' ένα καινούργιο όνομα κάθε φορά στον κόρφο τους κρυμμένο.

Όμως η Γιαννοβιά δεν ήταν μόνο πλούσια, πονόψυχη ή και γοητευτική ακόμη. Ήταν και ξύπνια. Ήξερε τη θέση της και πώς να τη φροντίζει. Εάν δεν συμφωνούσε, προτού καν ρωτήσει τη θυγατέρα της, είχε πάντα μία δικαιολογία έτοιμη για ν' αρνηθεί, χωρίς όμως και να προσβάλει. Άλλωστε και τι να πει, αφού δεν είχε καταφέρει ν' αλλάξει τα μυαλά της θυγατέρας της, που ήθελε να κλειστεί σε μοναστήρι και δεν μπορούσε να της το βγάλει απ' το κεφάλι. Με νύχια και με δόντια την κρατούσε δίπλα της, προφασιζόμενη κάθε φορά ότι λιποθυμούσε ή ότι ήτανε ετοιμοθάνατη και την παρακαλούσε να μην την εγκαταλείψει.

Η Γιαννοβιά ήταν κόρη από τρανή οικογένεια — τι άλλο; εμπόρων — από το Κέτσκεμετ της Ουγγαρίας, που διατηρούσαν ολοζώντανους δεσμούς με τον τόπο της καταγωγής τους, την Κοζάνη. Όμως παρά τα ελέη με τα οποία την είχε προικίσει ο Θεός, η φύση και η οικογένειά της, θα έλεγε κανείς ότι μάλλον είχε σταθεί άτυχη στη ζωή της. Πρώτα τη ζήτησε ένας Ούγγρος ευγενής απ' το Αράντ, ο Μίχλος. Ευγενής και πλούσιος με τρία βουνά και τρεις κοιλάδες περιουσία. Χώρια τα ζωντανά του, που αν τον ρωτούσες, ποτέ δεν ήξερε πόσα περίπου ήταν. Όσο αρχοντική κι αν ήτανε η φαμελιά της, άλλα τα μέτρα τους, πώς να πούνε «όχι» σε έναν τέτοιο κόμη. Ήταν και όμορφος... όμορφος σαν τον Άδωνι. Το εξομολογήθηκε στην αδελφή του, που ενθουσιάστηκε και άρχισε να τον φωνάζει Adonis. Δεν χρειάστηκε πολύ να γίνει Αντώνης, πριν καν στεφανωθούνε με τη σύμφωνη γνώμη του ίδιου, που ένιωθε κολακευμένος. Η Γιαννοβιά αποχαιρέτησε φιλώντας σταυρωτά τους γονείς της και ακολούθησε την τύχη του εκλεκτού της. Πέρασε μέρες ευτυχισμένες, στο χρόνο πάνω γεννήθηκε η Σοφία. Μα οι χαρές δεν κράτησαν πολύ, παρά την ευγενική ψυχή και το φωτισμένο νου του Αντώνη.

Κάποτε ξεσηκώθηκαν οι χωρικοί κατά των ευγενών, δεν άντεχαν άλλο το ζυγό τους. Έκαψαν και έσφαξαν αθώους κι υπαιτίους. Ανάμεσά τους και τον άτυχο Αντώνη. Με μία άμαξα και δυο πιστούς υπηρέτες ξέφυγε η Γιαννοβιά, κλαίγοντας γοερά για τις φρικαλεότητες που είχαν ζήσει και κρατώντας σφιχτά και στοργικά τη μικρή Σοφία. Οι αμαξάδες μέσα στον πανικό τους, με την κυρά τους να πλαντάζει στους λυγμούς, τι να σκεφθούν και ποιον να ρωτήσουν. Τράβηξαν για εκεί που η καρδιά τους για περισσότερη ασφάλεια τους οδηγούσε: Στα μέρη τους, προς την Τρανσυλβανία. Απόσωσαν στη Στεφανόπολη, όπου οι ταραχές δεν την είχανε αγγίξει. Το πατρικό όνομα της Γιαννοβιάς, ακουστό στην κοινότητα των Γραικών, ήτανε αρκετό για να της συμπαρασταθούν αμέσως. Τέλειωσαν κάποτε οι ταραχές και δεν ήθελαν να την αφήσουνε να φύγει. Δηλαδή ο Κωνσταντίνος Χατζή Δούκας. Η Γιαννοβιά ταλαντεύθηκε για λίγο ανάμεσα στη θαλπωρή και τη φροντίδα με την οποία την είχαν

αγκαλιάσει και στη σκέψη να επιστρέφει στο Κέτσκε-
μετ. Όμως εκεί είχαν πεθάνει οι γονείς της και τα
αδέλφια της είχαν προ πολλού μοιράσει την κληρονο-
μιά δίχως να την υπολογίσουν. Ο Δήμαρχος τουλάχι-
στον της Στεφανόπολης είχε υποσχεθεί ότι θα τη βοη-
θούσε να πάρει τα κληρονομικά που δικαιούταν από
την οικογένεια του Αντώνη. Έτσι έμεινε εκεί, αναβάλ-
λοντας την απόφασή της από εβδομάδα σε εβδομάδα.
Πένθησε τον μακαρίτη της ένα χρόνο. Όμως δεν
άντεχε δίχως άντρα και μόνο που σκεφτόταν ότι θα
'μενε στην υπόλοιπη ζωή της μόνη, της ερχόταν τρέ-
λα. Έβλεπε τις χήρες στον περίγυρό της και μαράζω-
νε για λογαριασμό τους. Της άρεσε κι ο Κωνσταντής.
Τι ομορφάντρας! Πελώριος σαν τη δρυ και τρυφερός
σαν τα κλωσσόπουλα το Πάσχα. Είπε το «ναι» και
έγινε συμβία του Χατζή Δούκα. Μα τι κατάρα ήταν
αυτή! Όλοι μιλούσαν για μάτι κακό, για μάγια. Λί-
γα χρόνια μετά, τον έχασε κι εκείνον. Ληστές του
έστησαν καρτέρι, καθώς επέστρεφε με τ' άλογό του
από τη Χέρμανστατ και τον εφόνευσαν στο άψε σβή-
σε. Έκλαψε, πένθησε και τον Κωνσταντή της. Έκτο-
τε, ό,τι πίτα κι αν ζύμωνε, έκανε με το ζυμάρι σκου-
ληκάκι κι έγραφε επάνω της τη ρήση, που επαναλάμ-
βανε ο μακαρίτης σε ανάλογες ή ταιριαστές περιστά-
σεις: sic transit gloria.

Τα πλούτη από τις δυο κληρονομιές, τα νοίκια από
τα απέραντα χωράφια δεν έφταναν για να γεμίσουν
τη μοναξιά και πάνω απ' όλα να γιατρέψουν τη στέ-

ρηση, την αφόρητη στέρηση του άντρα. Όταν πάτησε τα σαράντα, νόμισε ότι άνοιγε το κιβούρι κι ο χάρος την καλούσε μέσα. Δεν το 'βαλε κάτω. Αρνήθηκε να ανταποκριθεί στο κάλεσμά του. Άρχισε να αποδέχεται προσκλήσεις από άλλα αρχοντόσπιτα, να στολίζεται τις γιορτές, τις Κυριακές να βγαίνει βόλτα. Να παρακολουθεί σιωπηλά, κόσμια να ρωτά και διακριτικά να ψάχνει. Και κάθε τόσο κάπου να ξεχνά τα χειρόφτια της για να επιστρέψει, να διασταυρώσει, να βεβαιωθεί, να ολοκληρώσει τη γνώμη της γι' αυτόν που είχε βάλει μόλις πριν στο μάτι.

Δεν άργησε να διαλέξει τον εκλεκτό της. Ο Θεοφάνης ήταν χήρος κι αυτός, χωρίς βέβαια τα νιάτα τα αστραφτερά του Αντώνη, μήτε την αρρενωπή κορμοστασιά του Κωνσταντή. Όμως ήταν άρχοντας συνετός και υποδειγματικός οικογενειάρχης. Και αν τον πρόσεχες λίγο καλύτερα τις Κυριακές ή τις γιορτές, είχε και την αντρίκεια νοστιμιά του. Ακόμη κι όταν μαχμουρλής της έλεγε την «καλημέρα» του, όσες φορές τον συναντούσε μπαίνοντας στην εκκλησία, ένιωθε κάτι περίεργο στα σωθικά της. Να αναστενάζει και να πιάνεται η αναπνοή της πιότερο κι απ' το λιβάνι. Δεν δυσκολεύθηκε να κερδίσει στα σχέδιά της τη Σοφία. Όχι ότι ενθουσιάσθηκε η σεμνή Σοφία, όταν κατάλαβε μέσα απ' τα μισόλογα της μάνας της ποια ήταν η επιθυμία της και ποια τα όνειρά της. Όμως έτσι έβλεπε ν' ανοίγει ο δρόμος της προς το μοναστήρι και η αφοσίωσή της στην Παναγία και στα Θεία.

Ο Χατζή Νίκου στηριζόμενος στο μπαστούνι του έφθασε μετά από κάμποση ώρα στο αρχοντικό της Γιαννοβιάς και χτύπησε την πόρτα. Του άνοιξε η ίδια, που μόλις είχε επιστρέψει από την εκκλησία. Στο πρόσχαρο κάλεσμά της να περάσει μέσα, την έκοψε με μια κίνηση του χεριού και μπήκε αμέσως στο θέμα: Τα πράγματα πήγαιναν κατ' ευχή, όμως ο Θεοφάνης δίσταζε, γιατί αντιδρούσε ο γιος του. Συμπλήρωσε μάλιστα ότι κι ο ίδιος στη θέση του ίσως να αντιδρούσε, εάν άκουγε ξαφνικά την πρόθεση του πατέρα του να βάλει στα πενήντα του και πάλι το στεφάνι. Όμως με τον καιρό γίνεται κι η αγουρίδα μέλι. Ήτανε σίγουρος ότι ο Θεοφάνης θα 'χε τον τρόπο του για να τον μαλακώσει. Λίγη υπομονή, τα πράγματα γρήγορα θα 'παιρναν το δρόμο τους, όπως επιθυμούσαν η Γιαννοβιά, ο Θεοφάνης και ο ίδιος. Της είπε στη συνέχεια για την πρόσκληση του εκλεκτού της για το βράδυ. Να γνωρισθούν καλύτερα, να πλησιάσουν. Τη συμβούλεψε ακόμη, μάνα και θυγατέρα, να είναι ιδιαίτερα προσεκτικές, αλλά και φιλικές προς τον Νεόφυτο, μπας και μια ώρα αρχύτερα τον κάμφουν. «Και προς Θεού, μην σου ξεφύγει λέξη σε άλλη γλώσσα, εξόν από ρωμαίικα. Χαθήκαμε την ίδια τη στιγμή...» Δίχως να περιμένει την αντίδρασή της, την παρακάλεσε να περάσει με την κόρη της το βράδυ να τον πάρουν.

Η Γιαννοβιά δεν μπορούσε απ' τη συγκίνηση να αρθρώσει λέξη. Το βράδυ ήταν καλεσμένη σ' ένα σπίτι αρχοντικό, όπου θα έπαιζαν πικέτο. Διέγραφε την πρόσκληση επιτόπου. Ήθελε να ρωτήσει λεπτομέρειες για το πώς και το τι της συζήτησής τους, όμως ντράπηκε, συγκρατήθηκε, δεν θέλησε να σύρει τον σεβαστό προστάτη της σε μια τέτοια γυναικοκουβέντα. Την ουσία ήδη την είχε. Βούρκωσε προς στιγμήν, έσκυφε και του φίλησε το χέρι και τον συνόδεψε σιωπηλή μέχρι το πιο κάτω σταυροδρόμι. Επέστρεψε τρεχάτη στο σπίτι της και έκλεισε την πόρτα με την πλάτη. Πήρε δύο ανάσες, κρατώντας την παλάμη πάνω στο πλούσιο στήθος της για να καταλαγιάσει το λαχάνιασμά της. Έκανε το σταυρό της, ψελλίζοντας τα ευχαριστώ της κι ανέβηκε δυο δυο τις σκάλες για το δώμα.

«Θεέ μου, δεν έχουμε κάτι να κρατάμε...» Το βιβλίο που είχε υποσχεθεί και προόριζε για την προγραμματισμένη επίσκεψή της δεν έκανε για την περίσταση και πάντως όχι τώρα. Το «Σχολείον ντελικάτων εραστών» δεν ταίριαζε ούτε για δώρο στη νεαρά Ζωίτσα. «Μπόνκα, Μπόνκα» αντιλάλησε η φωνή της μες στο σπίτι κι όταν έφθασε τρέχοντας η δούλα, έδωσε αλαφιασμένη τις δέουσες οδηγίες: «Γρήγορα μια καρυδόπιτα και φρόντισε μην σβήσει ο φούρνος. Όχι, όχι, καλύτερα μία κερασόπιτα», διόρθωσε αμέσως. «Και τρέχα να ειδοποιήσεις τη Σοφία. Έχει μείνει με την καντηλανάφτισσα στην εκκλησία ή έχουν πάει μαζί μέχρι το κηροποιείο. Να 'ρθει στα γρήγορα να της μιλήσω.»

Μόνη στην κρεβατοκάμαρά της η Γιαννοβιά πήγαινε ανάστατη πέρα δώθε, μην ξέροντας τι να πρωτοσκεφθεί και τι να ελπίσει. Άρπαξε μηχανικά το φιαλίδιο με το ελιξίριο για τις ταχυκαρδίες και έκανε δύο εισπνοές. Πίστεψε ότι ένιωσε καλύτερα. Ψηλάφισε τις πούδρες της, μύρισε τα αρώματά της και τα βρήκε όλα τόσο κατώτερα των περιστάσεων... Κοιτάχθηκε στον καθρέφτη. Μελαγχόλησε ψηλαφώντας τις ρυτίδες στο πρόσωπό της. Ένιωσε το σώμα της ιδρωμένο και αποφάσισε να πάρει ένα λουτρό κι ας ήταν παστρικιά απ' το λουτρό της προηγουμένης. Αναρωτήθηκε εναγώνια τι να φορέσει και με απόγνωση απέρριψε ό,τι είχε και δεν είχε. Τα καλά της φαινόντουσαν στα μάτια της τόσο ταλαιπωρημένα, δεν προλάβαινε να τα φρεσκάρει. Άνοιξε το μπαούλο της και ανέσυρε το γιορτινό της φόρεμα, από την εποχή που ζούσε ο Κωνσταντής της. Το ξανασκέφθηκε και βρήκε άκομψο σε μια τέτοια περίσταση να το φορέσει, το τοποθέτησε με ευλάβεια πίσω. Ανέσυρε ένα άλλο που από καιρό δεν το φορούσε για το μεγάλο άνοιγμά του στο στήθος. Μ' ένα σιδέρωμα θα το 'φερνε στα συγκαλά του. Άλλο καλύτερο για ένα τέτοιο προξενιό δεν είχε. Ζύγιασε με το μάτι τον κορσέ και δοκίμασε πρόχειρα τα κορδόνια και την αντοχή τους. Από την πολυκαιρία ήτανε έτοιμα να σπάσουν. Έπιασε τη μέση της, τα τροφαντά καπούλια της και έντρομη ψέλλισε: «Η Παναγιά να βοηθήσει να χωρέσω...»

«Θεέ μου, δεν προλαβαίνουμε!» αναφώνησαν κατα-
μεσής στο δρόμο της επιστροφής η Ζωή και η Ευαν-
θία, όταν ο Θεοφάνης τους ανήγγειλε ότι το βράδυ θα
'χαν επίσκεψη τον Χατζή Νίκου, τη Γιαννοβιά και τη
Σοφία. Σήκωσαν με τ' ακροδάχτυλα τις φούστες μέχρι
τον αστράγαλό τους και πέταξαν τρομαγμένες προς το
σπίτι, αφήνοντας πατέρα και γιο να φωνίζουν ολόφρε-
σκια μυζήθρα και έναν κεσέ καϊμάκι από την τέντα του
υπαίθριου γαλατά που είχε το στέκι του στην έξοδο
της εκκλησίας. Οι δύο γυναίκες συμφώνησαν αμέσως.
Το μεσημεριανό που έβραζε στη χύτρα και προοριζό-
ταν να καλύψει τις ανάγκες και του βραδινού τους, δεν
ήταν δυνατόν να το προσφέρουν. Η Ευανθία έφυγε σαν
τρελή στην αγορά, χωρίς να βγάλει τα κυριακάτικά
της, για να βρει κάτι εκλεκτό για την περίσταση και η
Ζωή πέταξε το καπελίνο της κι ανασκουμπώθηκε για
να φρεσκάρει τη σάλα της υποδοχής, τις σκάλες που
έλαμπαν έτσι κι αλλιώς απ' την καθαριότητα του
Σαββάτου. Η μέρα κύλησε μέσα στη φούρια και στην
τρέλα. Μάλλον αμήχανος ο Θεοφάνης αποδεχόταν
δίχως σχόλια ό,τι πρότειναν οι δυο νοικοκυρές, που
αποφάσιζαν, δίχως να κάνουν τον κόπο καν να τον
ρωτήσουν. Τελευταία στιγμή θυμήθηκαν και διέταξαν
σχεδόν τον Νεόφυτο που δυστροπούσε, να τραβήξει
την άμαξα με το άλογο που μπούκωναν την είσοδο
κάτω από τη θολωτή αυλόπορτά τους.

Λίγο πριν σκοτεινιάσει, η Ευανθία είχε ανάψει στο
σπίτι και στην αυλή όλους τους λύχνους. Δυο τροφα-

ντοί λαγοί είχαν σιγοψηθεί στη μεγάλη χύτρα, σκεπασμένοι από μικρά κρεμμυδάκια, με λιαστό Μονεμβασιάς και λίγο κρασόξυδο στο τέλος, και βέβαια φύλλα δάφνης, γαριφαλόκαρφα σε τρία αχλάδια, δέκα κόκκους μπαχάρι, καθώς και πάπρικα με μέτρο. Σε μία κρυστάλλινη κανάτα από τη Βοημία το καλύτερο κρασί του Θεοφάνη. Ένα βουνό ολόφρεσκα βατόμουρα σκεπασμένα από ζάχαρη σιρόπιαζαν από νωρίς σε μια βαθιά πιατέλα. Και το ψωμί αφράτο, ολόφρεσκο, φουρνισμένο μόλις την προηγουμένη. Το καλό σερβίτσιο από κασσίτερο υψηλής ποιότητας να γυαλοκοπά σαν ασημένιο. Οι ναργιλέδες έτοιμοι, απαστράπτοντες για τη στιγμή που ο αφέντης θα τους αναζητούσε. Ο καφές εκείνη τη στιγμή φρεσκαλεσμένος.

Ο Θεοφάνης έριξε μια τελευταία ματιά στη σάλα που θα υποδεχότανε πρώτη φορά τη Γιαννοβιά με τη θυγατέρα της. Ήλπιζε, ήτανε μάλλον σίγουρος, όχι και τελευταία. Στη μια άκρη της οι σοφάδες σε σχήμα πέταλου με φουσκωμένες τις καλές τις μαξιλάρες. Η γιαγιά στην πολυθρόνα της περιποιημένη, με το γιορτινό κεντημένο γιακαδάκι της φρεσκοσιδερωμένο. Στην αντίπερα άκρη το γαμπινέτο του σε τάξη. Το σεκρέτο του από χέρι μάγιστρου τεχνίτη σωστό στολίδι. Το διπλό μελανοδοχείο του πάνω στη δρύινη τράπεζα ν' αστράφτει και οι δύο φτερωτές πένες του ανασηκωμένες, έτοιμες στην πρώτη εντολή να γράφουν. Τα βιβλία της δουλειάς σε μία μικρή στοίβα τακτοποιημένα. Σ' ένα ερμάρι όλα τα βιβλία που προμηθευόταν από το ελληνικό βιβλιοπωλείο της Πέστης. Κυρίως ρωμαίικες εκδόσεις από τα τυπογραφεία της Βενετίας, της Λειψίας, του Βουκουρεστίου και της Βιέννας. Σε θέση περίβλεπτη το επιβλητικό αναλόγιό του και δίπλα του σε ένα τραπεζάκι τα φύλλα της εφημερίδας των αδελφών Πούλιου απ' τη Βιέννα. Καταμεσής στη σάλα η τραπεζαρία με δυο επιβλητικές πολυθρόνες στις κεφαλές της και συνολικά οκτώ καρέκλες στις δυο πλευρές της. Οι πιο όμορφες στόφες παραγγελία από την Ολλανδία και πάνω από όλες μια ταπισερί στον τοίχο σε όλες τις αποχρώσεις του πράσινου μέχρι το βαθυγάλανο, με παραστάσεις από το φυσικό και το ζωικό βασίλειο, από χέρια υφάντρας μαστόρισσας υφασμένη.

Όλοι πανέτοιμοι στα γιορτινά τους. Όρθιοι, ακουμπισμένοι με την πλάτη όπου τους ήταν βολικό, να μην καθίσουν και τσαλακωθούνε, περίμεναν ν' ακούσουν το σήμαντρο της κάτω πόρτας. Η Ευανθία κάθε τόσο να πλησιάζει στο παράθυρο και ανάμεσα στα κεντημένα κουρτινάκια να κοιτά λοξά στο βάθος του δρόμου. Η Ζωή να σκέφτεται τι άλλο θα έπρεπε να προσέξουν, να φροντίσουν, να νοιαστούν, όταν σε λίγες μέρες θα κατέφθανε ο μέλλων πεθερός της, ο κόντε Σπύρος, με τον γιο του. Άραγε πώς θα 'ταν η ευγένειά του; Θα 'ταν ο Βίκτωρ έτσι καλός, όπως τον περιέγραφε ο πατέρας της; Μορφωμένος, ευπαρουσίαστος, με τρόπους; Ήτανε αποφασισμένη, αν κάτι δεν συνέτρεχε απ' όλα αυτά, να έλεγε στον πατέρα της απερίφραστα το όχι.

Επέστρεφε απότομα από τις ονειροπολήσεις στις έγνοιες που είχαν άμεσα μπροστά τους. Ένιωθε πάντως χαρούμενη, γιατί η καρδιά κι ο νους της έλεγαν ναι στον απώτερο σκοπό της επίσκεψης, που όπου να 'ναι θα σήμαινε το σήμαντρο της πόρτας. Πίστευε ότι η Σοφία ταίριαζε στον αδελφό της, έστω κι αν δεν ήταν η πιο όμορφη νύφη της πόλης.

Με άλλες σκέψεις, μάλλον στενόχωρες, πάλευε την ίδια στιγμή ο αδελφός της. Ο Νεόφυτος υποψιαζόταν, ήταν σχεδόν σίγουρος, ότι η επίσκεψη ήτανε μέρος μιας συνωμοσίας που είχε σχεδιάσει ο πατέρας του για να τον παγιδεύσει. Ένιωθε να πολιορκείται, μα τίποτα δεν μπορούσε να αποδείξει και πάντως και αν το αποδείκνυε, προς τι; Ο πατέρας του έκανε κουμάντο, εκείνος αποφάσιζε πάντα ποιους και πότε θα είχε καλεσμένους. Κι ο ίδιος όφειλε απ' τη δική του την πλευρά — αυτή ήταν η ανατροφή του — να φέρεται ως δεύτερος οικοδεσπότης. Φιλόξενος, καλοσυνάτος, με το χαμόγελο στα χείλη. Απέναντι στον Χατζή Νίκου έτρεφε απέραντο σεβασμό κι οι δύο δέσποινες, αρχόντισσες κι αυτές, πρώτη φορά θα περνούσαν το κατώφλι του σπιτιού τους. Παρά την πίεση που ένιωθε να τον ζώνει, να τον πνίγει, θα έδειχνε και τούτη τη φορά τους τρόπους του, όπως επέβαλλαν οι περιστάσεις. Παρηγορήθηκε τρέχοντας με το μυαλό του στο ταξίδι που θα ακολουθούσε κι άρχισε πάλι να παίζει με τις δαιμονικές, τις ανομολόγητες ιδέες του, που όλο και πιο συχνά τον κυνηγούσαν.

«Έρχονται!» αναφώνησε ξαφνικά η Ευανθία και κόντεψε να χάσει από την αναστάτωση την ευστάθειά της, καθώς έτρεξε αλαφιασμένη να ανάψει την τελευταία στιγμή τα κεριά στην απαστράπτουσα μπρούντζινη ολλανδέζα που κρεμόταν πάνω απ' το τραπέζι. Κατέβηκαν όλοι βιαστικά, για να τους υποδεχθούν στην πόρτα. Ντοκ, ντοκ, ακούσθηκε το σήμαντρο να κτυπά, μπροστά ο Χατζή Νίκου χαμογελαστός και πίσω του η Γιαννοβιά με τη Σοφία. «Καλώς τους και καλώς τους», φώναξαν από το κεφαλόσκαλο ο Θεοφάνης με τη Ζωή, «καλώς σας βρήκαμε», αποκρίθηκαν από τα χαμηλά οι καλεσμένοι. Ανέβηκαν στη σάλα κι οι επισκέπτες είπανε πρώτα μια καλησπέρα όλο σεβασμό στη γιαγιά Μερόπη. Κάποιες στιγμές αμηχανίας πρόλαβε η Ζωή να διαλύσει, δείχνοντας σε κάθε καλεσμένο πού να καθίσει με μια αυθόρμητη φιλοφρόνηση για τον καθένα. Κάθισε κι ο Θεοφάνης στη γωνιά του, στα δεξιά η κόρη του, στ' αριστερά ο γιος του. Η Ευανθία έμεινε όρθια, όπως άρμοζε με σταυρωμένα τα χέρια στο άνοιγμα της πόρτας.

Ο Θεοφάνης έκανε ένα νεύμα στην Ευανθία, που χάθηκε στο σκοτεινό διάδρομο. Προτού καλά καλά ξεθυμάνουν κάποια πρώτα βηχαλάκια αμηχανίας, εμφανίσθηκε πάλι με μικρά βήματα, κρατώντας ένα δίσκο με ποτηράκια και μια μικρή κρυστάλλινη καράφα ανάμεσά τους. «Λιαστό από τη Μονεμβασιά», δήλωσε με ύφος ο Θεοφάνης, καθώς σέρβιρε η Ευανθία και σήκωσε πρώτος το ποτήρι του να ευχηθεί στους καλεσμένους. Και δώστου πάλι ευχές για να ζεστάνουν την ατμόσφαιρα, όσο πιο γρήγορα γινόταν. Ως οικοδεσπότης άνοιξε δίχως δυσκολία τη συζήτηση. Πρώτα για τον καιρό, για τις βροχές και τις ζημιές τους. Πέρασε εύκολα στο καμάρι του γαμπινέτου, στο ερμάριο με τα βιβλία του. Χαϊδεύοντας τις πλάτες τους ξεχώρισε πλάι σε δυο εμπορικά εγχειρίδια την Παλαιά και Νέα Γεωγραφία του Μελετίου Μήτρου, τη Νεωτερική Γεωγραφία του Δανιήλ και Γρηγορίου Δημητριέων, το Συστηματικό διάγραμμα της ανθρώπινης ή της Θείας Σοφίας του Καταρτζή, τις Ομιλίες περί πληθύος κόσμων του Κοδρικά, την Ηθική Φιλοσοφία του Ιώσηπου Μοισιόδακα, τους Στοχασμούς του Ευγενίου Βούλγαρη.

Δεν άργησε τέλος να προσφύγει στην προσφιλή του χειρονομία, που επαναλάμβανε με θεατρικότητα, όταν είχε στο σπίτι του κάποιους για πρώτη φορά περαστικούς ή καλεσμένους. Δίπλα από τη μακρόστενη δρύινη τράπεζα που χρησιμοποιούσε για να γράφει, ορθωνόταν ένα εξάγωνο εκκλησιαστικό αναλόγιο με τη συνήθη περιστρεφόμενη κεφαλή του. Το επεδείκνυε με καμάρι για τους δύο ανεκτίμητους θησαυρούς του, σε όποιον πρωτοεπισκεπτόταν το αρχοντικό του. Στη μια όψη της κεφαλής, σ' εκείνη που κοιτούσε προς τον τοίχο, ήταν τοποθετημένο ένα ιερό ευαγγέλιο με ασημοδουλεμένο δέσιμο από τεχνίτη ξακουστό από τους Καλαρύτες. Στην άλλη πλευρά, σ' αυτή που έβλεπε προς τη σάλα, δέσποζε μια δερματόδετη κοσμογραφία του 1553, του πασίγνωστου κοσμογράφου Σεμπάστιαν Μίνστερ από τη Βασιλεία. Το Ευαγγέλιο ήταν πάντα κλειστό, αν και άστραφτε καλογυαλισμένο. Αντίθετα, η κοσμογραφία πάντα ανοιχτή και κατά σύμπτωση στο λήμμα για την πόλη τους με τα τρία ονόματά της.

Ο Θεοφάνης μιλώντας για το εμπόριο που άνοιγε για το γένος δρόμους σε άγνωστους κόσμους και στην πολύτιμη γνώση που μπορούσε να αντλήσει κάποιος από αυτούς, πλησίασε το αναλόγιό του. Όρθωσε το ανάστημά του και το καφτάνι του άνοιξε μπροστά, καθώς πρόβαλε υπερήφανα ο σκεμπές του. Τίναξε με χάρη το φαρδύ μανίκι του στα πίσω, ακούμπησε την παλάμη του μάλλον ηγεμονικά παρά ευλαβικά στην κεφαλή του αναλογίου, άφησε το δείχτη του τεντωμένο να δείχνει, να επισημαίνει, και με φωνή, σαν πιο βαθιά απ' το συνηθισμένο, επανέλαβε για πολλοστή φορά: «Από εδώ ξεκινούν οι απαντήσεις για όλες τις αλήθειες». Κι αν κάτω από την παλάμη του ήταν και το ευαγγέλιο, όλοι κατάλαβαν ότι εννοούσε την κοσμογραφία.

Συνέχισε αποκαλύπτοντας ότι από τις οκτώ όλο κι όλο αράδες που ήταν αφιερωμένες στην πόλη τους ήδη πριν διακόσια χρόνια, στην κοσμογραφία του Μίνστερ, οι τρεις από αυτές μιλούσαν για τους Γραικούς. Και για να διαλύσει κάθε αμφιβολία διάβασε με άπταιστη προφορά ως Σάξων: «Es handtieren die Griechen bis ghen Cronenstatt, bringen gewürtz, baumwoll, leinwatt, deppich, und dergleychen dingen dohin, darnach fü-

90

ren die Cronenstetter solch war biss ghen Ofen». Κοιτούσε θριαμβευτικά τους συνομιλητές του και συμπλήρωνε: «Καταλαβαίνετε τι σημαίνει να είμαστε μπροστάρηδες εδώ και διακόσια χρόνια στο εμπόριο και να τροφοδοτούμε εμείς... τη Στεφανόπολη... εμείς την Πέστη;... Το γένος μας απλωμένο από την Ασία μέχρι την Ευρώπη, ν' ανθεί μέσα από το εμπόριο και να ξεχωρίζει από τη λαλιά που ομιλούμε;...» Είχε ανοίξει διάπλατα τα χέρια του, που φάνταζαν σαν δυο τεράστιες φτερούγες, καθώς το πλούσιο καφτάνι ακολουθούσε τις απλωτές κινήσεις του ανάμεσα στις δύο ηπείρους. «Ή μήπως υπάρχει κάτι πιο βαθύ, που μας κάνει όλους ένα... πέρα και πάνω από τη γλώσσα, την πίστη, τα ήθη και έθιμά μας;»

Η τελευταία αποστροφή έμεινε μετέωρη, αναπάντητη μες στην κατάνυξη που είχε δημιουργήσει η ρητορική δεινότητα του Θεοφάνη. Ο Χατζή Νίκου είχε ξαναζήσει την παράσταση του ενθουσιώδη φίλου του και δεν έδειξε να εντυπωσιάζεται. Αντίθετα η Γιαννοβιά κρεμόταν τόση ώρα απ' τα χείλια του, γοητευμένη από τη λαλιά του, την ακτινοβολία του, το πάθος που ζωγραφιζόταν στο πρόσωπό του. Τα ταξίδια σε ξένα μέρη, το εμπόριο ως ζωογόνος δύναμις... Αλλά και η θολή συγκίνηση, το δέος που προξενούσε η αίσθηση του διεσπαρμένου γένους... Η καρδιά της είχε κάνει ήδη φτερά και πετάριζε πάνω από τους ώμους του Θεοφάνη. Ένιωθε κιόλας πόσο σωστή ήταν η επιλογή της για το πρόσωπό του και αν μπορούσε ν'

91

ακούσει μόνο τη γλώσσα της καρδιάς της, αφηφώντας τα ζύγια που επέβαλλε ο νους της, θα έτρεχε να πέσει αυτοστιγμεί στην αγκαλιά του. Ήτανε μάλιστα σίγουρη ότι παρά τα σαράντα της χρόνια είχε αναφοκοκκινίσει. Όμως δεν την ένοιαζε εκείνη τη στιγμή, ακόμη κι αν φαινόταν. Όπως δεν την πολυενδιέφερε και η Σοφία, που μ' ένα μειδίαμα ακίνητο στα χείλη, λίγο περίεργο, μάλλον στυφό, παρακολουθούσε με επιφύλαξη και καχυποψία, όσα ξεδίπλωνε ο Θεοφάνης για τον έξω κόσμο.

«Τι ωραία που τα λέτε, Θεοφάνη!» αναστέναξε η Γιαννοβιά, θέλοντας να πει κάτι για να δείξει ότι συμπλέει με τον εκλεκτό της. Κι αμέσως ενθυμούμενη τη συμβουλή του Χατζή Νίκου, στράφηκε προς τον Νεόφυτο και όλο γλυκύτητα ρώτησε και τη γνώμη εκείνου.

Ο Νεόφυτος συμφώνησε στην αρχή λέγοντας δύο κοινότοπες κουβέντες για τη σημασία του εμπορίου. Όμως κάτω από την πίεση που αισθανόταν να τον περιβάλλει, δεν άντεξε και τόλμησε να υπερβεί τον εαυτό του, αμφισβητώντας πρώτη φορά τη γνώμη και τον κόσμο του γεννήτορά του. «Σήμερα πια δεν περιστρέφονται τα πάντα γύρω από το εμπόριο.» Δάγκωσε νευρικά το κάτω χείλος του και συνέχισε: «Ο κόσμος ξεσηκώνεται ζητώντας άλλα πράγματα. Δεν βλέπετε τι γίνεται στη Γαλλία;»

Ο Θεοφάνης έδειξε κατανόηση στο ατόπημα του γιου του και προτίμησε να το προσπεράσει, παρά να τον νουθετήσει μπροστά στη μέλλουσά του νύφη και στους ξένους. «Κι εσύ, Σοφία, τι λες;» ρώτησε για να τη βάλει στην κουβέντα. Όμως η Σοφία χαμογέλασε αμήχανα, έπλεξε όλο σεμνότητα τα δάχτυλα πάνω από τα γόνατά της και στράφηκε προς τη μητέρα της ζητώντας κάποια βοήθεια. «Τα Παρίσια να κάνουν την δουλειά τους κι εσείς Θεοφάνη, τη δική σας», παρενέβη η Γιαννοβιά και συμπλήρωσε: «Αντί να τρέχουμε στα ξένα, εγώ ακούω ευχάριστα μαντάτα για την τύχη της Ζωίτσας». Η συζήτηση γύρισε αναπόφευκτα στα αρραβωνιάσματα της Ζωής. Έδωσαν την αφορμή για κάθε λογής πληροφορίες και σχόλια για το ευτυχές γεγονός, που θα οδηγούσε τη Ζωή στον προορισμό της ζωής της. Όμως αυτές γέννησαν και αντίστοιχες ευχές για τον Νεόφυτο και τη Σοφία, που καθένας αλλιώς τις καταλάβαινε ή αλλιώς τις εννοούσε.

Στο τέλος οι δύο ενδιαφερόμενοι δεν μπορούσαν να κρύψουν τη δυσφορία τους. Δίχως ένα ευχαριστώ ξίνισαν και κατέβασαν τα μούτρα. Έπεσε μια δυσβάσταχτη σιωπή. Η Ζωή βλέποντας να ξεστρατίζε. η συζήτηση, σαν άμαξα που πέφτει σε χαντάκι, παρενέβη ως οικοδέσποινα και ρώτησε: «Πατέρα, να καθίσουμε στο τραπέζι; Το φαγητό κρυώνει». Τότε μόλις άνοιξε το στόμα της η γιαγιά Μερόπη και κάνοντας το σταυρό της είπε: «Η ώρα η καλή», όμως κανείς δεν ήταν σε θέση να πει με βεβαιότητα σε τι κατά τη γνώμη του αναφερόταν η ευχή της: Στ' αρραβωνιάσματα, στο προξενιό ή στο δείπνο.

Κάθισαν στο τραπέζι κι όλη η βραδιά κύλησε κάτω από τις απανωτές προσπάθειες του Θεοφάνη από τη μια να κάνει τη Σοφία να μιλήσει και να δείξει τις αρετές της κι από την άλλη να τραβήξει επάνω της την προσοχή και το ενδιαφέρον του γιου του. Εις μάτην. Μια κολοκύθα αυτή, ένα αγγούρι εκείνος. Ανυποψίαστη η Γιαννοβιά, αλλά και ευδιάθετη, σχεδόν ενθουσιώδης, έπαιρνε το λόγο μόνη της. Γέμιζε τις σιωπές της θυγατέρας της και απαντούσε εύστροφα, άλλοτε χαμογελαστά κι άλλοτε με κάποιο νάζι, ώστε να ευχαριστεί όσο γινόταν γιο και πατέρα. Τα κατάφερνε μάλλον καλά, καθώς με ματιές κλεφτές κοιτούσε κάθε τόσο τον μέντορά της για να δει πώς προχωρούσε. Κι ο Χατζή Νίκου ένευε εμψυχώνοντάς την κι εγκρίνοντας τα λεγόμενά της. Όσο για τα ρωμαίικά της, ούτε ένα ίχνος ψόγου.

Το βράδυ στο κρεβάτι με αγκαλιά το μαξιλάρι, ανάσκελα ή μπρούμυτα, καθένας έκανε τις δικές του σκέψεις. Η Γιαννοβιά έπλεε σε πελάγη ευτυχίας. Καλύτερα τα πράγματα δεν μπορούσαν να είχαν έρθει. Ο Θεοφάνης απέπνεε αυτό που ακριβώς αναζητούσε και κάτι παραπάνω. Δεν ήταν μόνο η σιγουριά στο πλάι του κι η θαλπωρή που υποσχόταν η αντρίκεια αγκαλιά του. Ακτινοβολούσε κάτι πάνω απ' όσα η ίδια προσδοκούσε, μα δεν μπορούσε να το περιγράψει. Δεν είχε νόημα να ψάξει να το πει με λόγια, της αρκούσε ότι ήταν ευτυχισμένη. Σχεδόν ευτυχισμένη, μια και η δυσφορία του γιου του εκλεκτού της ήταν ένα μικρό εμπόδιο, που θα έπρεπε να αντιμετωπισθεί με υπομονή και εξυπνάδα. Ίσως της λάχαινε ο κλήρος να αναλάβει η ίδια να τον πείσει, ότι δεν θα 'πρεπε να τη φοβάται σαν μια κακιά μητριά που θα έμπαινε ανάμεσά τους ή θα ανέτρεπε την τάξη της ζωής τους. Ήτανε πάντως σίγουρη ότι ο καλός της θα κατάφερνε να τον μαλακώσει και ότι μετά το γάμο της Ζωής, σίγουρα θα 'ρχόταν και η σειρά τους.

Ο Θεοφάνης έβαζε κι έβγαζε το σκούφο της νυκτός, χωρίς να ξέρει τι του φταίει. Κρύωνε ή ζεσταινόταν, αδύνατον να αποφασίσει. Ιδίως δυσκολευόταν να παραδεχτεί αυτό που όλη τη βραδιά του έλεγαν τα μάτια και τα αυτιά του. Ότι ήταν αμφίβολο, εάν η τόσο πολυπόθητη προσέγγιση των δύο νέων είχε κατά τόσο προχωρήσει. Παρηγορούσε τον εαυτό του λέγοντας ότι αυτά τα πράγματα θέλουν το χρόνο τους και οπωσδήποτε η πρώτη συναναστροφή κάτι θα άφηνε πίσω της. Έστω μία μαγιά για να σμίξουνε την επόμενη, ακόμη και αν η στάση του κανακάρη του δεν ήταν τόσο ενθουσιώδης, όσο θα ήθελε εκείνος. Ίσως να έφταιγε και το δεξί μάτι της Σοφίας που πήγαινε λοξά, μα όλα συνηθίζονται με τον καιρό. «Εδώ η αγουρίδα στο τέλος γίνεται μέλι», ψιθύρισε για να πεισθεί και να παρηγορηθεί χωρίς ωστόσο ιδιαίτερη επιτυχία. Χτυπήθηκε δυο και τρεις, αμέτρητες φορές, στο μαξιλάρι του μέχρι να τον πάρει κάποτε ο ύπνος.

Αντίθετα ο Νεόφυτος έβλεπε πια καθαρά ότι τα πράγματα είχαν σοβαρέψει επικίνδυνα. Αργά ή γρή-

95

γορα δεν θα υπήρχε άλλη διέξοδος, θα έπρεπε να πειθαρχήσει και να υποχωρήσει. Όμως ήταν αποφασισμένος να αλλάξει πια το δρόμο της ζωής του. Να τραβήξει το δικό του και όχι εκείνον που του είχε ο πατέρας του χαράξει. Ένιωθε ότι είχε ωριμάσει πια, ώστε να πάρει τις μεγάλες αποφάσεις. Να διαφεντέψει τη ζωή του. Να τρέξει πίσω απ' τα δικά του όνειρα. Να ορθώσει το ανάστημά του απέναντι στη δική του μοίρα. Και όσο βυθιζόταν σ' αυτές τις σκέψεις, τόσο πείσμωνε και αντλούσε δύναμη σφίγγοντας τα δόντια του και τις γροθιές του. Έβλεπε κιόλας τη μεγάλη ευκαιρία να πλησιάζει, να έρχεται σαγηνευτική μπροστά του και το μόνο που του ζητούσε ήταν με θάρρος να οπλισθεί και δίχως δισταγμό να την αρπάξει. Έμεινε ξάγρυπνος μέχρι τα χαράματα, πλέοντας μέσα σε μια γλυκιά αναστάτωση, ανάμεσα στα σχέδια και στις παραλλαγές τους, μα σίγουρος ότι θα τα έκανε πράξη.

Όσον αφορά τέλος στη Σοφία, δεν βασανίσθηκε καθόλου μέχρι να την πάρει ο ύπνος. Έκανε τη βραδινή προσευχή της, παρακάλεσε την Παναγία να πάνε όλα κατ' ευχήν κι αποκοιμήθηκε γλυκά σαν αγγελούδι.

Την επομένη η Γιαννοβιά, προς έκπληξη της θυγατέρας της, πήγε πρωί πρωί στην εκκλησία και άναψε ένα κερί. Στη συνέχεια στρώθηκε στην κουζίνα με την Μπόνκα κι έφτιαξε μια κερασόπιτα για τον Θεοφάνη που τόσο του είχε αρέσει, καθώς και την αγαπημένη πρασόπιτα του κυρίου Παναγιώτη. Σ' εκείνη μάλιστα του Θεοφάνη θέλησε την τελευταία στιγμή πριν την ψήσουν να προσθέσει κάτι με τα χεράκια της τα ίδια. Ένα φτερούγισμα απ' την καρδιά της. Ίσως ένα μήνυμα. Θα ήταν άραγε τολμηρό; Σίγουρα όχι, αν ήταν κόσμιο. Ναι, κόσμιο, αλλά και υπαινικτικό. Έστυψε το μυαλό της, καθώς έπλαθε τη ζύμη σε σκουληκάκι και στο τέλος κατέληξε σε μια ρήση που δέσποζε κάτω από το ρολόι του Δημαρχείου και τόσο της είχε αρέσει. Με αξιοζήλευτη καλλιγραφία έγραψε στην επιφάνεια της κερασόπιτας «tempus fugit». Τη θαύμασε μ' έναν αναστεναγμό και ικανοποιημένη την έριξε στο φούρνο.

97

3

Ένα βράδυ του Ιουλίου, με το φεγγάρι να ρίχνει δύσκολα το λιγοστό του φέγγος ανάμεσα στα σύννεφα που τρέχαν, μπήκε στην πόλη η ταχυδρομική άμαξα σερνάμενη από τα τέσσερα άλογά της. Έφθασε στην πλατεία και σταμάτησε κάτω από τον αναμμένο λύχνο στην πλάτη του δημαρχείου, υπακούοντας στο μακρόσυρτο κάλεσμα του αμαξηλάτη. Κάποια άλογα ρουθούνισαν δυνατά και χτύπησαν το λιθόστρωτο με την οπλή τους. Ένα καμπανάκι ήχησε μια, μιάμιση φορά και πνίγηκε αμέσως για να μην ξεσηκώσει άσκοπα τον κόσμο. Από μακριά ακούσθηκε μία νεανική φωνή: «Έφθασε η πόστα». Ένας δυο λύχνοι φέγγισαν στα παράθυρα και φώτισαν πρόσωπα που είχαν πλησιάσει και παρακολουθούσαν την άφιξή της. Απ' το σκοτάδι πρόβαλε ξαφνικά τρέχοντας μια μαύρη σκιά και δίχως να πει κουβέντα, καταπιάστηκε

101

να ξεφορτώνει τις στοιβαγμένες αποσκευές από το πίσω μέρος της άμαξας. Ο αμαξηλάτης στερέωσε στο πλάι το καμτσίκι του, έπλεξε πρόχειρα μπρος στα πόδια του τα γκέμια και κατέβηκε με αργές κινήσεις. Άνοιξε την πόρτα της άμαξας και βγάζοντας το σκούφο του ανήγγειλε στους ταξιδιώτες την άφιξή τους στο Μπρασόφ. «Καλώς ορίσατε στην αρχοντόπολη των Καρπαθίων», είπε παρά την κούρασή του με κάποιο στόμφο και υποκλίθηκε ελαφρά από συνήθειο.

Πρώτος πρόβαλε στο άνοιγμα της πόρτας ο Βίκτωρ. Μια κορμοστασιά κυπαρισσιού με ομορφιά αγγέλου ξεχώρισε μες στο σκοτάδι. Πήδηξε ανάλαφρα στο λιθόστρωτο, τεντώθηκε, πιάνοντας με τις παλάμες τα πλευρά του κι ανέκραξε θριαμβευτικά: «Φιναλμέντε!»* Ακολούθησαν οι δύο Σάξονες συνταξιδιώτες του και στο τέλος τρεκλίζοντας απ' την ταλαιπωρία, αλλά κι από τον ύπνο που τον είχε γλυκοπάρει, ο κόντε Σπύρος. Μέχρι να στυλωθεί έτσι ισχνός επάνω στο ασημόδετο μπαστούνι του, να φορέσει το γερανό του γιακετόνι και να κουμπώσει τα κουμπιά σωστά, να στήσει όμορφα στην κεφαλή το εντυπωσιακό τρίκοχο, να δώσει τέλος ένα υπόλοιπο στον αμαξηλάτη και να τον ευχαριστήσει, χρειάσθηκε κάποια ώρα. «Φιναλμέντε», επανέλαβε χαμηλόφωνα κι εκείνος.

Σύντομα κατέφθασαν δύο δουλάκια των συνταξιδιωτών τους για να τους παραλάβουν κι αμέσως μετά κά-

* Επιτέλους

102

ποιο τσιράκι, που απευθυνόμενο στον Βίκτορα, προσπαθούσε να τον ελκύσει για κάποιο πανδοχείο και να τον κερδίσει. Με την ευγενική παρέμβαση ενός συνταξιδιώτη τους, που κατείχε κάπως την ιταλική, η συνεννόηση ευοδώθηκε και δόθηκαν με δυο καλά λόγια οι αναγκαίες εγγυήσεις για το πανδοχείο. Καληνύχτισαν όλοι όλους και τράβηξαν βιαστικά για τον προορισμό τους. Το τσιράκι κουβαλώντας ένα μπαούλο προπορεύθηκε. Ο Βίκτωρ ακολούθησε με αγκαλιά την ιατρική του τσάντα, όπου έκρυβε ό,τι απαραίτητο είχε επιλέξει. Από το σερβιτσιάλι για τον πατέρα του που σφάλιαζε κάθε τόσο, μέχρι δύο καινούργιες λαντσέτες, αλλά και μια δέσμη από ρετσέτες μην τύχει και του ξεφύγει κάτι. Καλού κακού κουβαλούσε και λίγα φάρμακα δυσεύρετα για ρούσια, σιάτικα, θερμολοιμικό, αλλά και ένα θαυματουργό κορδιάλο από τις τελευταίες εφευρέσεις ενός φαρμακοτρίφτη από την Πάντοβα. Κάθε τόσο κοντοστεκόταν, δείχνοντας στον πατέρα του το δρόμο, που με βήματα πιο αργά τους ακολουθούσε σε μικρή απόσταση. Η πλατεία σύντομα ερήμωσε και πάλι.

Το πανδοχείο «Στον εύθυμο κάστορα» τους περίμενε θεοσκότεινο, δίχως ίχνος ευθυμίας, μ' ένα λύχνο να φωτίζει αδύναμα τη σεμνή ταμπέλα με τ' όνομά του. Όμως τους υποδέχτηκε μία ολοστρόγγυλη χαμογελαστή φάτσα, που τη φώτιζε ένα φανάρι από τα αριστερά της, καθώς ο ξενοδόχος με το δεξί του χέρι έδειχνε στους νεόφερτους την πόρτα να περάσουν. Συνέχισε παίρνοντας ευλαβικά το τρίχοχο του κόντε

103

Σπύρου στην αγκαλιά του και λέγοντας λόγια χαμη- λόφωνα, σίγουρα κάποια ευγενικά καλωσορίσματα, τα οποία πατέρας και γιος αδυνατούσαν παντελώς να καταλάβουν. Το δωμάτιό τους στο πάνω πάτωμα έδειχνε καθαρό και νοικοκυρεμένο, αν και θα το ήθε- λαν λίγο πιο φωτεινό, αφού οι σκούρες ξύλινες επιφά- νειες ολόγυρά τους έπνιγαν το λιγοστό φως του επι- τραπέζιου λύχνου.

Ο ξενοδόχος μιλούσε ακατάσχετα αδιαφορώντας για την προφανή αδυναμία των επισκεπτών του να τον καταλάβουν, καθώς ο Βίκτωρ προσπαθούσε με χειρονομίες και στα ιταλικά να πει δύο κουβέντες. Πατέρας και γιος αφέθηκαν σε ό,τι είχε πρόθεση ο ξε- νοδόχος να τους προσφέρει. Μία μεγάλη κανάτα με χλιαρό νερό μέσα σε μια λεκάνη. Δύο επιπλέον λεκά- νες με ζεστό νερό κι από δίπλα τους πετσέτες. Τα δύο δοχεία της νυχτός σε εμφανή θέση κάτω από το κρε- βάτι. Μια πιατέλα με ένα βαθύχρωμο, σχεδόν μαύρο ψωμί, ολόφρεσκο λευκό τυρί, που θύμιζε στον Βίκτο- ρα ρικότα, δύο χοντρά, εντυπωσιακά θα έλεγε κανείς λουκάνικα, τουρσιά, φρέσκα κρεμμύδια, σκόρδα και λίπος. Από δίπλα της ένα πήλινο καραφάκι με κρασί που μόλις το δοκίμασε ο Βίκτωρ έκανε μία γκριμάτσα αποδοκιμασίας. «Στο λαβομάνο...» απεφάνθη δίχως δισταγμό ο κόντες. Όμως δεν περιφρόνησαν την πλούσια πιατέλα, που άδειασαν με βουλιμία. Έπεσαν εξαντλημένοι στο κρεβάτι, αφού έκαναν το σταυρό τους και μνημόνευσαν το όνομα του Αγίου. Πρόλαβαν

104

και χάιδεψαν τα πεντακάθαρα λευκά σεντόνια που μο-σχομυρίζανε λεβάντα. Πριν τους πάρει ο ύπνος, άκου-σαν από μακριά κάποια ρολόγια, άλλο μπρος, άλλο πίσω, να χτυπούν δώδεκα χτύπους. Την επομένη το πρωί ο Θεοφάνης δεν έκρυβε την αναστάτωσή του. Έκανε μια μικρή επιθεώρηση στο εμπορικό του, προσέχοντας όσο ποτέ άλλοτε την καλή εντύπωση που θα έδινε σε κάποιον που θα περνούσε πρώτη φορά το κατώφλι τους. Σύμφωνα με το τελευ-ταίο γράμμα του μέλλοντος συμπέθερού του, αν όλα τα πράγματα πήγαιναν κατ' ευχή, θα έπρεπε εκείνο το βράδυ, το αργότερο την επομένη, να έφθαναν στην πό-λη. Οι γυναίκες είχαν αναλάβει εδώ και μέρες το σπί-τι και τις δέουσες ετοιμασίες. Η Γιαννοβιά με τη Σο-φία είχανε προσφερθεί να τις συνδράμουν. Ο Νεόφυτος είχε καταπιαστεί να βάλει τάξη στην αποθήκη έξω από την πόλη και στο στάβλο. Αργά ή γρήγορα κάποια στιγμή θα πήγαινε τον συμπέθερο να του τα δείξει.

Ο Θεοφάνης έπιασε τον εαυτό του να νιώθει διπλά αναστατωμένος. Δεν ήταν μόνο το μείζον γεγονός που τον απασχολούσε, τ' αρραβωνιάσματα της πολυα-γαπημένης του θυγατέρας. Ήταν και μια μικρή αγω-νία πώς θα φαινόταν η οικογένεια και το βιος του στα μάτια ενός κόντε. Στα μάτια αυτού που με το γάμο του θα έκανε τη Ζωίτσα του κοντέσα και τ' όνομά της θα περνούσε στο λιμπροντόρο της Γαληνοτάτης. Το πολυταξιδεμένο Βένετο ασκούσε ανέκαθεν σε όσους γνώριζαν από εμπόριο μια γοητεία. Προκαλούσε το θαυμασμό, το δέος, συναισθήματα ισάξια εκείνων, που για άλλους λόγους ενέπνεε η Βιέννα. Έφθασε μάλιστα στο σημείο κάποια στιγμή να κοιταχτεί στον καθρέφτη, στυλώνοντας την κορμοστασιά του και προσπαθώντας να φαντασθεί τι εντύπωση θα έκανε ο ίδιος στον μέλλοντα γαμπρό του.

Άρχισε ξαφνικά να τον τρώει η έγνοια, εάν η πόστα από τη Χέρμανστατ θα έφθανε κανονικά το ίδιο βράδυ και έστειλε τον Πέτρο να ρωτήσει στο Δημαρχείο μήπως και είχαν κάποια είδηση, που ίσως θα σήμαινε μια καθυστέρησή της. Ο ουρανός ήταν πάλι συννεφιασμένος. Περνώντας το πρωί μπροστά από τις γούρνες, άκουσε τις πλύστρες αλαφιασμένες να προμηνύουν τα κακά και να βιάζονται να τελειώσουν. Θεός φυλάξοι μην έπιανε πάλι καμιά μπόρα, σαν τον κατακλυσμό που πρόσφατα είχαν ζήσει. Δήλωσε στα τσιράκια του ότι επιστρέφει αμέσως και βγήκε ανήσυχος στο δρόμο, ανυποψίαστος ότι τα πράγματα έτρεχαν πιο γρήγορα απ' ό,τι ζύγιαζε ή προέβλεπε ο ίδιος.

Δεν πρόλαβε να προχωρήσει λίγα μέτρα. Από την έκπληξή του σκόνταψε, κόντεψε να τα χάσει, όταν στα είκοσι, τριάντα μέτρα ξεχώρισε πρώτα το τρίκοχο του κόντε Σπύρου και ύστερα τον ίδιο συνοδευόμενο από ένα παλικάρι. Κοντοστεκόντουσαν αμήχανοι, κοιτούσαν τις προσόψεις των σπιτιών δεξιά κι αριστερά, κάτι έδειχνε ο κόντες με το μπαστούνι του. «Αλίμονό μου, έφθασαν κι εγώ κοιμάμαι όρθιος! Τι μέρα είναι;» ψέλλισε έντρομος χουφτιάζοντας τα γένια του. Δίχως χρο-

106

νοτριβή έτρεξε να τους προϋπαντήσει φωνάζοντας λαχανιασμένα: «Σπύρο, Σπύρο!» Έπεσε λίγο αργότερα με τέτοια ορμή στην αγκαλιά του μέλλοντος συμπεθέρου, που κόντεψε να τον ρίξει ανάσκελα, εάν ο Βίκτωρ δεν προλάβαινε να τον αντιστηρίξει.

Σε πελάγη ενθουσιασμού ο Θεοφάνης, ευδιάθετοι, αλλά κυρίως ανακουφισμένοι, ο κόντε Σπύρος και ο Βίκτωρ έκαναν πρώτα μια στάση στο εμπορικό του Θεοφάνη. Τα τσιράκια να παίρνουν βροχή τις εντολές, να μην ξέρουν τι να κάνουν, ποιο να πρωτοφέρει τα σναπς* και ποιο να προλάβει στο σπίτι τα μαντάτα. Κατά σύμπτωση, μπήκε εκείνη τη στιγμή ένας πελάτης από τους άρχοντες της πόλης, που ομιλούσε την ιταλική. Ο Θεοφάνης φούσκωσε από ικανοποίηση, καθώς έδειχνε στον άρχοντα τον άλλον ·άρχοντα συμπέθερό του και στον συμπέθερο τον συντοπίτη του καλό πελάτη. Ξαφνιάστηκε μάλιστα λέγοντας «τι μικρός που είναι ο κόσμος...» όταν τον πληροφόρησαν ότι την προηγουμένη συνταξίδευαν από τη Χέρμανστατ και είχαν κάνει ήδη την πρώτη γνωριμία. «Και πού κοιμηθήκατε;» ρώτησε έκπληκτος ο Θεοφάνης.

Μάταια προσπάθησε μόλις έμειναν μόνοι, να πείσει τον συμπέθερο να πάρουνε τα πράγματά τους από το πανδοχείο και να μετακομίσουνε στο σπιτικό του. Με πειστικότητα και ζέση εξηγούσε όσα είχαν προβλεφθεί, όλες τις διαρρυθμίσεις ·για να τους περιποιηθούν

* Γερμανική ρακή

107

και να τους φιλοξενήσουν, σαν να 'ταν οι ίδιοι οι αφέντες του σπιτιού. Ανένδοτος ο κόντες επέμεινε μέχρι το τέλος για να μην δημιουργήσει πρόσθετες φούριες στον συμπέθερό του. Την ίδια ώρα στο πάνω πάτωμα, στο σπιτικό του Θεοφάνη, είχε ξεσπάσει ο μείζων πανικός. Η πρόωρη άφιξη του κόντε Σπύρου και του μέλλοντος γαμπρού έβρισκε τις γυναίκες απροετοίμαστες, τουλάχιστον για το μεσημεριανό τραπέζι. Η Γιαννοβιά μόλις πληροφορήθηκε τα νέα, έριξε στους ώμους της ένα σάλι, κάρφωσε στα μαλλιά της τέσσερις φουρκέτες και έτρεξε αμέσως να συνδράμει. Ξοπίσω της και η Σοφία. Βρήκαν τη Ζωή μες στην απόγνωσή της να έχει παραλύσει, την Ευανθία να χτυπιέται και να επικαλείται την Παναγιά να τη βοηθήσει. Η γιαγιά Μερόπη στην προσπάθειά της να συρθεί μέχρι το παραθύρι, για να δει τον γαμπρό που ερχόταν, είχε γλιστρήσει από την πολυθρόνα στα γόνατά της και προσπαθούσε να ανασηκωθεί, όμως κανείς δεν της έδινε σημασία.

Η Γιαννοβιά δίχως να το πολυσκεφθεί πήρε στα χέρια της τα γκέμια, αφού σήκωσε πρώτα τη γιαγιά και τη βόλεψε στην πολυθρόνα της. «Αυτά που έχουμε για το βράδυ θα τα βγάλουμε το μεσημέρι και για το βράδυ βλέπουμε.» Και πριν μιλήσει η Ζωή ή η Ευανθία, τις κεραυνοβόλησε υψώνοντας ηρωικά το δείχτη: «Θα τα προλάβουμε όλα». Μπροστά αυτή, πίσω οι άλλες, ξεχύθηκαν σαν αμαζόνες στην κουζίνα με πρώτο στόχο το ξεπουπούλιασμα μιας γαλοπούλας, που μόλις είχε φέρει από την αγορά ο Πέτρος. Με ένα τσιράκι που καθόταν στην αυλή και χάζευε τους νεοαφιχθέντες, στείλανε μήνυμα στον Θεοφάνη να ανεβάσει τον γαμπρό στο σπίτι όσο πιο αργά γινόταν, ει δυνατόν μια και καλή για να καθίσουν στο τραπέζι. Η Σοφία έφυγε τρεχάτη να ειδοποιήσει τον Χατζή Νίκου και την αδελφή του Θεοφάνη Θεοδώρα, ότι η μεγάλη η βραδιά είχε ήδη προ της ώρας της σημάνει. Λίγο μετά το μεσημέρι, η Γιαννοβιά ένιωθε μάλλον σίγουρη ότι τα είχαν καταφέρει. Έβαλε εμπρός το σχέδιο για τις επιλογές, τις προμήθειες και την ετοιμασία του δείπνου, παραβλέποντας την εμφανή ενόχληση της Ευανθίας που δεν καταλάβαινε πώς μέσα σ' ένα πρωινό είχε χάσει τον έλεγχο του νοικοκυριού της.

Ο Θεοφάνης παίρνοντας το μήνυμα να καθυστερήσουν, όσο γινόταν, δεν δυσκολεύθηκε να καταλάβει τη σκοπιμότητά του, όπως και δεν δυσκολεύθηκε να παρασύρει τους φιλοξενουμένους του σε μια μεγάλη βόλτα στην πόλη, να τους δείξει τα άξια λόγου κτίσματά της, τα δημόσια κτίρια, τις εκκλησίες της, τα εντυπωσιακά τείχη με τους πύργους και τις πύλες τους, αλλά και να τους πάει μέχρι τις αποθήκες του στη γειτονιά της έξω πόλης. Σίγουρα ο ίδιος απολάμβανε την περιήγηση, πιο πολύ από τους ευγενείς φιλοξενουμένους του, που παρακολουθούσαν μάλλον από ευγένεια παρά από ενδιαφέρον το χείμαρρο των πληροφοριών με τις οποίες ο Θεοφάνης πλούτιζε την αφήγησή του. Διαισθανόμενος μάλιστα ότι ο συμπέθερος δεν άντεχε ιδιαίτερα στην ταλαιπωρία, φρόντισε και σταμάτησαν δυο φορές σε κάποιο καπηλειό για να ξεκουραστούν και να μιλήσουνε σαν άντρες και σαν νοικοκυραίοι. Η συζήτηση ευχάριστη, έφερε όλους πιο κοντά. Ο Βίκτωρ κέρδισε εύκολα τις πρώτες εντυπώσεις και την αποδοχή του από τον μέλλοντα πεθερό του. Παρ' όλο που ήταν λιγομίλητος, χειρότερος κι απ' τη Σοφία, περιοριζόμενος να αποκρίνεται με ένα «μάλιστα» ή μ' ένα νεύμα συγκαταβατικό της κεφαλής χαμογελώντας, ο Θεοφάνης ήξερε να διαβάζει πρόσωπα, δίχως να έχει ανάγκη απ' τα περίσσια λόγια. Και το πρόσωπο του Βίκτορα ήταν πρόσωπο καθαρό, με μέτωπο μεγάλο και μάτια φωτεινά, που ενέπνεαν εμπιστοσύνη. Η προσωποποίηση μιας σπάνιας σεμνότητας, που ο κόντε Σπύρος δεν την άφηνε να πάρει το λόγο και κάθε τόσο προτρέχοντας ενοχλητικά απαντούσε εκείνος για λογαριασμό του.

Επέστρεψαν αργά το μεσημέρι σπίτι. Η υποδοχή έγινε με όλους τους τύπους και τις δέουσες συστάσεις. Ακολούθησαν τα κεράσματα, οι αβροφροσύνες που επιβάλλονται σε παρόμοιες περιστάσεις για να γεφυρώσουνε τις αποστάσεις. Πράγμα μάλλον περιττό για το νεαρούς βλαστούς των ήδη αυτοαποκαλούμενων συμπεθέρων. Η πρώτη συνάντηση ανάμεσα στον Βίκτορα και στη Ζωή ήταν μοιραία. Όμοια με δίδυμη αστραπή, σαν δίκλωνο αστροπελέκι. Ένιωσαν καθένας τους να θαμπώνονται αυτοστιγμεί και να τυφλώνονται από τη λάμψη, την ομορφιά, το παρουσιαστικό, τη χάρη και τη γοητεία του άλλου. Ένιωσαν να χτυπιούνται κατάστηθα και κατακούτελα, να συγκλονίζονται και να καταποντίζονται από ένα θείο μεγαλείο. Να χάνεται η λαλιά τους, να τρέμουνε τα χέρια τους, να λύνονται τα γόνατα, ν' ανοίγουνε τα φυλλοκάρδια τους και η καρδιά να πάει να σπάσει. Τους μιλούσαν και δεν άκουγαν, τους ρωτούσαν και δεν απαντούσαν. Έζησαν την πρώτη τους συναναστροφή γύρω από το μεσημεριανό τραπέζι χαμένοι στο δικό τους κόσμο, αφήνοντας άθικτα τα πιάτα, τις νοστιμιές και τα καλούδια που είχανε μπροστά τους. Αναίσθητος ο Βίκτωρ στις γονατιές του πατέρα του κάτω απ' το τραπέζι, που προσπαθούσε να τον συνεφέρει, απαθής η Ζωή στα σκουντήματα του Θεοφάνη, που πάσχιζε από δίπλα της το ίδιο. Μαγνητισμένοι, υπνωτισμένοι, κουφοί στ' ακούσματα των άλλων, τυφλοί στην παρουσία τους, παρασυρμένοι σε ένα ονειρικό ταξίδι, αρμένιζαν ήδη προς τη μαγική νήσο των Κυθήρων και ας επρόκειτο για εκείνη των Φαιάκων.

Ευδιάθετοι αλλά αμήχανοι οι δύο πατεράδες, ιδιαίτερα μπροστά στη Γιαννοβιά, που όπως και να το κάνουμε ήταν μια ξένη, πάσχιζαν, όσο μπορούσαν, ώστε με χωρατά ή στρέφοντας σε άλλα θέματα τη συζήτηση, να διασκεδάσουν αυτό που αποκάλυπτα ξετυλιγότανε μπροστά τους. Ο Θεοφάνης ως συνήθως παινευόταν για την κοινότητά τους, κυρίως γιατί είχαν κρατήσει ολοζώντανη τη γραικική να τους ενώνει και να τους ξεχωρίζει από τους άλλους. Ο κόντε Σπύρος

111

πιο ομιλητικός, χείμαρρος σωστός, μιλούσε με υπερη-
φάνεια για την Κέρκυρα, τους διαλεχτούς άρχοντές
της, τις φαμίλιες των ευγενών που κρατούσαν από γε-
νιά σε γενιά τις παραδόσεις της νομπιλιτά εντός των
τειχών της πόλης. Καυχιόταν, όπως συνήθιζε, υπεν-
θυμίζοντας αυτά που έκρινε σημαντικά και αναγκαία.
Πόση γη και πόσες ρίζες είχε δώσει σε πάχτο και πό-
σους λόφους έπιανε κάποτε η μπαρονιά του. Ότι ήταν
από σκλήθρα ευγενική και ο μπισνόνος του είχε φθά-
σει κάποτε μέχρι τα γόνατα του Δόγη. Άνθρωπος με
οφίτσια και ονόρε, γνωστός μέχρι και το Βενέτο. Ο
ίδιος, πρόσωπο καλοΐσκιωτο και καλοκαθισμένο, νό-
μπιλος, γαλαντόμος, που ήξερε να διαφεντεύει τα
υπάρχοντά του, ένας σωστός οικογενειάρχης. Θυμό-
ταν πάντα κι υπογράμμιζε αυτάρεσκα τα νεανικά του
χρόνια ως μαθητής στο Κοινό Φροντιστήριο του Νι-
κηφόρου Θεοτόκη και του Ιερεμία Καββαδία.

Μνημόνευε με σεβασμό τους Ενετούς, μια σχέση
υπακοής που οι πρόγονοί του εθελούσια είχαν κτίσει
με τη βοήθεια του εκάστοτε Προνοητή, για να απο-
τρέφουνε τον κίνδυνο του Τούρκου. Περιέγραφε με
φράσεις μελανές την απάνθρωπη πολιορκία του 1537
από τους Τούρκους κι αργότερα εκείνη του 1716, πως
κάποτε γκρέμισαν πάνω από δύο χιλιάδες σπίτια για
να οχυρώσουν με τις πέτρες τους την πόλη. Παίνευε
τη λάμψη της Γαληνοτάτης που αγκάλιαζε εδώ και
αιώνες υπό τις φτερούγες της τη γενέτειρά του σε κά-
θε κίνδυνο, αλλά και πάντα τους προστάτευε και στις

εσωτερικές τους φαγωμάρες. Γιατί το μόνιμο πρόβλημα στην Κέρκυρα ήταν ποιος έκανε κουμάντο. Ποιοι ήταν οι νόμπιλοι, που είχαν δικαίωμα να μετέχουν στο Συμβούλιο, ιδίως μετά τις τελευταίες μεταρρυθμίσεις του 1786, που μίκρυνε τον αριθμό των μελών του, ενώ παράλληλα επέτρεψε τη συμμετοχή δέκα αστών. Ή, όταν ξεσηκώθηκαν οι αστοί και ζήτησαν να αναγνωρισθούν ως τάξη ξεχωριστή ανάμεσα στους ευγενείς και στους ποπολάρους. «Άκουσον, άκουσον! Ευτυχώς δεν εισακούσθηκαν», συμπλήρωσε αγνοώντας επιδεικτικά τον γιο του, που έδειχνε να υποφέρει από τους απαξιωτικούς χαρακτηρισμούς του πατέρα του σε βάρος των αστών και της αξιοσύνης τους, που αποδείκνυαν με κάθε ευκαιρία.

Αποκαμωμένοι από τη λογοδιάρροια οι μέλλοντες συμπέθεροι δεν άντεξαν για πολύ ακόμη. Λες και ήταν συνεννοημένοι, ύψωσαν ξαφνικά δυο και τρεις φορές απανωτά τις κούπες τους και προεξοφλώντας τις ευχάριστες εξελίξεις ερήμην της γνώμης των ενδιαφερομένων, αντάλλαξαν ευχές, ωσάν να ήταν άπαντα τετελεσμένα. «Τι λες κι εσύ, Νεόφυτε;» ρώτησε κάποια στιγμή ο κόντε Σπύρος. Και ο Νεόφυτος κοιτώντας με κατανόηση το ευτυχισμένο ζεύγος, απήντησε χαμογελώντας: «Στήλες άλατος. Τίποτα περισσότερο και τίποτα λιγότερο, κόντε Σπύρο». «Μα τον Άγιο...» φιθύρισε ο κόντε Σπύρος ευχαριστημένος «...και τι γκρατσιόζα η Ζωή... αλλά κι ο Βίκτωρ γοδέμπελος, σας βεβαιώνω».

113

Χώρισαν σχετικά νωρίς για να φρεσκαρισθούν και να ξανασυναντηθούν μετά από λίγες ώρες στο γιορτινό τραπέζι. Μόνο που τούτη τη φορά, οι δύο πατεράδες μόλις βρέθηκαν μόνοι με τους βλαστούς τους, αντί να τους ρωτήσουν για τις εντυπώσεις τους, προσπάθησαν να τους ταρακουνήσουν και να τους φέρουν στα συγκαλά τους, ώστε το βράδυ να μην γίνουνε ρεζίλι με τα καμώματά τους μπροστά στους ξένους.

Η βραδιά είχε μία λαμπρότητα που ο Θεοφάνης θεωρούσε ότι το σπίτι του δεν είχε ματαζήσει — μήτε στους γάμους της πρώτης του θυγατέρας. Όλοι οι προσκεχλημένοι, η Γιαννοβιά με τη Σοφία, ο Χατζή Νίκου, η αδελφή του Θεοδώρα με τον γαμπρό του Χανς και τη θυγατέρα τους Μαρία — «τι κόπελος κι εκείνη!» σχολίασε ο κόντες — ακόμη και ο ιερέας της κοινότητάς τους μιλούσαν και φέρονταν σαν να μην βρίσκονταν σε προξενιό, όπου η συστολή, τα μετρημένα λόγια, κάποια προσχήματα έπρεπε να τηρούνται. Όλοι τους, από τους ενδιαφερομένους μέχρι την αδιάφορη Σοφία, έδειχναν να βιάζονται, να σπρώχνουνε τα πράγματα με μια ταχύτητα πιο γρήγορη από εκείνη που ο ίδιος ένιωθε ότι είχε ανάγκη, για να ωριμάσει το προξενιό, όπως συνηθιζόταν.

Στο δεύτερο, τρίτο ποτήρι του, ο κόντε Σπύρος έγειρε στο αυτί του Θεοφάνη και σχεδόν τον αποπήρε: «Τι καθόμαστε και κουβεντιάζουμε. Τι άλλο πρέπει να δουν τα μάτια μας για να περάσουμε από την πάρλα στον αρραβώνα; Ο δικός μου πουλαρίζει, αβάσταγη η δική σου θυγατέρα...» Ο Θεοφάνης δεν έδειξε να αιφνιδιάζεται. Χαμογέλασε συγκαταβατικά και κούνησε το κεφάλι του, χωρίς να ξέρει και ο ίδιος τι ήθελε μ' αυτόν τον τρόπο να σημάνει. Όλα πήγαιναν κατ' ευχήν, όμως αυτή η βιασύνη, που απέπνεε όλη η ατμόσφαιρα και όχι μόνο τα λόγια του συμπεθέρου, κάπως τον πίεζε και τον στεναχωρούσε. Ίσως γιατί δεν είχε σχηματίσει για τον Βίκτορα μια γνώμη οριστική, αφού ο αθεόφοβος απ' τη σεμνότητα, τη συστολή, είχε πιει το αμίλητο νερό και μόνο με μισόλογα, ευγένειες και τσιριμόνιες έδειχνε την καλή διάθεση και την ανατροφή του.

Στο κατευόδιο πρόλαβε και ξεμονάχιασε για μια στιγμή τον Χατζή Νίκου και του ζήτησε τη γνώμη. Ο φίλος του αυθόρμητα έδωσε τη συγκατάθεση και την ευχή του. Λίγο πριν πέσει στο κρεβάτι, φώναξε τον Νεόφυτο, ο οποίος προς μεγάλη έκπληξή του έβλεπε τον πατέρα του να του ζητά τη γνώμη για κάτι τόσο σπουδαίο. Ευθαρσώς είπε την άποψή του. Ο Βίκτωρ είχε κερδίσει την εκτίμησή του. Όταν μάλιστα ο Θεοφάνης υπερβάλλοντας τον χαρακτήρισε μουγκό, εκείνος δεν δίστασε να τον βεβαιώσει ότι αντιθέτως όλο το βράδυ δίπλα του είχε διαπιστώσει όχι μόνο ότι ήταν ομιλητικός, αλλά και ιδιαίτερα αξιόλογος με τις ιδέες του και τα μυαλά του. «Ένας επιστήμονας με σωστές ιδέες, σίγουρα καλύτερες από εκείνες του γεννήτορά του.»

Ο Θεοφάνης κούνησε το κεφάλι του ξεφυσώντας και σιωπηλά με ένα νεύμα του χεριού έδειξε στον γιο

115

του ότι άλλο δεν τον χρειαζόταν. Κάλεσε στη συνέχεια τη Ζωή, όχι βέβαια να τη ρωτήσει γι' αυτό που ήταν ηλίου φαεινότερο. Της είπε μόνο για τη βιασύνη του συμπεθέρου του να κλείσουνε πριν φύγουνε τους αρραβώνες. Έτσι βέβαια τα είχανε προσυμφωνήσει, μα τώρα ξαφνικά στο άψε σβήσε, αισθανόταν τα πράγματα να τον πιέζουν. Η Ζωή έπεσε στην αγκαλιά του και του εξομολογήθηκε πόσο σίγουρη θα ένιωθε, εάν κατέβαινε στην Κέρκυρα αρραβωνιασμένη. Αλλιώς τα σχόλια θα φούντωναν και θα αμαύρωναν την τιμή της. Θα 'ταν τόσο αστόχαστο να φύγει μόνο λογοδοσμένη. Βούρκωσε κι έκρυψε το πρόσωπο στα χέρια της, αναριγώντας μέσα στις μαύρες σκέψεις που αιφνίδια τη ζώναν. Ο Θεοφάνης κούνησε πάλι το κεφάλι του και ψέλλισε ότι την καταλάβαινε και τελικά ότι ίσως είχε δίκιο.

Την επομένη το πρωί, καλά καλά δεν είχε ανοίξει το εμπορικό του ο Θεοφάνης, εμφανίσθηκε η Γιαννοβιά για να πάρει την άδειά του να πάει τη Ζωή στον Βίκτορα, να κάνουνε μια βόλτα και να γνωρισθούνε. Ο Θεοφάνης βρήκε την ευκαιρία να ζητήσει τη γνώμη της και εκείνη συμφωνώντας με τη Ζωή και επαυξάνοντας την πίεση στον Θεοφάνη κατέληξε θυμόσοφα: «Δεν ξέρετε, Θεοφάνη μου, πώς μπορούν τα πράγματα να γυρίσουν από τη μια μέρα στην άλλη. Tempus fugit...». Μπόλιασε έτσι την καρδιά του εκλεκτού της μ' ένα φόβο θολό, ότι τα πράγματα θα μπορούσαν στα καλά καθούμενα να στραβώσουν, παρ' όλο που όλα τα σημάδια, αλλά και οι γνώμες των δικών του έδειχναν ότι αργά ή γρήγορα η κατάληξη των πραγμάτων θα έπρεπε να ήταν μία. «Το γοργόν και χάριν έχει» συμπλήρωσε και δεν άντεξε, του 'πιασε και του 'σφιξε με ζέση το αριστερό του χέρι, κρατώντας το για λίγο στη χούφτα της με νόημα. Ο Θεοφάνης απορροφημένος δεν αντιλήφθηκε, δεν υποπτεύθηκε, την τολμηρότητα της χειρονομίας. Πέρασε όλο το πρωινό φέρνοντας και ξαναφέρνοντας τη μεγάλη απόφαση στο μυαλό του. Παρηγοριόταν ότι μετά τα αρραβωνιάσματα, ο Βίκτωρ κάπως θα του ανοιγόταν.

Μετά το μεσημεριανό τραπέζι, ο Θεοφάνης θέλησε να τραβήξει τον κόντε Σπύρο μέχρι την αγορά της Απολλώνιας Χίρσερ για να τα ξανασυζητήσουν. Ο κόντε Σπύρος δεν έδειχνε να βιάζεται ή να θέλει να πιέσει. Κοντοστάθηκε μπροστά στη Μαύρη Εκκλησία, μάλλον εντυπωσιασμένος. Ύψωσε τα φρύδια του, μόρφασε με τα χείλια του, όμως δεν είπε κουβέντα. Δεν παρέλειψε βέβαια να μνημονεύσει τον Άγιο Σπυρίδωνα και πώς ήρθε το 1456 το σκήνωμά του από την Πόλη, καθώς και τις περίλαμπρες λιτανείες για τη χάρη του, που επί τριήμερο συμπαρέσυραν σε καθολική κατάνυξη το σύνολο του πληθυσμού της νήσου, τόσο των ευγενών όσο και των ποπολάρων. Πήδηξε στη συνέχεια από το ένα θέμα στο άλλο. Μιλούσε αίφνης με θαυμασμό για τους περιηγητές από την Εσπερία, που αφού είχαν κατακλύσει την Ιταλία, περνούσαν όλο και πιο συχνά την Αδριατική με στόχο

117

να επισκεφθούν τους τόπους των αρχαίων Ελλήνων. Αυτούς που άλλοτε υπέφεραν υπό τον Αλή Πασά και άλλοτε υπό τον Σουλτάνο. Ο Θεοφάνης ένιωσε ξαφνικά ότι ο κόντε Σπύρος απέφευγε να έλθει στο θέμα. Γιατί άραγε; Θυμήθηκε την παραίνεση της Γιαννοβιάς και τον έπιασε ένας περίεργος φόβος. Ίσως είχε δίκιο. Δεν έπρεπε άλλο να ρισκάρει. Μέχρι το βράδυ ήταν όλα στις λεπτομέρειές τους αποφασισμένα και τελειωμένα. Έστειλαν στο τέλος την Ευανθία να ειδοποιήσει τον παπά για τους αρραβώνες το απόγευμα της επομένης. Κανόνισαν μάλιστα, υπολογίζοντας τις αναγκαίες εβδομάδες, περίπου και την ημερομηνία του γάμου, αφού ο Θεοφάνης μέτρησε δυο και τρεις φορές τις αποστάσεις, ζύγιασε τις ανάγκες του και τις δουλειές του, συνυπολόγισε την αναγκαία επιστροφή του Νεόφυτου από τη Βιέννα. Έκλεισαν στη συνέχεια και μία άμαξα για το μακρύ ταξίδι που θα 'παιρνε τη θυγατέρα του από κοντά του. Θα τη συνόδευε ή εξαδέλφη της Μαρία στη νέα της πατρίδα. Οι δυο οικογένειες τα είχαν από καιρό μιλημένα και συμφωνημένα. Η ίδια ήταν ξετρελαμένη και μόνο με τη σκέψη ότι θα ξέφευγε από το ασφυκτικό περιβάλλον των γονιών της. Ποιος ξέρει, επέμενε ο Θεοφάνης, μπορεί εκείνο το καλοκαίρι στην Κέρκυρα να έβρισκε το τυχερό της και η ανιψιά του, που κινδύνευε *με τα έτσι και τα αλλιώς* της αδελφής του να μείνει οριστικά στο ράφι. «Όλα έτοιμα λοιπόν», είπε κάποια στιγμή από μέσα του, σφίγγοντας τη μια παλάμη του με την άλλη. Θα αναχωρούσαν πρωί

πρωί της μεθεπομένης με την προίκα της και τα προικιά της. Με την ευχή του, αλλά και ένα τσίμπημα στην καρδιά, που εύλογα νιώθει κάθε πατέρας σε τέτοιον αποχωρισμό. Το ίδιο βράδυ αργά, ο Θεοφάνης τράβηξε τον κόντε Σπύρο μπροστά στο σεκρέτο του. Μακριά από τα μάτια των άλλων του παρέδωσε τριάντα χιλιάδες φλορίνια, την υπεσχημένη προίκα και συνέταξαν την προικοπαράδοση επιτόπου. Ο κόντε Σπύρος αρκέσθηκε να ρωτήσει τρέμοντας απ' τη συγκίνηση, μήπως εγνώριζε ο συμπέθερος σε πόσα τσεκίνια κερκυραϊκά αντιστοιχούσαν επακριβώς εκείνα τα φλορίνια. Όμως σιώπησε, όταν ο Θεοφάνης του έσφιξε τον καρπό με νόημα και τον διαβεβαίωσε: «Να 'σαι σίγουρος, πιο πολλά απ' όσα υπολογίζεις». «Σταμπένε»* μουρμούρισε ο κόντες, που προ πολλού τα είχε πάνω κάτω υπολογίσει.

Οι αρραβώνες έγιναν χωρίς πολλές προετοιμασίες. Η Θεοδώρα Σνελ ίσα ίσα που πρόλαβε να καλέσει την τελευταία στιγμή δυο οικογένειες Γραικών και άλλες δυο Σαξόνων, που έκρινε μαζί με τον αδελφό της ότι θα έπρεπε να είναι παρούσες. Φρόντισε και για τη δέουσα μουσική συνοδεία, αποφεύγοντας λαϊκά όργανα και επιστρατεύοντας δυο βιολονίστες και έναν τσελίστα, υπολογίζοντας το γούστο του υψηλού προσκεχλημένου τους του κύριου δικαστή. Όμως ο εξοχότατος Δικαστής κύριος Φρόνιους δεν μπόρεσε να πα-

* Έχει καλώς

119

ραβρεθεί έχοντας αρπάξει ένα αναπάντεχο κρυολόγημα. «Μπορεί και φιάκα... φόρσι και φλορέντσα», ψιθύρισε ο Βίκτωρ, όταν του περιέγραψαν τα συμπτώματά του, μα δεν τόλμησε να προσφερθεί για να τον εξετάσει μέρα που ήταν. Κατά τρόπο που σχολιάσθηκε, η Γιαννοβιά άστραφτε εξίσου με την ευτυχισμένη Ζωίτσα. Ο Θεοφάνης σωστός άρχοντας με παράστημα και με την τιμητική καδένα του. Εντυπωσιακός όσο ποτέ με τα γιορτινά του επεσκίαζε τον γαμπρό και τον συμπέθερο, χωρίς να χρειασθεί να ενδώσει στη Ζωή, που είχε επιμείνει να φορέσει για χάρη της το απούλητο χρυσοκέντητο καφτάνι. Αντίθετα η Ευανθία είχε κάνει ό,τι μπορούσε, για να αποτρέψει τον αφέντη της να φορέσει το καφτάνι, επειδή είχε τα χρώματα του εξαποδώ και όταν το πρωτοείδε είχε βγάλει στο μάτι της κριθαράκι. Γρουσούζικο και κακορίζικο το είχε κακολογήσει και γνώμη δεν είχε αλλάξει.

Όλοι παρακολούθησαν τη σεμνή τελετή σε μια ατμόσφαιρα κατάνυξης, συγκίνησης και ευωχίας, που κορυφώθηκε όταν ο Βίκτωρ φόρεσε για ιμπένιο στη Ζωή μια ολόχρυση καδένα, βενετικό κειμήλιο της οικογένειάς τους. Μόνη ίσως εξαίρεση ο Θεοφάνης. Λίγο πριν ξεκινήσει η τελετή, πλησίασε χαμογελώντας συμπέθερο και γαμπρό για να τους ρωτήσει αν είχαν κάποια ανάγκη ή μια υπόδειξη που θα μπορούσανε να ακολουθήσουνε αμέσως. Τους έπιασε σε μια γωνιά να συνομιλούν ενετικά. Αιφνιδιάστηκε. Πισωπάτησε, στρώνοντας από την ταραχή του απανωτά την καδένα του μπροστά στο στήθος. Δεν πίστευε σε ό,τι συνέβαινε δυο βήματα παρέκει. Απομακρύνθηκε με προσοχή, σαν να 'ταν ένοχος ο ίδιος. Γύρισε στο μυαλό του το περιστατικό. Κατέληξε αβίαστα σ' αυτό που θεώρησε προφανές. Για να αποκρύψουν από οιονδήποτε το περιεχόμενο της συζήτησής τους. Άραγε τι να 'ταν αυτό το τόσο σημαντικό που είχε χρεία να συζητηθεί εκείνη τη στιγμή και να αποκρυβεί από τους υπολοίπους; Άρχισε με όση αυτοσυγκράτηση μπορούσε να επιδείξει, να παίζει με τις άκρες της γενειάδας του, να φέρνει βόλτες το μεγάλο μονόπετρο δαχτυλίδι γύρω από το δάχτυλό του. Η έγνοια, η ανησυχία τον κυνήγησε κατά τη διάρκεια της τελετής. Στο τέλος κατάφερε και την απόδιωξε, δεν είχε λόγο, σκέφθηκε, να τρέχει στο κακό ο νους του.

Το δείπνο που ακολούθησε, η καλή διάθεση, το κέφι, συμπαρέσυραν κάθε σκέψη στενόχωρη ή έγνοια. Το γιορτινό τραπέζι αναδείχθηκε σε μια έκπληξη, σε ένα θαύμα εντυπώσεων για τις ικανότητες της Γιαννοβιάς. Δεν δίστασαν να εκθειάσουν τη μαγειρική της τέχνη, τη σπάνια νοστιμιά των εδεσμάτων, τη μαεστρία της στη χρήση των αρωματικών φυτών και των σπιτσερικών, και βέβαια την ταχύτητα με την οποία τα είχε όλα προλάβει. Κατάφερε με την άδεια της Ζωής, που την άφησε να κάνει ό,τι θέλει, να μαγέψει αυστηρούς συντοπίτες και να σαγηνεύσει αριστοκράτες Κερκυραίους. Είχαν βαρυγκωμήσει βέβαια από την

121

προηγουμένη η Ευανθία, η Σοφία, η δούλα της Γιαννοβιάς και μια ξώμαχη παραδουλεύτρα, που είχαν επιστρατεύσει μέσα στη νύχτα. Όμως όλα έγιναν όπως τα είχε προγραμματίσει η Γιαννοβιά και στο τέλος πρόλαβε και να χτενίσει τα μαλλιά της γιορτινά, στερεώνοντάς τα από πίσω με μια φουρκέτα από ελεφαντόδοντο, περίτεχνα φιλοσκαλισμένη. Κοντολογίς παρήλασαν από το τραπέζι στο ξεκίνημα ένα δυνατό κονσομέ πασπαλισμένο με κρεσόν παρά τις υψηλές θερμοκρασίες του Ιουλίου. Ακολούθησε μια χαβιαροσαλάτα με τις πρώτες προπόσεις του επικείμενου υμεναίου. Το τραπέζι κατακλύσθηκε στη συνέχεια από μπεκασίνες γεμιστές με τρούφες, που προκάλεσαν απότομα μια παρατεταμένη σιωπή στους ευάλωτους συνδαιτυμόνες. Αμέσως μετά κατέφθασε ένα γουρουνάκι γάλακτος παραγεμιστό στη σούβλα, που άρχισε να προκαλεί στην αρχή επιφωνήματα και στη συνέχεια βογκητά ικανοποίησης στους άρρενες καλοφαγάδες, προτού καν προλάβουν να γευθούν τη σπάνια γευστικότητα των γιαχνί ζαρζαβατικών, τα λαχανικά τουρσί και τις ψητές πατάτες τις τσιγαρισμένες με κρεμμύδια σε ελάχιστο λαρδί, που εύλογα μοσχοβολούσαν. Αποτέλειωσαν τους προσκεκλημένους τους με μια τούρτα με μαύρο κεράσι, λιαστό λικέρ κι απόσταγμα από πιπερόριζες για να χωνέψουν, καθώς και με μια κρέμα λεμόνι για να πάρει το πανδαιμόνιο των γεύσεων, που άγγιζε με τη βοήθεια και από άλλες φίνες λιχουδιές τα όρια της κραιπάλης. Έτσι του-

122

λάχιστον χαρακτήρισαν το δείπνο στα σκαλοπάτια του αποχαιρετισμού τα δύο ζεύγη των Σαξόνων, ιδίως οι κυρίες που ήταν γνωστές για τη λουθεριανή εγκράτειά τους.

Χαράματα έφυγαν οι μελλόνυμφοι με ευχές, υποσχέσεις και αμοιβαίες διαβεβαιώσεις. Αποχαιρετήθηκαν, με μάτια βουρκωμένα η Ζωή, με χείλια δαγκωμένα ο Θεοφάνης στην προσπάθειά του να μην δείξει τη συγκίνησή του. Δεν άντεξε και ψέλλισε κάποια στιγμή το όνομα της μακαρίτισσας με μια ειλικρινή ευχή από τα βάθη της ψυχής του: «Αχ να 'σουν εδώ, Ειρήνη...» Ο Νεόφυτος αγκάλιασε τους μελλόνυμφους, ψιθυρίζοντας μία ευχή για τον καθένα. Βουβοί, τρέμοντας από τη συγκίνηση, η Ευανθία και ο Πέτρος. Συνέχεια συμβουλές η Θεοδώρα στη Μαρία. Τελευταία απόμειναν χέρια και μαντίλια να ξεπροβάλλουνε από το σκοτεινό παράθυρο της αμαξόπορτας και να τους αποχαιρετούν. Χάθηκε η άμαξα στη στροφή του δρόμου και ο Θεοφάνης προσπαθούσε όσο μπορούσε να ακολουθήσει με το αυτί τα πέταλα των αλόγων και τους τροχούς επάνω στο λιθόστρωτο, καθώς έσβηναν στο βάθος. Μόλις τότε κατέφθασαν τρεκλίζοντας και νυσταλέα τα όργανα που θα τους ξεπροβόδιζαν. Δεν πρόλαβαν να ρίξουν μήτε μια δοξαριά. Ο Θεοφάνης έβγαλε στα τυφλά απ' το ζωνάρι του ένα δυο νομίσματα και τους τα πέταξε για τον κόπο που είχαν κάνει. Εκείνη τη στιγμή αντιλήφθηκε τη Γιαννοβιά στο μπράτσο του να έχει ακουμπήσει και μ' ένα

123

μαντιλάκι να σφουγγίζει τα υγραμένα μάτια της. Τα 'χασε καθώς αισθάνθηκε το στήθος της να βαριανασαίνει και επάνω του ζεστό και μαλακό ν' ανεβοκατεβαίνει. Τραβήχτηκε αμήχανος, αδέξια, ίσως και απότομα από κοντά της. Ένιωσε ξαφνικά, παρά το πρωινό αγιάζι, να ιδρώνει. Επέστρεφαν όλοι βουβοί, βαρύθυμοι στο σπίτι, η Γιαννοβιά αγκάλα με τη μοναξιά τράβηξε για το δικό της.

Ο Θεοφάνης ζήτησε από την Ευανθία να ανοίξει τα παράθυρα να μπει αέρας και να του φτιάξει έναν καφέ. Τον άδειασε αφηρημένος με δυο γουλιές, τσουρουφλώντας γλώσσα και χείλια. Άρχισε να πηγαινοέρχεται άσκοπα μέσα στο σπίτι. Άγγιζε δίχως λόγο μικροπράγματα, σαν να τα επιθεωρούσε ή να τα ανακάλυπτε πρώτη φορά μπροστά του. Μονολογούσε, λέγοντας δίχως ιδιαίτερη σημασία καθημερινές κουβέντες. Πεταγόταν δίχως ειρμό από το ένα θέμα στο άλλο. Πίσω από την περίεργη συμπεριφορά του έκρυβε την προσπάθειά του να συνηθίσει στην ιδέα ότι είχε χάσει για πάντα τη Ζωίτσα του, τη Ζωή του. Γνώριζε ωστόσο ότι έπρεπε να συμφιλιωθεί μαζί της.

Ένιωσε να τα καταφέρει. Όμως λίγο αργότερα δεν άντεξε, εξέφρασε στον Νεόφυτο την ανησυχία της προηγουμένης. Ο Νεόφυτος έδειχνε να παραξενεύεται μ' αυτά που ο πατέρας του εκμυστηρευόταν. Δεν δίστασε να πει τη γνώμη του, που ήταν στον αντίποδα εκείνης του Θεοφάνη. «Πατέρα, νομίζω ότι υπερβάλλετε. Επιτρέψτε μου να σας πω ότι κάνετε λάθος. Παραγνωρίζετε, ίσως, ότι ο Βίκτωρ ομιλεί καλύτερα τη βενετική από τη μητρική του, ότι ο κόντε Σπύρος την κατέχει απταίστως και μια και δυο φορές τους άκουσα ο ίδιος να συνομιλούν αδιάφορα ή και χαριεντιζόμενοι στη γλώσσα της Γαληνοτάτης. Απ' τη συνομιλία μου με τον Βίκτορα απεκόμισα την εντύπωση ενός λαμπρού νέου κι ούτε στιγμή δεν πήγε στο κακό ο νους μου. Γιατί εκπλήσσεσθε; Και εσείς άλλωστε ομιλείτε τη γλώσσα των Σαξόνων σαν δεύτερή σας γλώσσα.»

Πρώτη φορά κοίταζε ο πατέρας τον γιο του έτσι αποσβολωμένος. Ο ίδρος έτρεχε ήδη στο νοτισμένο μέτωπό του. Ένιωσε ξαφνικά παγιδευμένος, σαν θηρίο στο κλουβί, σαν αφελής από τον πρώτο τυχάρπαστο αγύρτη εξαπατημένος. Κατάφερε να ψελλίσει όμως με ένταση, σχεδόν με οργή, μπροστά στην αποκάλυψη του γιου του: «Σαν δεύτερη, Du Dummkopf*, σαν δεύτερη και όχι σαν πρώτη». Φούντωσε και κοκκίνισε καθώς σκεφτόταν το μέγεθος της πλάνης του, μπορεί και της ενσυνείδητης εξαπάτησής του από την πλευρά του κόντε Σπύρου. Βρόντηξε το χέρι του στο τραπέζι και γέρνοντας προς τον γιο του βρυχήθηκε:

«Καταλαβαίνεις; Καταλαβαίνεις τι μου είπες; Δώκαμε τη Ζωίτσα μας, το βλαστάρι μου, σ' έναν Γραικό που δεν μιλάει με τον πατέρα του τη γραικική. Σε ποια γλώσσα νομίζεις ότι θα αναθρέψει τον εγγονό μου;» Έγειρε πίσω στην καρέκλα του, έπιασε τους

* Βλάκα

125

κροτάφους με τα δυο του χέρια, έκλεισε τα μάτια του μορφάζοντας από τον πόνο της ψυχής του και αναφώνησε: «Θεέ μου, θα μου σαλέψει!» Έπεσε απότομα, σαν να κατέρρεε, στο τραπέζι με το μέτωπο πάνω στις σφιγμένες γροθιές του. Έσφιγγε τα δόντια του, έχωνε τα δάχτυλα μες στα μαλλιά του, μούγκριζε αναμαλλιασμένος: «Ένα μ' ένοιαζε τόσα χρόνια και μπρος στα μάτια μου, κάτω απ' τη μύτη μου, δεν το πήρα χαμπάρι μέσα στην ίδια την οικογένειά μου». Στράφηκε οργισμένος στον Νεόφυτο και ξέσπασε την οργή του: «Εσύ φταις... Εσύ φταις για όλα, τα έβλεπες και δεν μιλούσες».

Μονολογούσε συνέχεια και κάθε τόσο επανερχόταν: «Κύριε των δυνάμεων...» και «άμοιρο γένος των Γραικών, εγώ που τόσο υπερασπιζόμουνα τη γλώσσα μας, εγώ που πάνω απ' όλους τη διακονούσα, με τι επιπολαιότητα και τι αμέλεια έδωκα την ευχή μου». Τρέμοντας σχεδόν, με την ανάσα του κοφτή, το πρόσωπό του σαν παντζάρι, έδωσε αποφασισμένος την εντολή του: «Πάρε ένα άλογο και τρέχα να τους προλάβεις. Θέλω τη θυγατέρα μου!» Ύψωσε τη γροθιά του και τη βρόντηξε με δύναμη πάνω στο τραπέζι αναποδογυρίζοντας από το τράνταγμα κούπες και μπρίκια. «Τη θέλω πίσω! Καταλαβαίνεις; Τη θέλω σήμερα κιόλας πίσω!!!»

Άναυδος ο Νεόφυτος έβλεπε πρώτη φορά τον πατέρα του σε τέτοια κατάσταση, εκτός εαυτού του. Ένιωθε αδύναμος, ήτανε σίγουρος ότι δεν θα μπορού-

σε να του αλλάξει γνώμη, ούτε καν να τον παρηγορή-
σει. Ο μόνος που θα μπορούσε να τον αποτρέψει από
ένα τέτοιο διάβημα και ίσως να τον συνεφέρει ήταν ο
Χατζή Νίκου. «Πατέρα, όπως επιθυμείτε, αλλά νομί-
ζω ότι πρέπει να πούμε αμέσως τα νέα στον κύριο
Παναγιώτη.»
    Αβέβαιος, χαμένος στην παραζάλη του, ο Θεοφάνης
συμφώνησε αμέσως. Δίχως χρονοτριβή βρέθηκαν από
τη μια στιγμή στην άλλη να βροντούν ανάστατοι το σή-
μαντρο της εξώθυρας του Χατζή Νίκου. Λίγο αργότε-
ρα ο υπερήφανος Γραικός διεκτραγωδούσε στον πιο πι-
στό του άνθρωπο το μαύρο συναπάντημα και την κακή
του τύχη. Με χίλια βάσανα κατάφερε ο Χατζή Νίκου
να τον ηρεμήσει. Αποδεχόταν ότι η είδηση ήταν ανησυ-
χητική, μάλλον στενάχωρη. Όμως αρνιόταν να προε-
ξοφλήσει ότι ο εγγονός του Θεοφάνη θα μεγάλωνε σαν
Βενετσιάνος και θα τον έχανε το γένος. Σίγουρα πά-
ντως, θεωρούσε υπερβολικό, προσβλητικό, ανήκουστο
να τρέξει ο Νεόφυτος ξοπίσω τους και σαν ληστής να
απαγάγει τη Ζωή απ' τον μνηστήρα της και να τη φέ-
ρει πίσω. Κι αν εκείνος δεν νοιαζόταν για τα αισθήμα-
τα των μελλονύμφων ή τη γνώμη του κόντε Σπύρου,
ήτανε βέβαιο ότι θα γινότανε περίγελος στη Στεφανό-
πολη και στην Κέρκυρα, όταν θα μαθευόταν μια τέτοια
συμπεριφορά του. Έκανε μια παύση, έξυσε το μέτωπό
του και συνέχισε σκεφτικός. Υπήρχαν κι άλλοι τρόποι,
πιο κόσμιοι, αν ήθελε να ματαιώσει αυτόν τον γάμο ή
να τον επανακρίνει. Κι η πρότασή του ήτανε να γράψει

127

αμέσως γράμμα στη θυγατέρα του, να της μιλήσει για τη νέα απόφασή του και να της ζητήσει ν' αλλάξει στάση και συμπεριφορά. Να πάψει να ενθαρρύνει άλλο τον Βίκτορα, να αποτρέψει με οποιαδήποτε δικαιολογία τις προετοιμασίες του γάμου. Όταν με το καλό θα κατέβαινε ο Θεοφάνης στην Κέρκυρα — έστω για να την πάρει πίσω —, θα είχε άλλη μία ευκαιρία να διακριβώσει από κοντά εάν οι φόβοι του είχαν βάση και τότε αναλόγως με τις περιστάσεις θα χειριζότανε ο ίδιος ψύχραιμα τα παραπέρα. Θα αρνιόταν ή θα έδινε και πάλι την έγκρισή του.

Ο Θεοφάνης κατέβασε τους ώμους, έγειρε την κεφαλή εξουθενωμένος. Τα λόγια του φίλου του έδειχναν σύνεση και φρονιμάδα. Έτσι κι αλλιώς το ταξίδι του στην Κέρκυρα ήταν για τις χαρές της κόρης του προαποφασισμένο. Όσο για την υπακοή της θυγατέρας του στις εντολές του, δεν είχε λόγο ούτε στιγμή να την αμφισβητήσει. «Ίσως να έχεις δίκιο, Παναγιώτη», ψέλλισε και επανέλαβε για πολλοστή φορά τα *Κύριε των δυνάμεων* με όλες τις συνήθεις παραλλαγές τους. Χώρισαν με τη φράση του να αιωρείται αναπάντητη ανάμεσά τους: «Μα καταλαβαίνεις... να συμβεί αυτό σε μένα;»

Ο Θεοφάνης επέστρεφε στο εμπορικό του με βήμα βιαστικό και τον Νεόφυτο ανακουφισμένο, να τρέχει ξοπίσω του σιωπηλός σαν παπαδοπαίδι. Σίγουρα δεν μπορούσε ακόμη να συνέλθει από την καταστροφή που του είχε τύχει, όμως ήξερε πια τι έπρεπε να πράξει.

Κάθισε πάραυτα στον πάγκο του κι αφού έσκισε δυο και τρεις φορές την επιστολή που είχε ξεκινήσει, αδιαφορώντας για την εξυπηρέτηση της πελατείας του, κατέληξε σ' εκείνη τη διατύπωση που πίστευε ότι θα πλήγωνε όσο λιγότερο γινόταν την τρυφερή καρδιά της θυγατέρας του. Αλλά και μια διατύπωση με την οποία διατράνωνε τη θέληση και την απόφασή του να μην γίνει αυτός ο γάμος, εάν δεν έδινε ξανά την άδειά του ο ίδιος. Ήθελε πρώτα να ξαναμιλήσει με τον κόντε Σπύρο. Ήθελε όλα να τα ξανασκεφθεί απ' την αρχή. Απόσωσε με το γράψιμο και πήρε μια βαθιά ανάσα. Την κράτησε μέσα του, όσο μπορούσε, και ξεφύσηξε με ορμή σαν να 'τανε ασκός που άδειαζε με βία. Με βούλες και με βουλοκέρια την πήγε ο ίδιος στην πόστα και την έδωσε στον ταχυδρόμο. Μια επιστολή για τον αδελφό του τον Μιλτιάδη, μέσα στην οποία μαζί με οδηγίες έστελνε την επιστολή για τη Ζωίτσα. Έβγαλε απ' το ζωνάρι του δύο κέρματα κι έσφιξε στη χούφτα του ταχυδρόμου τρίδιπλη την αμοιβή του. Έδωσε μάλιστα κι άλλα τόσα για τον επόμενο, που θα 'παιρνε στη Βιέννα την πολύτιμη επιστολή, για να την παραδώσει στον αδελφό του στην Τεργέστη. Από εκεί θα έφευγε η επιστολή προς τη Ζωίτσα με τη φροντίδα του αδελφού του για το Βένετο και στη συνέχεια για τη νήσο των Φαιάκων.

4

Aτέλειωτο φαινόταν το ταξίδι για την Κέρκυρα στη Ζωή και στους συνταξιδιώτες της. Όσο κι αν κάλπαζαν τα τέσσερα άλογα με θαυμαστή ταχύτητα και αντοχή, είχαν την αίσθηση ότι οι αποστάσεις δεν μικραίναν. Κι ας άφηναν πίσω τους μέρη γνωστά σε πολυταξιδεμένους και τοπωνύμια ακουστά για τους θρύλους, τα ανδραγαθήματα ιπποτών και τα παραμύθια που τα ακολουθούσαν, κανείς δεν έδειχνε διάθεση να τους χαρίσει μια κουβέντα. Κανείς δεν είχε όρεξη να αποχαιρετήσει με μια ματιά τα μαγευτικά Καρπάθια, να σκύψει στο παράθυρο και να θαυμάσει την ονειρική διαδρομή μέσα από χαράδρες και πλαγιές, καθώς διέσχιζαν πυκνές σκιές που έτρεχαν στα πλαϊνά του δρόμου ή ξέφωτα και κάμπους που ανοίγονταν στο γλαυκό του ουρανού και φώτιζαν τις φυλλωσιές σε όλες τους τις αποχρώσεις. Και κάθε τό-

133

σο τεράστιες οξιές ή δρυς να πολιορκούν τα άλογα και ξέφρενες αγριοφτέρες να ανεμίζονται, να προσπαθούν να τα αναχαιτίσουν. Κανείς δεν είχε όρεξη να ενδιαφερθεί για την πόλη, την πολίχνη, το πανδοχείο ή το χάνι της διανυκτέρευσής τους. Μήτε καν να ξαποστάσει για λίγη ώρα παραπάνω στις αναγκαστικές στάσεις της άμαξας, προκειμένου να πιούνε άνθρωποι και άλογα λίγο νερό ή για να αντικατασταθούν τα ζωντανά από άλλα ξεκούραστα που περιμέναν. Δεν ξόδεψαν ούτε μια στάση στη μοναδική Σινάια. Τα μυαλά τους ήταν στραμμένα στη νήσο των Φαιάκων.

Μάλλον από ευγένεια παρά από περιέργεια οι δύο κόρες παρακολουθούσαν μ' ένα ελαφρύ μειδίαμα, όπως επέβαλλαν οι καλοί τρόποι, τον Κόντε Σπύρο να αφηγείται ιστορίες από τα μεγάλα σόγια των ευγενών της. Για τη γενιά των Βουλγαρέων, των Θεοτόκηδων, των Μόστρακα, των Καμπίτση, των Κοκκίνη και τόσων άλλων, γι' αυτή την αθάνατη τάξη των ευγενών, ισάξια των ομογάλακτων της Βενετίας, της Νεάπολης και της Τοσκάνης. Στην πραγματικότητα, οι κόρες αδιαφορούσαν. Τα φυλλοκάρδια τους ήταν στραμμένα στον γαμπρό που είχαν βρει και σε εκείνον που ακόμη ψάχναν.

Η άμαξα του ροδαλού Γιόχαν τους έφερε μέχρι του Δούναβη την όχθη, στα σύνορα απέναντι από το Βιδίνι. Έτσι ήταν η συμφωνία. Ο αμαξηλάτης δίσταζε να προχωρήσει, να ταξιδέψει μέσα στην οθωμανική αυτοκρατορία, ιδίως με όσα ακούγονταν ότι ετοίμαζε απ' το Βιδίνι ο Πασβάνογλους Πασάς ενάντια στην Πύλη. Δύο χαμάληδες πήραν από την άμαξα στην πλάτη τους τα τρία σεντούκια των ταξιδιωτών και τον μπόγο με τις αναγκαίες αλλαξιές τους που προορίζονταν για το ατέλειωτο ταξίδι. Ο κόντε Σπύρος κράτησε στοργικά το δισάκι με την προίκα υπό μάλης, το ασημόδετο μπαστούνι του και το επιβλητικό τρίκοχό του. Ο Βίκτωρ δεν αποχωρίσθηκε τη μεγάλη δερμάτινη τσάντα, που έκρυβε τα προσωπικά του είδη και τα εφόδια της ιατρικής του τέχνης. Οι δεσποσύνες αρκέσθηκαν να κουβαλήσουν τα κρεμεζί καπελίνα και τα μεταξωτά σχεδόν κατάλευκα ομπρελίνα τους. Όλοι μαζί επιβιβάστηκαν σε μια μεγάλη σχεδία που διασχίζοντας τον ήρεμο εκείνη την εποχή Δούναβη τους μετέφερε στην απέναντι όχθη στο Βιδίνι.

Στο χάνι που κατέλυσαν πριν σουρουπώσει, βρήκαν με ανακούφιση έναν Γραικό αμαξά, δυο μέτρα μπόι, με τον οποίο θα μπορούσαν να συνεχίσουν το ταξίδι. Γραικό απ' την πλευρά της μάνας του, όπως τους διευκρίνισε αυτός αμέσως, αλλά από μωαμεθανό πατέρα, γι' αυτό και το όνομά του ήτανε Γιουσούφ και όχι Βασίλειος, όπως εκείνη επιθυμούσε. Όμως η ανακούφιση γρήγορα εξανεμίσθηκε πριν καλά καλά ανταλλάξουν τις πρώτες κουβέντες και ακούσουν πόσα ζητούσε για αμοιβή του. Και τι δεν ισχυρίσθηκε ο Γιουσούφ, πότε κλαφουρίζοντας και πότε μισοαπειλώντας. Σε ένα τόσο μακρινό ταξίδι πέρα από τη Νίτσα, μέχρι την Πρίστινα και ακόμη παραπέρα, με τελικό προορισμό το λιμάνι του Ντουράτσο, οι κίνδυνοι ήταν απερίγραπτοι. Ούτε ο Χριστός μήτε ο Προφήτης μπορούσε με σιγουριά να τους προστατέψει. Γι' αυτό δικαιολογούνταν, κατά την άποψή του, τα διπλάσια από αυτά που ο κόντε Σπύρος ήταν διατεθειμένος να του δώσει. Μόνο ο ίδιος με τη λεβεντιά του και τις γνωριμίες του και βέβαια εδώ κι εκεί κάποια μπαξίσια, θα μπορούσε να τους προφυλάξει από τους ληστές, που ήταν ικανοί στο κέφι τους επάνω να διαγουμίσουν ολόκληρο τσιφλίκι. Μόνο αυτός είχε στο χέρι, όπως κοκορευόταν, τους επικεφαλής των σωμάτων φύλαξης των χερσαίων δρόμων και των ορεινών περασμάτων. Βέβαια, και σ' αυτούς κάτι θα έπρεπε να δώσουν για να γλυκαθούν και να τους συνοδέψουνε στα κακοτόπια.

Σαν να μην έφθαναν όλα αυτά, θα έπρεπε μάλλον να πληρώσουν και κάτι για την αρχοντική περιβολή τους, συνεπέρανε ο Βίκτωρ μπροστά στο σαρκαστικό, στο κοροϊδευτικό χαμόγελο του Γιουσούφ και τους χονδροειδείς υπαινιγμούς του για το αρχοντικό παρουσιαστικό τους. Σίγουρα στον πηγαιμό του ταξιδιού δεν είχαν ζήσει τέτοιο κάζο, αφού είχαν προτιμήσει να ανεβούν μέσω Τεργέστης, κάνοντας όμως έναν μεγάλο γύρο. Μια διαδρομή που τώρα αποφάσισαν να αποφύγουν για να συντομεύσουν την επιστροφή τους.

Ο Βίκτωρ ένιωθε παγιδευμένος, ώσπου τελικά κάμφθηκε από τον περιρρέοντα εκβιασμό των περιστάσεων που ζούσαν. Αντιμέτωπος με κραυγαλέες προφάσεις και φανταστικά ή έστω αβέβαια εμπόδια, ύστερα από χίλια παζαρέματα, μάλλον αδέξια, κατάφερε και έκλεισε όπως όπως τη συμφωνία, καταβάλλοντας μπροστάντζα τα μισά στον άθλιο αγιογδύτη. Αναγνωρίζοντας φουρκισμένος ότι το έξυπνο πουλί από τη μύτη πιάνεται, επέσειε λίγο αργότερα με νόημα την προκλητική ασημένια χειρολαβή του μπαστουνιού του γονιού του κάτω από τη μύτη του, ενώ εκείνος διαμαρτυρόταν, θα έλεγε κανείς ότι βογκούσε, για την άφρονα απλοχεριά του γιου του. «Απενισάριστο και κακοκίντυνο» τον χαρακτήριζε ο κόντες οργισμένος, λούζοντάς τον ακατάπαυστα με παρόμοιους χαρακτηρισμούς μέχρι να ξεθυμάνει.

Σιωπηλοί, εξαντλημένοι, μ' ένα κομμάτι ψωμί, αυγά βραστά και λίγο σταφύλι με τυρί για δείπνο, πήγαν να πέσουν, να ξεκουράσουν τα καταπονημένα σώματά τους. Όλοι μαζί σε μία κάμαρη στενή, αμφίβολης καθαριότητας, μάλλον βρώμικη θα έλεγε όποιος και αν ρωτιόταν. Τουλάχιστον τη χώριζε στα δυο ένα κορδόνι μ' ένα ριχτό σεντόνι, που από την πολυκαιρία και την απλυσιά είχε πάρει ένα βαθύ χρώμα στάχτης. Καθένας τους μ' ένα κλωνάκι ανθό λυγαριάς, που είχε βλαστήσει μόνη της δίπλα από το παράθυρό τους, προσπαθούσε να ξεγελάσει τα ρουθούνια του από μια ύποπτη, αλλά και απειλητική μπόχα που τους είχε περιζώσει. Έγειραν βουβοί, αποφασισμένοι να αντέξουν. Μια νύχτα μόνο ήταν, παρηγόρησαν αλλήλους, αποσιωπώντας αυτά που διαισθάνονταν ότι θ' ακολουθούσαν. Οι δεσποσύνες μάλιστα μέσα στην κούρασή τους συμβιβάστηκαν με τη σκέψη να μην ανοίξουν τις

137

κουνουπιέρες. Κακώς. Μέχρι να έρθει η αυγή, τους είχαν φάει τα κουνούπια, αλλά και οι κοριοί κι οι ψύλλοι. Επέζησαν εν τούτοις.

Το πέρασμα του Δούναβη προς την οθωμανική αυτοκρατορία σήμαινε, όπως για τόσους ταξιδιώτες, έτσι και για τους τέσσερις Γραικούς, το πέρασμα σ' έναν κόσμο γεμάτο αβεβαιότητες, ταλαιπωρίες, γιατί όχι και κινδύνους, πέρα από τις χονδροειδείς υπερβολές του αμαξά τους. Ιδιαίτερα για δεσποσύνες ευαίσθητες σαν τα κρίνα, άμαθες σε κακουχίες που δεν είχαν το στοιχειώδες, μία ισχυρή συνοδεία να τις φροντίζει και να τις προστατεύει. Όμως οι ταλαιπωρίες ακόμη δεν είχαν αρχίσει.

Το ταξίδι της Ζωίτσας στη νέα της πατρίδα, όσο κι αν προχωρούσε δίχως εμπόδια μέχρι στιγμής, δεν κατάφερνε να συμπαρασύρει αβίαστα και το ταξίδι της ψυχής της. Μιας ψυχής που παρέπαιε ανάμεσα σε τόσα αντιφατικά και αλληλοσυγκρουόμενα συναισθήματα. Δύσκολα θα μπορούσε η ίδια να τα ξεχωρίσει και να πει ποιο υπερτερούσε. Άραγε να είχε συμβεί έτσι και με τη μεγάλη της αδελφή, που είχε χαθεί μετά τον γάμο της στο Λέμπεργκ; Όσο πιο ξετρελαμένη ένιωθε από το παράστημα, τους τρόπους, τα λόγια του Βίκτορά της, καθώς και για όσα μπορούσε από πίσω τους να υποπτευθεί ή να μαντέψει, τόσο πιο σίγουρη ήταν στα σώψυχά της ότι θα επαναλαμβανόταν αυτό που συνέβαινε συνήθως σε ανάλογες περιπτώσεις: Ποτέ πια δεν θα 'βλεπε ξανά τον τόπο που γεννήθηκε κι όπου μεγά-

λωσε, μήτε την οικογένειά της κι ας ερχόταν ο πολυα-
γαπημένος της πατέρας σε δυο μήνες στην Κέρκυρα για
να παραβρεθεί στους γάμους.

Κι αυτός ο αποχωρισμός, όσο γνωστός κι αν ήταν
σε κάθε κόρη που κάποτε θα πχντρευόταν, όσο κι αν
είχε η ίδια προετοιμασθεί από καιρό για να τον αντι-
μετωπίσει, έβλεπε τώρα ξαφνικά να ορθώνεται σαν
βράχος μπροστά της και να την καταπλακώνει. Η σι-
γουριά, η θαλπωρή, τα τόσα αυτονόητα της οικογε-
νειακής αγκάλης χάνονταν από τη μια μέρα στην άλ-
λη, σαν την πρωινή πάχνη που διαλύει ο ήλιος και
εξαφανίζει. Ακόμη και κάποιες μελωδίες μάλλον με-
λαγχολικές που ανέβαιναν μέχρι τα χείλη της, έσβη-
ναν πριν ακουσθούνε. Η αηδόνα του αφέντη Θεοφάνη
δεν είχε τη δύναμη μήτε την όρεξη καν να τις σιγο-
μουρμουρίσει.

Τα ερωτήματα διαδέχονταν απνευστί το ένα το άλ-
λο, έρχονταν και επανέρχονταν να τη βασανίζουν. Θα
μπορούσε άραγε ο Βίκτωρ με τα χαρίσματά του να
ισοσταθμίσει αυτά που η ίδια έχανε για πάντα; Άραγε
η οικογένειά του θα την αγκάλιαζε με την αγάπη που
κάθε νύφη επιθυμεί και περιμένει; Και η μητέρα του
Βίκτορα, η κοντέσα Ασημίνα, θα 'ταν έτσι καλότρο-
πη, όπως ο κόντε Σπύρος; Ο αδελφός του Βίκτορα;
Η αδελφή του; Και μέσα σ' όλα, άραγε θα 'βρισκε
γαμπρό και για την εξαδέλφη της Μαρία, που ξεσπι-
τωνόταν όχι μόνο για να τη συντροφέψει, αλλά και
για τον άγιο προορισμό κάθε ανύπαντρης κοπέλας;

Αυτά σκεφτόταν με τον ένα ή τον άλλο τρόπο, καθώς η άμαξα την έπαιρνε για πάντα μακριά από το Βρασοβό κι απ' το παράθυρό της ανεγνώριζε όλο και κάποιον μιναρέ να μαρτυρά τις αποστάσεις που μεγάλωναν απ' την αγαπημένη της εστία. Ένιωθε μάλιστα ότι τα πράγματα σκοτείνιαζαν, γίνονταν ίσως αδικαιολόγητα απειλητικά, όταν άκουγε αίφνης πότε εδώ, πότε εκεί, την απόκοσμη φωνή του μουεζίνη. Γι' αυτό και κάθε τόσο ακουμπούσε μάλλον παρακλητικά το βλέμμα της στο πρόσωπο του Βίκτορα, που καθότανε απέναντί της ή άπλωνε το δεξί της κι έπιανε απ' τον καρπό το χέρι της Μαρίας, προσπαθώντας να της δώσει ή να αντλήσει λίγο κουράγιο παραπάνω.

Ο καλός της Βίκτωρ ανταποκρινόταν με όσο θάρρος μπορούσε να αντλήσει από τα αισθήματά του για εκείνη, αλλά και με όση αυτοσυγκράτηση κατάφερνε με κόπο να επιδείξει, ελέγχοντας το πάθος του μπροστά στα γερακίσια μάτια του γονιού του. Ευτυχώς όμως για το ερωτευμένο ζεύγος, εκείνα απεδείχθησαν πολύ σύντομα ανίκανα να ανταποκριθούν στην αυστηρότητα που ήθελε ο κόντε Σπύρος να εμπνεύσει. Κάθε τόσο τον έπαιρνε ο ύπνος και μόνο μια άθλια χοντρή αλογόμυγα ή κάποιος άγριος κλυδωνισμός πάνω στη σούστα της άμαξας μπορούσε προς στιγμή να τον ξυπνήσει. Τότε ήταν που έχανε την ψυχραιμία του, ξεχνούσε τους καλούς του τρόπους κι έψαχνε έντρομος, σπασμωδικά, το δισάκι με τα φλορίνια που κρεμόταν από το λαιμό του.

Αλλιώτικα σουρνόταν του Βίκτορα η έγνοια. Από την πρώτη μέρα κιόλας του ταξιδιού τους στο Βιδίνι είχε καταφέρει να γλιστρήσει προς τα εμπρός, υποκρινόμενος της μέσης του την ανάγκη, για να βολευτεί κάπως καλύτερα στη στενόχωρή του θέση. Έτσι μπορούσε να κλείνει δήθεν τυχαία ανάμεσα στις γάμπες του τις γάμπες της Ζωίτσας. Οι δυο τους είχαν πια καταφέρει να ιδρώνουν μαζί και να ταξιδεύουν με τη φαντασία τους μπροστά στα κατακόκκινα μάγουλα της Μαρίας. Η πανέξυπνη εξαδέλφη, κάθε άλλο άμαθη από τέτοιες περιστάσεις, είχε ήδη ρημάξει την πανάκριβη βεντάλια της απ' την Αμβέρσα, κρυφογελούσε κάθε τόσο, κάνοντας νευρικά συνέχεια αέρα και χρεώνοντας υποκριτικά τις αδικαιολόγητες εξάψεις της δήθεν στον ξένο τόπο, στο άγνωστο Βιδίνιο.

Το πάθος του Βίκτορα για τη Ζωή δεν τον εμπόδιζε να έχει ένα μάτι και για τον αμαξηλάτη. Όσο συμπαθής ήταν ο προηγούμενος Βλάχος αμαξάς, που τους είχε φέρει με κάθε ευγένεια και ασφάλεια μέχρι του Δούναβη την όχθη, τόσο ύποπτη και σκοτεινή ήταν η φάτσα του Γιουσούφ με την ουλή της, που παινευόταν χωρίς νόημα ή κάποιο συγκεκριμένο λόγο για το όνομά του. Όμως δεν ήταν μόνο αυτό που ενοχλούσε, μήτε τα υπερφορτωμένα δάχτυλά του με μεγάλα δαχτυλίδια, που γεννούσαν ερωτηματικά για τον τρόπο απόκτησής τους. Παρά την εξοικείωσή του με τη διαδρομή, τη σιγουριά με την οποία έριχνε τις καμτσιές στα άλογα σε κάθε σταυροδρόμι, δείχνοντας

141

την πορεία που έπρεπε να ακολουθήσουν, δεν ήταν ποτέ σε θέση ή δεν ήθελε έτσι κακότροπος που ήταν να απαντήσει πόσες περίπου λεύγες είχαν διανύσει ή πόσες είχαν ακόμη μπροστά τους μέχρι την επομένη στάση ή διανυκτέρευσή τους. Σαν να ταξίδευαν στα τυφλά με μόνο μπούσουλα το νότο.

Και σαν να μην έφθαναν αυτά, στις στάσεις τους έδειχνε φανερά ότι έστηνε αυτί για να ακούσει τι συζητούσαν. Όντας προφανώς βαρήκοος, δεν λάμβανε καν προφυλάξεις για να συγκαλύψει την ξεδιάντροπη αδιακρισία του. Αρνιόταν να δώσει σαφή απάντηση σε οτιδήποτε τον ρωτούσαν, ποιοι; Αυτοί που τον είχανε πάρει στη δούλεψή τους. Εκτός, περιέργως, για τη μοναδική πληροφορία, την οποία αν και μη ερωτηθείς, εν τούτοις ήθελε να δώσει. Ότι ήταν άνθρωπος του Πασβάνογλου και ότι μισούσε όπως εκείνος την Πύλη και όσους είχαν σφετερισθεί την εξουσία του μακαρίτη πατέρα του στο Βιδίνι. Ο Βίκτωρ μάλιστα τόλμησε να ρωτήσει, εάν η άμαξα ανήκε στον Πασβάνογλου και ο Γιουσούφ φάνηκε να αιφνιδιάσθηκε προς στιγμή, όμως βιάστηκε να κατανεύσει βλοσυρά ότι πράγματι έτσι ήταν.

Ο Γιουσούφ είχε και άλλα χούγια. Αν και μωαμεθανός δεν δίσταζε να προσκυνά τη ρακή και να πληρώνουν τα άλογά του τα ξαφνικά μεθύσια και τα ξεσπάσματά του στις δύστυχές τους πλάτες. Κι ακόμη... Δυσανασχετούσε και βλαστημούσε ανάμεσα στα δόντια του οργισμένος, όταν σε κάθε διανυκτέρευση όφειλε υπό την επίβλεψη του κόντε να κάνει το αυτο-

142

νόητο. Να ξεφορτώσει τα μπαγκάγια και να τα μεταφέρει στην κάμαρη των ταξιδιωτών του. Το πιο περίεργο ωστόσο ήταν ότι σε κάθε στάση τους εξαφανιζόταν μες στο χάνι και λίγο αργότερα τον έβλεπαν να βγαίνει συνοδευόμενος από μια φάτσα ύποπτη και σκοτεινή, όμοια με τη δικιά του, και χαμηλόφωνα, σχεδόν συνωμοτικά, να συζητούνε. «Βεραμέντε αμάντζαλος και βαγαπόντες», απεφάνθη σκεφτικός ο κόντε Σπύρος και συμπλήρωσε ψιθυριστά στη συνοδεία του: «Πρέπει να τον σερβάρουμε συνέχεια».

Άφησαν επιτέλους πίσω τους το Βιδίνι και τις φήμες για τις συνωμοσίες του Πασβάνογλου σε βάρος του Σουλτάνου. Στη Νίτσα άλλαξαν άλογα. Όλοι τους ήλπιζαν ότι ίσως κάποια ανώτερη δύναμη θα επενέβαινε και θ' άλλαζαν κι αμαξηλάτη, όμως διαψεύσθηκαν. Στο καραβάνσεράι δεν τόλμησαν να διανυκτερεύσουν. Μόλις απόθεσαν τις αποσκευές τους, είδαν έναν Γραικό καραβανάρη να τους προσπερνά αλαφιασμένος και να απομακρύνεται, εξορκίζοντας το κακό συναπάντημά του μ' έναν συμφοριασμένο, κτυπημένο μάλλον από πανούκλα. Διανυκτέρευσαν τρομοκρατημένοι όπως όπως στην αυλή ενός αχυρώνα, με το «έτσι θέλω» του Γιουσούφ, που αρνιόταν να συνεχίσουν το ταξίδι τους και να διανυκτερεύσουν στο πρώτο χάνι που θα συναντούσαν.

Κάποτε μπήκαν και στο Κόσοβο. Μπροστά σ' ένα τζαμί συναντήθηκαν με μια μονάδα έφιππης φρουράς της εξουσίας και ο Γιουσούφ έπεσε στην αγκαλιά του επικεφαλής σερδάρη. Έχασαν μια ώρα στο λιοπύρι πα-

ρά τις ευγενείς προτροπές του κόντε Σπύρου να συνεχί-
σουν. Σε κάποιο σταυροδρόμι καραβανιών προσπάθη-
σαν να βρούνε άλλον αμαξά, μα αποδείχτηκε μάταιη
κάθε προσπάθειά τους, αφού ο Γιουσούφ δεν έλεγε να
ξεκολλήσει απ' το πλευρό τους. Η άγνοια της γλώσσας
έκανε ακόμη πιο δύσκολη την παράκαμψή του σε οποι-
αδήποτε επαφή με τρίτους. Είδαν σε καραβάνι που
προσπέρασαν πρώτη φορά γκαμήλες, όμως αλλού εί-
χαν το νου τους. Για τρίτη φορά χρειάστηκε να πάρουν
δυο σπαχήδες συνοδούς για να περάσουν μια αφύλαχτη
χαράδρα και να τους καλοπληρώσουν. Όμως σε μια
στάση τους βρήκαν έναν πλανόδιο μπαρμπέρη και οι
άνδρες άδραξαν την ευκαιρία για να ξυρισθούνε.

Στην Πρίστινα κατέθεσαν τα όπλα κάθε προσπάθει-
ας να βρούνε άλλην άμαξα και αποφάσισαν να το χω-
νέψουν ότι έτσι θα πορευόντουσαν μέχρι το Ντουράτσο.
Ήταν πλέον αργά να αναρωτηθούν μήπως θα έπρεπε
να είχαν ταξιδέψει όσο γινόταν με καράβι, αποφεύγο-
ντας τη χερσαία διαδρομή μέσα από την απρόβλεπτη
οθωμανική αυτοκρατορία και τις σερνάμενες απειλές σε
κάποιο πέρασμα στενό να τους ληστέψουν. Τουλάχι-
στον να τους ληστέψουν, αν μη τι άλλο...

Στο καραβάνσεράι που κατέλυσαν, τίποτα δεν βελ-
τίωνε την αθλιότητα που βίωναν στα χάνια των προη-
γουμένων διανυχτερεύσεών τους. Σ' ένα από τα διπλα-
νά χωρίσματα, τρεις ταλαίπωροι και ξεχασμένοι ψήνο-
νταν αβοήθητοι μάλλον από τις θέρμες. Ο Βίχτωρ
προσφέρθηκε να βοηθήσει. Εκείνοι φοβήθηκαν, ποιος

ξέρει γιατί, τον έδιωξαν κακήν κακώς, απειλώντας τον μ' ένα κασάρι. Φρύαξαν όταν άκουσαν κάποια φωνή να πλησιάζει και η Μαρία ισχυρίσθηκε ότι ξεχώρισε τη λέξη λέπρα. Άραγε, αλήθεια ή υπερβολή, μήπως κινδύνευαν κι οι ίδιοι; Το νερό σ' ένα κιούπι της αυλής κρίθηκε με την πρώτη ματιά ύποπτο. Ο Βίκτωρ βάλθηκε μέσα στο σκοτάδι, παραπατώντας πάνω από κοιμισμένους ή μισοκοιμισμένους που διαμαρτύρονταν ή αναπηδούσαν, να ψάχνει για πόσιμο νερό, που το κατάστεγνο και γλιτσερό τους στόμα είχε τόσο ανάγκη. Ο κόντε Σπύρος πιο φειδωλός σε πρωτοβουλίες επέλεξε να φυλά τις δεσποσύνες από τυχόν άθλιους επισκέπτες. Όσο για εκείνες, πάνω σ' ένα στρώμα με την πλάτη η μια στην άλλη ακουμπώντας, έτριβαν τα μέλη τους και έκαναν έναν τυχαίο απολογισμό όσων ταλαιπωριών είχαν στωικά υπομείνει.

Είχαν ξαγρυπνήσει ή λαγοκοιμηθεί κάθε νύχτα σε κάποιο χάνι, πιο άθλιο από εκείνο της προηγουμένης. Βρώμικο, δύσοσμο, ανάμεσα σε ανθρώπους με όψη σκοτεινή και χνώτα που μύριζαν τόσο δυνατά αφέντι, ώστε ζαλιζόσουν και κινδύνευες εισπνέοντας να μεθύσεις. Δεν ήξεραν πλέον πόσες μέρες είχαν να αντικρίσουνε πιρούνι, πόσες φορές είχαν δει σκουριασμένες μαχαίρες να τεμαχίζουνε τροφή, πόσες φορές σε γεύματα ή σε δείπνα κάποιος σχολιάζοντας όσα τραβούσαν είχε φελλίσει δις την οικεία ρήση «σαν τα ζώα...». Όπως δεν ήξεραν πόσους σκορπιούς, φίδια ή τι άλλο, είχαν σε κάθε βήμα τους τυχαία αποφύγει.

Δύο βραδιές είχαν προτιμήσει να σταθμεύσουν δίπλα σε μια ακροποταμιά, στα γάργαρα νερά της, και να εξυπηρετηθούν καλύτερα από τη φύση απ' ό,τι από τους ανθρώπους. Μια άλλη βραδιά έγειραν αναγκαστικά στα ερείπια ενός πυρπολημένου ναού, αφού το χάνι είχε καταληφθεί από ένα καραβάνι, στήνοντας μάλιστα πρόχειρα μπουγάδα. Και κάθε τόσο, σαν εφιάλτης που έφευγε και ξαναρχόταν, η απειλή κάποιας αρρώστιας, που οι γνώσεις του Βίκτορα δύσκολα μπορούσαν να εξορκίσουν.

Όσο κι αν πλησίαζαν την Κέρκυρα, τόσο οι κακουχίες και όσα ζούσαν κάθε τόσο τους έδιναν την αίσθηση ότι ποτέ δεν θα έφθαναν στον προορισμό τους. Ένας χάρτης των δύο αυτοκρατοριών, που μπαινόβγαινε στου Βίκτορα τον κόρφο, είχε γίνει πια κουρέλι. Έτσι κι αλλιώς, ελάχιστα τους βοηθούσε. Ο κόντε Σπύρος είχε πάψει προ πολλού να υπερηφανεύεται για τη γενέτειρά του, περιοριζόμενος κάθε βράδυ να επαναλαμβάνει μονολογώντας: «Τι Άουστος και τούτος!» Η μόνη ίσως βραδιά που έζησαν σαν άνθρωποι πολιτισμένοι ήταν όταν έπεσαν με την εντυπωσιακή τους άμαξα στο γάμο ενός μπέη, που θαμπωμένος από τα φράγκικά τους ρούχα, έστω τα τόσο καταπονημένα, τους φίλεψε και τους φιλοξένησε στο κονάκι του, παρέχοντάς τους το θείο δώρο του λουτρού, πιτσούνια, φρούτα και γλυκά, καθώς και κάθε άλλη πολυτέλεια που μπορούσε επί γης ο καλόκαρδος τουρκαλβανός να τους προσφέρει.

Όμως αλλού τα πράγματα ήταν πιο σοβαρά και χειροτέρευαν μέρα με την ημέρα. Ο Γιουσούφ κοιτούσε όλο και πιο συχνά με μάτι λοξό τη Μαρία, ιδίως απ' τη στιγμή που η Ζωή του αποκρίθηκε επάνω στην κουβέντα ότι κατέβαιναν στην Κέρκυρα προκειμένου να παντρευτεί με τον καλό της και ποιος ξέρει, μπορεί και κάτι να λάχαινε και σ' εκείνη. Έκτοτε σε κάθε ευκαιρία ο Γιουσούφ χαριεντιζότανε με τη Μαρία, ως ότου μια φορά ο κόντε Σπύρος αναγκάστηκε να υψώσει το μπαστούνι του ανάμεσά τους για να επιβάλει την τάξη και να την προστατεύσει, ορίζοντας ξανά τις αποστάσεις. «Σκεφθείτε και να μην ήτανε Γραικός, τι θα μας λάχαινε σ' αυτόν τον τόπο, κόντε Σπύρο», επαναλάμβανε χαμηλόφωνα δις της ημέρας τρομοκρατημένη η Μαρία και βέβαια πια βαθιά μετανιωμένη για την πρόταση του θείου της Θεοφάνη, την οποία με την ξαναμμένη φαντασία της δίχως περίσκεψη είχε αποδεχθεί.

Μέρες πριν φθάσουν στην Αδριατική, ένιωθαν πια αντί του φύλακα αμαξά μια απροσδιόριστη απειλή να 'χει καθίσει στη σκεπή της άμαξας, χωρίς να μπορούν να της ξεφύγουν. Τελευταία βραδιά πριν μπούνε στον κάμπο του Ντουράτσο, η τύχη θέλησε λίγο να τους φωτίσει. Στο χάνι του Σκουτάρου συναντήθηκαν μ' έναν Γραικό πραματευτή από τη Μοσχόπολη, έναν λεβέντη με ξανθά μαλλιά που πέταγαν σαν στάχυα. Ανοιχτόκαρδος, καλοσυνάτος και ομιλητικός, στη δεύτερη, στην τρίτη του κουβέντα τους άνοιξε τα μάτια.

Ο Γιουσούφ ήτανε άνθρωπος της Πύλης. Ψάρευε και σπιούνευε από το Βιδίνι μέχρι τα Γιάννενα στα ανήσυχα και ύποπτα Πασαλίκια. Πότε αμαξάς, πότε καραβανάρης, ό,τι τον βόλευε στη σκοτεινή αποστολή του και σίγουρα όχι άνθρωπος του Πασβάνογλου. Άνθρωπος ψεύτης και αδίστακτος, με τα χέρια του βαμμένα κόκκινα, βουτηγμένα μέχρι τους αγκώνες στο αίμα. Απ' τα πρωτοπαλίκαρα στο χαλασμό και στον αφανισμό πριν επτά χρόνια της γενέτειράς του της Μοσχόπολης, που είχε σβήσει για πάντα. Μια πόλη που τότε μόνο τα Γιάννενα την ξεπερνούσαν. Να προσέχουν. Να προσέχουν! Να ξεκόψουν όσο πιο γρήγορα από κοντά του.

Ο κόντε Σπύρος ένιωθε να δικαιώνεται στην κρίση του. Έριχνε λοξές ματιές αναζητώντας τον Γιουσούφ, που είχε αιφνίδια χαθεί μέσα στο χάνι. Έσφιγγε, τρέμοντας σχεδόν από την ταραχή, το δισάκι του υπό μάλης και δάγκωνε τα χείλη. Στο τέλος ο συμπαθής για τον αυθορμητισμό του πραματευτής συστήθηκε ως Ηλίας από τη Μοσχόπολη και δήλωσε ότι αλώνιζε τα δαλματικά παράλια, όπου τον γνώριζαν τα βότσαλα κι οι πέτρες. Εμπορευόταν κόκκινα νήματα από τα Αμπελάκια, τζαφαράνα και μεταξοκλωστές από τα Γιάννενα και τα γύρω μέρη, μάλαμα απ' τα υψηλά του Αλιάκμονα. Έκανε δουλειές μέχρι το Κάταρο, τη Ραγούζα, το Σπαλάτο και έφθανε θαλασσοδέρνοντας μέχρι το Βένετο και την Τριέστη. Από εκεί επέστρεφε με μπαχαρικά, με υφαντά για αρχοντικά νοικοκυριά ή ό,τι παραγγελιές είχε ενδιάμεσα μαζέψει. Συνήθως έβγαινε στο Ντουράτσο και με μουλάρια ανέβαζε την πραμάτεια του στα Γιάννενα.

Ο Βίκτωρ κράτησε τις πληροφορίες της αναπάντεχης γνωριμίας, ιδίως εκείνες που αφορούσαν στον Γιουσούφ, συνταιριάζοντάς τες με όσα είχε ο ίδιος παρατηρήσει. Η Μαρία αντιθέτως καταγοητευμένη από το αρρενωπό παρουσιαστικό του αρκέσθηκε να τον κοιτά με ένα ύφος εύγλωττο για τη Ζωή, που γνώριζε τόσο καλά, όταν κάποιος άρεσε στην εξαδέλφη της. Χώρισαν με μια ειλικρινή ευχή του Βίκτορα για καλή αντάμωση στο Ντουράτσο, όπου ήταν και ο προορισμός του Μοσχοπολιάνου κι ένα «προσκυνώ σε, σιορ κόντε», γέρνοντας με σεβασμό την κεφαλή του.

Ένα ζεστό απόγευμα του Αυγούστου έφθασαν επιτέλους σώοι στο Ντουράτσο. Καταπονημένοι, βρώμικοι, με αγνώριστες απ' το στραπάτσο τις άλλοτε αρχοντικές φορεσιές τους. Τα φίνα υποδήματα κουρέλια στραβοπατημένα, τα στιβαλέττα του Βίκτορα σκισμένα, η φούμπια του τσακισμένη, το ομπρελίνο της Ζωής σε κάποια στάση ξεχασμένο, το τρίχοχο του κόντε στραπατσαρισμένο, η αγκράφα από το δεξί του εξαφανισμένη, η καλτσαμπράγα του άγνωστο πώς μέχρι επάνω ξεσκισμένη. Ποδόγυροι ξηλωμένοι και τρέσες ξεφτισμένες. Η σκόνη με τον ίδρο είχε κολλήσει σαν πούδρα στα ταλαιπωρημένα πρόσωπά τους. Όλοι

149

τους φάνταζαν σαν πλανόδιοι θεατρίνοι. Παρά τη ζέστη, ανέτρεξαν με ρίγη δέους και ανακούφισης στις μέρες και στις νύχτες που είχαν πίσω τους αφήσει. Τι να πρωτοθυμηθούνε! «Θάλαττα θάλαττα...» ψιθύρισε ο Βίκτωρ, μόλις πάτησαν το πόδι τους στην παραλία του λιμανιού μπρος σ' ένα πανδοχείο. Όλοι, δίχως να καταλαβαίνουν τους συνειρμούς του, τον κοίταξαν με συμπάθεια. Λίγο αργότερα, ο κόντε Σπύρος μετρούσε το άλλο μισό της υπεσχημένης αμοιβής στη βρώμικη χούφτα του Γιουσούφ που τέλειωνε στα κατάμαυρά του νύχια, τρίζοντας τα δόντια του και βαριανασαίνοντας απ' την πολλή προσπάθειά του. Ο Γιουσούφ μουρμούρισε ένα «φχαριστώ, εφέντη», κάνοντας υποκριτικά μία βαθιά υπόκλιση κι εξαφανίστηκε, αφού έδωσε μια δυνατή καμτσιά στα ξεθεωμένα ζωντανά του.

Οι εξαντλημένοι ταξιδιώτες απόμειναν να θαυμάζουνε τη θάλασσα, το μακρινό πέλαγο, τον χαμένο στην αχλή ορίζοντά του. Τον ήλιο που έσβηνε πίσω από δυο δάχτυλα μαβιάς μουντάδας. Δυο γέροντες μπροστά στο πανδοχείο απολάμβαναν τη γαλήνη, ρουφώντας σιωπηλοί τον ναργιλέ τους και εκσφενδονίζοντας στο νερό βοτσαλάκια, που έπιαναν νωχελικά τα δάχτυλά τους, έτσι όπως ήταν στο πλάι γερμένοι. Από τον παραδιπλανό καφενέ ερχόταν δυνατά μια τσίκνα. Ένα μαγκάλι κάπνιζε κάτω από τα παράθυρά του. Έψηναν, ποιος ξέρει τι, ίσως και αχταπόδια, αν έκρινε κανείς τις αρμαθιές τους που κρέμονταν από

150

μια καλαμωτή. Στα βότσαλα της παραλίας κάποιοι ψαράδες με σηκωμένα τα σαλβάρια πάνω από τα γόνατά τους μπάλωναν τα δίχτυα κι ακολουθούσαν τον νεότερό τους που σιγοτραγουδούσε έναν αμανέ. Εκείνος μόλις αντιλήφθηκε ότι οι νιόφερτοι τον χάζευαν, χωρίς να διακόψει τον αμανέ του, τους προσέφερε χαμογελώντας μία μεγάλη ολοζώντανη πίνα. Δίχως πολλά την ακούμπησαν στα κάρβουνα. Μια βάρκα μόλις επέστρεφε στο λιμάνι. Το γερμένο σώμα του βαρκάρη, που έλαμνε αργά πάνω στη θάλασσα, ήταν η μόνη κίνηση στο μελί χρώμα που χυνόταν από το λιόγερμα πάνω στην επιφάνειά της. Ακόμη κι ο διακριτικός πουνέντες είχε εντελώς καταλαγιάσει.

Θέλησαν να κρατήσουν μέσα τους εκείνη τη στιγμή της γαλήνης. Έκαναν το σταυρό τους ανακουφισμένοι, σαν να είχαν ήδη φθάσει στον προορισμό τους. Οι δυο δεσποσύνες έδειχναν ξαφνικά ενθουσιασμένες. Έχοντας ξεχάσει διαμιάς την ταλαιπωρία των προηγούμενων ημερών, προσέβλεπαν με ιδιαίτερη συγκίνηση στο υπόλοιπο ταξίδι. Πρώτη φορά θα επιβιβάζονταν σε καράβι, κι αυτό τους προξενούσε μια γλυκιά ταραχή, σχεδόν ισοδύναμη με εκείνη που προκαλούσε το άκουσμα του τελικού προορισμού τους στην Κέρκυρα, στη μυθική νήσο των Φαιάκων. Ένας προορισμός πιο όμορφος, πιο μαγικός από εκείνον του ονειρικού ταξιδιού των ποιητών και των παραμυθάδων για τη νήσο των Κυθήρων, όπως άρεσε στον Βίκτορα να μνημονεύει, με κάποια διάθεση να εντυπωσιάσει τις δύο κόρες.

Ο κόντε Σπύρος έκανε έκκληση να μην χασομερήσουν άλλο, χτυπώντας το μπαστούνι του με χάρη σαν την Κίρκη επάνω στα σεντούκια. Ένας χαμάλης μετέφερε τα μπαγκάγια τους σ' ένα δωμάτιο του πανδοχείου, μάλλον το πιο ευπρόσωπο, με θέα στο λιμάνι. Σίγουρα πάντως πιο ευρύχωρο και πιο ευπρεπές από όσα είχαν γνωρίσει μέχρι στιγμής στην οθωμανική αυτοκρατορία. Ένα κουμάρι δροσερό νερό στο παραθύρι μάγεψε τους ταξιδιώτες, που το άδειασαν με απληστία. Ο κόντε Σπύρος εκθείασε και ένα αγκλυστήρι πίσω από την πόρτα σημειώνοντας: «...αχρεία-στο να 'ναι».

Κι εδώ, όπως σε τόσα χάνια, απλωνόταν ένα σεντόνι που χώριζε το δωμάτιο απ' άκρη σ' άκρη, όμως όλα ήταν πεντακάθαρα και νοικοκυρεμένα. Στις τέσσερις γωνιές του δωματίου τέσσερα κρεβάτια με απαστράπτοντα σκεπάσματα έπειθαν τουλάχιστον εξ όψεως ότι δεν είχανε κοριούς ή ψύλλους, και το καθένα εφοδιασμένο με το δικό του φαγεντιανό δοχείο της νυκτός. Μία μεγάλη καταπακτή στο διάδρομο υποδεχόταν τα περιεχόμενά τους και τα έβγαζε απευθείας στο λιμάνι λίγα μέτρα παρακάτω. Τέτοια ευκολία! Τελευταία τους περίμενε η ύψιστη πολυτέλεια του πανδοχείου. Μπορούσαν ακόμη να πάρουν στο δωμάτιο το λουτρό τους.

Δεν δίστασαν να την εκμεταλλευθούν. Ένα μεγάλο ξύλινο κοντόχοντρο βαρέλι εγκαταστάθηκε πίσω από την πόρτα κι ο κόντε Σπύρος πήρε πρώτος σειρά, όπως άλλωστε εδικαιούτο. Δύο δουλάκια γέμισαν το βαρέλι με ζεστό νερό, άφησαν τρεις μαστραπάδες επιπλέον χλιαρό νερό κι έφυγαν κρυφογελώντας. Οι δεσποσύνες οπλίστηκαν με υπομονή και περίμεναν πίσω από το σεντόνι, ρωτώντας κάθε τόσο αν ήθελε κάποια βοήθεια η ευγένειά του. Ο Βίκτωρ πιο άτυχος αμολήθηκε στο λιμάνι και στον πίσω δρόμο του, για να φάξει για τον καπετάνιο που θα τους πήγαινε στον τελικό προορισμό τους.

Τελείωσε το μπάνιο του ο κόντε Σπύρος και ετοιμάστηκε να βγει φρέσκος σε αναζήτηση του γιου του, αφού έκρυψε για λόγους ασφάλειας το δισάκι του κάτω από το στρώμα του. Τόνισε στις κόρες, σμίγοντας τα φρύδια του με νόημα, να έχουνε το νου τους και βέβαια να μην το κουνήσουν από το δωμάτιο. «Έχε τα μέντε σου, καλή μου», επανέλαβε για τελευταία του κουβέντα, κλείνοντας πίσω του την πόρτα. Ανάλαφρος, με το μπαστούνι στο δεξί του απομακρύνθηκε από το πανδοχείο, χωρίς να προσέξει ότι στην πρώτη γωνιά του δρόμου, ένα βήμα απόσταση από τον ίδιο, καιροφυλαχτούσε δίχως ιδιαίτερες προφυλάξεις ο Γιουσούφ.

Ήταν η σειρά της Ζωής να νιώσει πάνω στο σώμα της την καθαριότητα ενός λουτρού μετά τη γρήγορη αλλαγή του νερού που φρόντισαν τα δύο δουλάκια, σπρώχνοντας έτσι όπως ήταν το βαρέλι κι αδειάζοντάς το στην καταπακτή που έβγαζε τ' απόνερα στο λιμάνι. Γδύθηκε κι ήταν έτοιμη να βουτήξει, σιγοτραγουδώντας κάτι ανάλαφρο μετά από τόσων ημερών

153

βουβαμάρα, σε αντίθεση με τη Μαρία που αναζητούσε την αφορμή να φέρει τη συζήτηση στον γοητευτικό, πανέμορφο σαν τον Χριστό, Μοσχοπολιάνο. Χτύπησε η πόρτα. Η Μαρία πήγε ν' ανοίξει, πιστεύοντας ότι ερχόταν κι άλλο νερό απ' τα δουλάκια. Δεν πρόλαβε ν' αγγίξει της πόρτας την πετούγια. Με μια κλωτσιά την άνοιξε ο Γιούσουφ και μπήκε μέσα. Κόπηκε και των δυο η φωνή. Η Μαρία οπισθοχώρησε, κόλλησε στον τοίχο με την πλάτη. Η Ζωή μάντευσε τα χειρότερα. Πρόλαβε και τράβηξε το σεντόνι που κρεμόταν δίπλα της και σκέπασε τη γύμνια της. Τρέμοντας από την απειλή της βαρβαρότητας που ορθωνόταν μπροστά της, ψέλλισε όσο αγέρωχα μπορούσε: «Γιουσούφ, πώς μπαίνεις έτσι μέσα;»

«Θέλω την αμοιβή μου! Πού είναι του γέρου το δισάκι; Δεν το είδα να κρέμεται στο λαιμό του.»

Έτσι ξεκίνησε μια απερίγραπτη σκηνή πρωτόγνωρης βίας με κλάματα και ικεσίες απ' την πλευρά των κοριτσιών. Ο Γιουσούφ στην άρνηση της Μαρίας να υποδείξει πού ήταν κρυμμένο το δισάκι, αντέδρασε μ' ένα χαστούκι, μια ανάστροφη στο πρόσωπό της, που έριξε στο δάπεδο λιπόθυμη την άτυχη κοπέλα. Έντρομη η Ζωή, όμως με πλήρη επίγνωση της ζωής και της τιμής που διακυβεύονταν στο γύρισμα της μοίρας από τη μια στιγμή στην άλλη, ρώτησε «πόσα θες;» και τράβηξε το δισάκι κάτω από το στρώμα. Αυτό αρκούσε στον Γιουσούφ. Το άρπαξε στον αέρα, το πέρασε στο λαιμό του και το 'κρυφε στη βρώμικη του πουκαμίσα. Αλλάζοντας διαθέσεις πλησίασε τη Ζωή χαμογελαστός, δείχνοντάς της τα δόντια που του λείπαν. Εκείνη κρατώντας το σεντόνι, παρ' όλο που έτρεμε, βρήκε τη δύναμη να φωνάξει «βοήθεια». «Κανείς δεν θα σ' ακούσει, καρδερίνα μου, κανείς δεν θα σε καταλάβει», της αποκρίθηκε ο Γιουσούφ. Γελώντας σαρδόνια της επιτέθηκε, ρίχνοντας πάνω της όλο του το βάρος με ορέξεις που δεν είχαν καμία σχέση με την αρχική του φιλαργυρία. Η Ζωή άντεχε και πάλευε. Άντεχε και καλούσε σε βοήθεια. Χτυπούσε και χτυπιόταν μπροστά στην παντοδυναμία του Γιουσούφ, που προσπαθούσε να τη δαμάσει και τις ανταπέδιδε μάλλον διασκεδάζοντας κάποια χαστούκια, αφού την είχε ανάσκελα στο δάπεδο κι ανάμεσα στα πόδια του εγκλωβίσει! Η άνιση μάχη δεν κράτησε πολύ. Η Ζωή πρόλαβε και είδε ψηλά, πίσω από την πλάτη του Γιουσούφ, ένα σκαμνί να κατεβαίνει με ταχύτητα, με ορμή στην κεφαλή του, εκείνος να μαρμαρώνει, τα μάτια του να γουρλώνουν. Ένα δεύτερο κτύπημα να ακολουθεί το πρώτο και το μένος στο πρόσωπο του Μοσχοπολιάνου πραματευτή να ετοιμάζει το τρίτο κτύπημά του.

Ο Γιουσούφ ανασηκώθηκε. Τρέκλιζε από τη ζάλη των κτυπημάτων και μούγκριζε από τον πόνο. Όμως κατάφερε και το 'βαλε στα πόδια, κρατώντας στην αγκαλιά του αυτό που είχε βάλει εξαρχής στο μάτι. Η Ζωή λύθηκε σε λυγμούς. Τύλιξε γύρω της όσο μπορούσε το σεντόνι και τρέμοντας ψιθύρισε στο σω-

155

τήρα της: «Τη Μαρία... Τη Μαρία!». Ο Ηλίας έβρεξε ένα μαντίλι κι έσκυψε από πάνω της για να τη συνεφέρει. Εύκολα η Μαρία έδειξε να έρχεται στα συγκαλά της, καθώς ο Ηλίας ψιθύριζε: «Δόξα σοι ο Θεός!» κι έπαιρνε βαθιές ανάσες.

Ανυποψίαστοι για όσα είχαν κατά την απουσία τους εκτυλιχθεί στην κάμαρή τους, ευδιάθετοι για τους καρπούς που είχαν στη βόλτα τους μαζέψει, επέστρεφαν πατέρας και γιος. Κουβαλούσαν ένα καρβέλι ψωμί, τέσσερις τετράπαχους κολιούς με ένα κεσεδάκι γάρο, σταφύλια, πρωινή μυζήθρα και μια κανάτα κρασί. Κτύπησαν ανυπόμονοι την πόρτα για να ανακοινώσουν του Βίκτορα τα μαντάτα. Είχε βρει τον καπετάνιο. Θα σάλπαρε την μεθεπομένη με τη βοήθεια του ούριου ανέμου που ήλπιζαν ότι δεν θα αργούσε. Πρώτα ο Θεός, στο τέλος της εβδομάδας θα κοιμόντουσαν στο αρχοντικό τους. Ξανακτύπησαν, όμως απόκριση δεν πήραν. Έσπρωξαν μάλλον διστακτικά την πόρτα.

Δεν πίστευαν στα μάτια τους με το θέαμα που αντίκρισαν. Είδαν τη Ζωή μισόγυμνη, αναμαλλιασμένη, κατά γης σε μία γωνία κουρνιασμένη. Μόλις τους αντίκρισε κάτι πήγε να πει, όμως λύθηκε σε λυγμούς, τρέμοντας και σπαρταρώντας. Είδαν τη Μαρία ανάσκελα στο πάτωμα, να τρέχει αίμα από τη μύτη και τα χείλη της, να προσπαθεί κάτι να ψελλίσει. Είδαν τον Ηλία από πάνω της γονατιστό να της ανασηκώνει το κεφάλι κι αμήχανος αδέξια να τη φροντίζει.

«Κύριε των δυνάμεων... τι έγινε εδώ μέσα; Άγιε

Σπυρίδωνα, βοήθησέ μας!» φώναξε ο κόντε Σπύρος πλέκοντας τα δάχτυλα των χεριών του σε σχήμα παράκλησης και ικεσίας. Ο Βίκτωρ σχεδόν παραμιλώντας από την ταραχή του, βρέθηκε αμέσως δίπλα στην καλή του. Την πήρε στην αγκαλιά, προσπαθώντας χαμηλόφωνα με λόγια αγάπης κι αφοσίωσης να την καθησυχάσει, να την πείσει ότι πια τίποτα δεν είχε να φοβάται. Έτρεμε το πιγούνι του, καθώς με οργή απειλούσε. Αλίμονο σε όποιον οτιδήποτε τολμούσε. Αλίμονο στους γρέτζους και τρισαλίμονο στους ασασίνι. Ούτε στιγμή δεν θα την άφηνε πια μόνη. Δίχως να μπορεί άλλο να ελέγξει την οργή του, τα συναισθήματά του που είχαν φουρτουνιάσει, το πάθος του που είχε φουντώσει, μισάνοιξε τα χείλη του και τη φίλησε με λατρεία στο μέτωπο μπροστά σε όλους. Τρομοκρατημένος ο κόντε Σπύρος ψέλλισε: «Το μπρατσολέτο σου...;» δείχνοντας τον γυμνό καρπό της Μαρίας. Όμως το μπρατσολέτο ήταν άφαντο κι οι δαντέλες γύρω από τον καρπό της ξεσχισμένες. Βουβή η Μαρία δεν είχε δύναμη να απαντήσει.

Μόνο ο Ηλίας έδειχνε σε θέση να μιλήσει και να δώσει εξηγήσεις. Δεν περίμενε να τον ρωτήσουν. Είχε έρθει στο πανδοχείο να τους συναντήσει, όπως είχαν μείνει σύμφωνοι από την προηγουμένη. Άκουσε μια φωνή να καλεί σε βοήθεια και προσέτρεξε στο κάλεσμά της. Ο κτηνάνθρωπος Γιουσούφ είχε χτυπήσει τη Μαρία και είχε επιτεθεί στη Ζωή. Κατάφερε και τον έδιωξε ξυλοφορτώνοντάς τον.

157

«Δεν είναι μόνο αυτό», συλλάβισε μέσα σε αναφιλητά η Ζωή. Ρούφηξε τη μύτη της που έτρεχε σαν βρυσάκι. «Πήρε και το δισάκι με τα φλορίνια», συμπλήρωσε, ξεσπώντας σε ακόμη πιο έντονους λυγμούς. «Νονεβέρο», ψιθύρισε χλομιάζοντας ο Βίκτωρ. Πήρε μια βαθιά ανάσα, όμως απόφυγε να σηκώσει τη ματιά του να συναντήσει του πατέρα του το βλέμμα. Διαισθανόταν, ήταν σχεδόν σίγουρος, για την καταστροφή που ερχόταν. Ο κόντε Σπύρος έμεινε ακίνητος στο άκουσμα της τελευταίας φράσης, σαν να τον είχε βρει κολπέτο. Ήταν ό,τι χειρότερο μπορούσε να συμβεί σε εκείνον. Ένιωθε να 'χει χάσει τη λαλιά του. Ξεροκατάπιε. Αρνήθηκε να πιστέψει αυτά που είχε ακούσει. Ύψωσε το δεξί του, έβαλε τα τρία μεσιανά δάχτυλά του ανάμεσα στα δόντια κι έσφιξε τη σιαγόνα του όσο μπορούσε, δοκιμάζοντας τις αντοχές του. «Τι είπες, τζόγια μου;» ρώτησε με λόγο άναρθρο, έτσι όπως είχε τα δάχτυλά του μες στο στόμα. Η Ζωή κούνησε επιβεβαιωτικά το κεφάλι της, μην τολμώντας να επαναλάβει τη χαλεπή, τη συφοριασμένη είδηση, που είχε μόλις ξεστομίσει. Ο κόντε Σπύρος έσμιξε τα φρύδια του, μισόκλεισε τα γερακίσια μάτια του και παρά τα περασμένα εξήντα χρόνια του βούτηξε σαν αίλουρος με ορμή επάνω στο κρεβάτι. Άρχισε να ψάχνει κάτω από το στρώμα, σαν να τον είχε χτυπήσει άγνωστη ασθένεια στα λογικά του, ή σαν να τον είχε κυριεύσει παράξενη μανία. Βροχή οι κατάρες: «Να πάει από κακό γαρμπού-

νι... Να του χυθούν τα μάτια... Να τσακιστεί και να
τον μάσουνε με φτυάρι... ρουμπαρούμ και πάλι ρου-
μπαρούμ... Πού να σε δω και να σε λυπηθώ...»
Άφριζε και βλαστημούσε, ευτυχώς στα ιταλικά, την
κακόσαρκη που είχε γεννήσει τον Γιουσούφ, με χαρα-
κτηρισμούς που δεν θα άντεχαν αυτιά χαμάλη. Εξου-
θενωμένος από το γεγονός της καταλήστευσής του,
παρά από την προσπάθειά του, που τέλειωσε άκαρπη
στο άψε σβήσε, γύρισε ανάσκελα επάνω στο κρεβάτι κι
άρχισε να τραβά το περιλαίμιό του προσπαθώντας να
αναπνεύσει. Ο Βίκτωρ νόμισε ότι θα του ερχότανε
κόλπο στο ίδιο μομέντο, καθώς μουρμούριζε συλλαβές
δυσνόητες κι όρκους: «Κακηώρα του που... κακηώρα
μας που... Μα την κάσα τ' Άγιου... Μα εκείνονε που
γλέπει από ψηλά...», δίχως να σχηματίζει φράσεις.
Μάταια προσπαθούσε να τον ηρεμήσει χαϊδεύοντάς τον
στο μέτωπο, στην κεφαλή του. Η Μαρία του προσέφε-
ρε μια κούπα νερό, που ο κόντες αποποιήθηκε με μια
αγέρωχη χειρονομία.
 Εξαντλημένος από την προσπάθεια και την υπερέ-
νταση λύθηκε σε λυγμούς μασώντας ένα μαντίλι, με
το οποίο ο Βίκτωρ σφούγγιζε το λαιμό του. Κατάφε-
ρε και είπε μία φράση, κατάφερε και να την επαναλά-
βει: «Αγιούτο, ανθρώποι... Μία πιστόλα... Να βρού-
με άλογα να τον κυνηγήσουμε». Με δυσκολία κρατή-
θηκαν ο Βίκτωρ και ο Ηλίας να μην τον αποπάρουν
για την αφελή του προσδοκία. Αλλά δεν είχε σημα-
σία. Κι εκείνος μάλλον γνωρίζοντας τη μάταιη πρό-

159

τασή του ήδη παραμιλούσε, σαν να ζούσε σε άλλον κόσμο. «Σβήνομαι, γιε μου, σβήνομαι...» Οι δύο άνδρες, ανήμποροι να βοηθήσουν, τον άφησαν μόνο του να ηρεμήσει. Οι δύο κόρες προσπάθησαν να έρθουν στα συγκαλά τους, να κρύψουν τις γύμνιες τους, να αποκαταστήσουν την ευπρεπή εμφάνισή τους. Ο Βίκτωρ και ο Ηλίας τες γύρισαν την πλάτη για να τις διευκολύνουν κι ακούμπησαν στο άνοιγμα του παραθύρου. Ο Ηλίας έσφιξε το μπράτσο του Βίκτορα για να τον εμψυχώσει κι εκείνος του ψιθύρισε ένα «γκράτσιε»*, που ανάβλυζε από βάθους καρδίας. Ένιωθε να του χρωστά όχι μόνο το γεγονός ότι η Ζωίτσα του είχε επιζήσει της βάρβαρης επιδρομής ενός κτήνους, αλλά και την ακεραιότητα της αγνότητάς της. Ψιθύρισε κάτι στα ιταλικά αφηρημένος, δίχως άλλη σκέψη, αν τον καταλάβαινε ο Ηλίας.

Δεν άργησε να συνέλθει και ο κόντε Σπύρος, μόνο που κανείς, εκτός ίσως από τον Βίκτορα, δεν υποφιαζόταν τι θα μπορούσε να σημαίνει τούτο. Ο κόντες χωρίς να τηρήσει κάποια προσχήματα, τράβηξε από το μανίκι τον Βίκτορα έξω από την κάμαρή τους, αδιαφορώντας για τα σχόλια που θα προξενούσε στην ομήγυρη μια τέτοια χειρονομία. Τον έσπρωξε στη συνέχεια μάλλον απότομα, λες κι έφερε ο δύστυχος κάποια ευθύνη για την κακή τους τύχη, και βγήκαν από το πανδοχείο. Εκεί μπροστά στους δύο γέροντες, που

* Ευχαριστώ

160

όλο το απόγευμα δεν το είχανε κουνήσει από τον ξε-
χαρβαλωμένο πάγκο τους, προσπάθησε πρώτα να
ηρεμήσει, παίρνοντας βαθιές ανάσες. Ήθελε να προσ-
δώσει τη δέουσα επιβλητικότητα στη φωνή του, προ-
κειμένου να τελειώνουν όσο πιο γρήγορα με αυτή τη
δυστυχή τροπή της μοίρας. Ο Βίκτωρ αντί να δια-
μαρτυρηθεί στον σεβαστό πατέρα του για την ασυνήθι-
στη, τη σχεδόν προσβλητική συμπεριφορά του, προτί-
μησε να σιωπήσει, περιμένοντας κάποιες εξηγήσεις.
Ο κόντε Σπύρος δεν δίστασε μήτε προβληματίσθηκε
πώς να ξεκινήσει. Υψώνοντας το μπαστούνι του, σαν να
'ταν σύμβολο εξουσίας σε κάποια ρωμαϊκή τελετουργία,
ανήγγειλε την οριστική απόφασή του: «Γιε μου, θα σου
μιλήσω ντρίτα. Μα τον Άγιο και την υπεραγία Θεοτό-
κο, όπως καταλαβαίνεις, αυτός ο γάμος δεν μπορεί να
γίνει». Έγλειψε το πάνω χείλος του και συνέχισε ανα-
δεικνύοντας τη σημασία της προίκας ως θεμέλιο κάθε
γάμου και πάντως του δικού τους, με γνωστή την
άσχημη κατάσταση συνολικά των οικονομικών της οι-
κογένειάς τους. Έτσι κι αλλιώς... Δίχως εκείνα τα
φλορίνια, δεν ήταν σε θέση να κάνουνε φαμίλια. Γιατί
άλλωστε αναζήτησαν στα πέρατα του κόσμου μία ξενο-
τική για νύφη; Αν μπορούσαν να βρουν προίκα από το
νησί τους, σίγουρα θα το είχαν προτιμήσει. Και βέβαια
δεν θα μπορούσε να απαιτήσει μια δεύτερη ισόποση
προίκα από τον Θεοφάνη, μήτε ένα λειφοπροίκι. Σιώ-
πησε για μια στιγμή παίρνοντας μια βαθιά ανάσα και
ξεβράζοντας ηχηρά τα αέρια, που δεν άντεχαν άλλο

στην κοιλιά του φυλακισμένα. Ανακουφισμένος κατέλη-ξε, μετά από γνωστές στον Βίκτορα χιλιοειπωμένες φλυαρίες, στο δέον γενέσθαι. Προτού πατήσουν το πόδι τους στην Κέρκυρα, θα έπρεπε να στείλουνε τις δύο κό-ρες πίσω. Για λόγους ασφάλειας καλύτερα στον θείο τους στο Τριέστι. Δυο δρασκελιές με το καράβι απ' το Ντουράτσο. Από εκεί, ας φρόντιζε εκείνος την ευθύνη του, όπως μπορούσε. Συγχρόνως να ποστάρουνε μια επιστολή στον κύριο Θεοφάνη, όπου θα του εξηγούσαν τις έκτακτες περιστάσεις, που έφερναν δυστυχώς τα πά-νω κάτω για τις οικογένειές τους.

Βαριανασαίνοντας σκούπισε με το μαντίλι του τον ίδρο γύρω από το λαιμό του. Υψώνοντας το μπα-στούνι του κατέληξε όπως είχε αρχίσει: «Και πάντως, βάλ' το καλά μες στο μυαλό σου, αυτός ο γάμος δεν μπορεί να γίνει!» Κρατώντας τη μέση του και μορφά-ζοντας από έναν αόριστο πόνο συμπλήρωσε βαθυστό-χαστα: «Φαίνεται μας ήτανε διορισμένο...». Στη με-γαλοθυμία του επάνω, σαν να το σκέφθηκε την τελευ-ταία στιγμή βεβαίωσε, κατεβάζοντας δήθεν εμπιστευ-τικά τον τόνο της φωνής του, ότι θα ανελάμβανε τη λεπτή αποστολή να εξηγήσει ο ίδιος στην άτυχη Ζωή τη δυσάρεστη αλλά αναπόφευκτη απόφασή του. Ήταν σίγουρος ότι η άτυχη κόρη θα την κατανοούσε.

Όμως αυτό δεν χρειαζόταν. Η Ζωή, η Μαρία, ο Ηλίας, ακουμπισμένοι στο παράθυρό τους, σαν από θε-ωρείο αναγεννησιακού θεάτρου, παρακολουθούσαν βου-βοί τη σκηνή ανάμεσα στον γιο και στον πατέρα. Η

Μαρία τρέμοντας σχεδόν έσφιγγε τη Ζωή από το χέρι, ενώ εκείνη με δύο καυτά ρυάκια που έτρεχαν σιωπηλά στα χλωμά μάγουλά της, άκουγε την πικρή μα εύλογη κατά τον κόντε ετυμηγορία. Και οι τέσσερις νέοι σκέφτονταν, μα κανείς δεν τολμούσε να το ξεστομίσει, ότι τα φλορίνια είχαν χαθεί, αφού είχαν καταβληθεί από τον πατέρα της Ζωής και είχαν προ πολλού περάσει στα χέρια και στην ευθύνη του κόντε Σπύρου. Ο Βίκτωρ δεν κρατήθηκε. Έπεσε εκεί επιτόπου στα γόνατα, μπροστά στα πόδια του πατέρα του, αδιαφορώντας για το πόσο ταπεινωνόταν με την κίνησή του αυτή στα μάτια των υπολοίπων. «Αφέντη μου, δεν θέλω ούτε ν' αντιγνωμάω μήτε να αντιλογάω στην απόφασή σου. Άντσι, άντσι εσύ κάνεις κουμάντο», έτσι ξεκίνησε τη δραματική προσπάθειά του. Πήρε ανάμεσα στις δυο παλάμες του το χέρι του γονιού του και παρεκάλεσε, ικέτευσε, να δείξει κατανόηση στα αισθήματα της νιότης, στους όρκους της αγάπης. Βούρκωσε από το κακό του μπροστά στο αγύριστο κεφάλι του γονιού του, στο ανάλγητό του πείσμα. Ένιωθε πως κόντευε να λουχτουκιάσει. Έσφιξε τα δόντια του με τέτοια δύναμη, για να ελέγξει την οργή του, που τα άκουσε να τρίζουν. Άρπαξε μια πέτρα από χάμω και από το κακό του την κοπάνησε δυο και τρεις φορές στον κρόταφό του για να μην τη στρέφει κατά του γεννήτορά του, όταν τον αποπήρε λέγοντας: «Μπάστα με το λεμέντο πια, κουτόκαλε». Μάταιες οι προσπάθειές του όλες μπροστά στο ασυγκίνητο ύφος του κόντε, που μόλις καταδέχθηκε στο τέλος να του απαντήσει: «Πώς θα την κουτεντάρεις, ορέ απενισάριστε; Ζόρκος εσύ κι εκείνη ζόρκα. Αυτή δεν κάνει ούτε για μαντινούτα».

Ο Βίκτωρ μέσα στην απελπισία του ψέλλισε: «Κάτι θα βρω, κάτι θα εντεντάρω, αλλιώς...» Μια φαεινή ιδέα του γεννήθηκε, ίσως μία μοναδική ελπίδα, για να αναβάλλει την καταστροφή που είχε ξεσπάσει σαν καταιγίδα στον κόσμο των πιο ακριβών του ονείρων. Την εξέθεσε στον πατέρα του, φωτίζοντας την έγνοια για το όνομά τους. Με έναν πρόχειρο υπολογισμό η επιστολή στον Θεοφάνη θα έφθανε στο Βρασοβό, αφού θα είχε εκείνος ξεκινήσει το βιάτζο του για την Κέρκυρα. Ο καθ' όλα αξιοσέβαστος Θεοφάνης, άρχοντας πραγματικός κι άνθρωπος μπενεστάντες, θα έφθανε στο νησί και θα μάθαινε εκεί όχι μόνο το απερίγραπτο κάζο, αλλά και ότι είχαν διώξει τη θυγατέρα και την ανιψιά του; Αλίμονό τους! Θα θεατρίζονταν σ' όλη την πόλη, θα γίνονταν περγέλιο. Το σκάνδαλο θα τους έπνιγε την άλλη μέρα κιόλας. Δεν θα 'πρεπε να αφήσουνε υπόνοιες για κάθε λογής παστρόκιο. Θα ήταν προτιμότερο να τον περιμένουνε να έρθει. Θα του έδιναν τότε τις αναγκαίες εξηγήσεις και στη συνέχεια θα του παρέδιδαν την κόρη του και την ανιψιά του.

«Μιράκολο, μιράκολο», ψιθύρισε ο Βίκτωρ, όταν άκουσε τον πατέρα του, μετά από μία σιωπή που κράτησε μια αιωνιότητα, να μονολογεί: «Ίσως να έχει δίκιο...»

Εκείνο το βράδυ έπεσαν να κοιμηθούν βαρύθυμοι, αμίλητοι, δυστυχισμένοι. Ακόμη και ο κόντες ήταν περίλυπος, όμως για τους δικούς του λόγους. Οι δυο κόρες έγειραν αγκαλιά σ' ένα κρεβάτι, για να κρύβουν πιο εύκολα τα λιγοστά δάκρυα που τους είχαν απομείνει. Ο Βίκτωρ δεν έκλεισε όλη τη νύχτα μάτι. Δρασκέλισε το παράθυρο σαν τον κλέφτη κι ακούμπησε με την πλάτη του από κάτω, χαζεύοντας σαν μαγεμένος το φεγγάρι, που έστω στο τέταρτό του φώτιζε τη νύχτα και συμπαρέσυρε στο διάβα του τα όνειρά του. Το όνειρό του. Το ένα και μοναδικό, που ποια φύση και ποια θέληση είχε πλάσει και ποια τύχη είχε στείλει δώρο στο δρόμο της ζωής του.

Το πιο όμορφο πλάσμα του κόσμου, το πιο προικισμένο σε αρετές δημιούργημά του, μια κόρη που η ορμή της νιότης και η εξυπνάδα της δεν θάμπωναν τις αρετές μιας θυγατέρας υποδειγματικής και δεν φτώχαιναν τον οφειλόμενο σεβασμό στον κύρη της ή την επιβαλλόμενη σεμνότητα στις συναναστροφές της. Όπου τα κάλλη της δεν χρησίμευαν να κρύψουν κουσούρια της ψυχής, κάθε λογής ασχήμιες, κακίες ή αδυναμίες. Κι εκείνα τα μάτια της τα φωτεινά, που ολοζώντανα μιλούσαν, τα κόκκινά της χείλη που δαιμόνιζαν ακόμη και τον Άγιο, ο σφριγηλός της κόρφος που σε ζάλιζε χειρότερα κι απ' το πιο δυνατό κρασί της Τοσκάνας και σε τραβούσε στα βάθη της μοιραίας λίμνης του για να σε πνίξει...

Μπροστά από την ολοφώτεινη φέτα του φεγγαριού

είδε να αρμενίζει με ορθάνοιχτα πανιά το όνειρό του και να συγκατανεύει: Να πάρει δέσποινα στο πλάι του τη Ζωή. Γυναίκα και συντρόφισσά του με όλες τις τιμές, τις δόξες, τις βούλες και τις ευλογίες. Βέβαια, ποιος θα το αρνιόταν; Μέσα σε όλους τους υπολογισμούς είχε και η προίκα την ανάλογή της θέση. Σίγουρα η προίκα είναι το σωστό, το πρέπον, όμως δεν δέχεται ο κανόνας εξαίρεση καμία; Δεν αντέχει άλλη ζυγαριά που αλλιώτικα να μετρά κι αλλιώς να συμπεραίνει; Κι αν εγώ έχω στα χέρια μου άλλη ζυγαριά, που δεν γνωρίζει να μετρά φλορίνια, που ποτέ τους δεν υπήρχαν ή χάθηκαν ξαφνικά δίχως της νύφης την ευθύνη; Γιατί άραγε θα πρέπει να συμμορφωθώ, να σεβαστώ μια άλλη ζυγαριά που άλλοι στάθμισαν με ξένα για τα μυαλά μου ζύγια;

Αυτά σκεφτόταν ο Βίκτωρ και βουρλιζόταν, αυτά μονολογούσε και δεν μπορούσε να κλείσει μάτι. Αναρωτιόταν, αλλά ήξερε και πώς να απαντήσει. Έτσι έκανε σιγά σιγά τη θέληση και την επιθυμία του από ζυμάρι σκέτο γρανίτη, για να επιβληθεί σε εκείνη του γονιού του. Εκεί που άλλαζε το φεγγάρι από ασημί και γύριζε σε βαθύ χρυσάφι, φέγγοντας την επιφάνεια της θάλασσας σαν να 'τανε από αστραφτερό μπακίρι, ο Βίκτωρ ένιωσε σίγουρος πια για την απόφασή του. Αλλού ολόκληροι λαοί επαναστατούσαν για το σωστό, το δίκιο. Κι ο ίδιος... Δεν θα έσκυβε άλλο το κεφάλι.

Η επόμενη ημέρα κύλησε μέσα στην άπνοια, την αφόρητη ζέστη, την υγρασία. Κύλησε μέσα στην κατήφεια και στην καχυποφία για ό,τι λεγόταν ανάμεσα στους τέσσερις που ανυπομονούσαν να σαλπάρουν. Η απουσία του Ηλία, ακόμη και με την εύλογη εξήγηση ότι θα έτρεχε με τις πραμάτειες του, για να φέρει βόλτα τον επιούσιον, βάραινε πιο πολύ απ' όσο μπορούσε κανείς να φανταστεί, ιδιαίτερα για τη Μαρία που τα είχε βάψει μαύρα. Όποιος δεν ήξερε, θα δυσκολευόταν να ξεχωρίσει ποια από τις δύο κόρες πιο πολύ πενθούσε.

Ο κόντες βρήκε έναν μεγάλο πλάτανο με πλούσια φυλλωσιά και τους έσυρε να ακουμπήσουν στις ρίζες του και στη σκιά του. Όμως ο χρόνος δεν περνούσε. Βάλθηκε να ξεσκονίζει και να περιποιείται το τρίκοχό του, μονολογώντας κάθε τόσο κουβέντες παράπονου και στενοχώριας. Κάθε κουβέντα αμηχανίας γυρόφερνε και κατέληγε κοινότοπα και τετριμμένα στο ίδιο πράγμα. Αν σηκωνόταν ούριος άνεμος, νωρίς, χαράματα την επομένη, ίσως και πολύ πριν το λυκαυγές φωτίσει πίσω από τις βουνοκορφές, με τη βοήθεια του φεγγαριού, που έστω λειφό ο καπετάνιος θεωρούσε ότι αρκούσε, θα ξανοίγονταν αργά προσεχτικά, πάντως όχι βαθιά στο πέλαγος. Με τον Αυγερινό για σιγουριά λίγο πιο πίσω απ' τον δεξιό τους ώμο, θα έπαιρναν τη ρότα τους με προορισμό την Κέρκυρά τους.

Για την απολεσθείσα προίκα και τον ματαιωθέντα, έτσι βάναυσα με δική του απόφαση γάμο των δύο νέων ούτε κουβέντα, μήτε ένας υπαινιγμός ότι ξανασκεφτόταν αυτά που εν θερμώ είχε αποφασίσει.

167

Ο Βίκτωρ έδειχνε διπλά ανυπόμονος. Πήγαινε πέρα δώθε, κόβοντας κάθε τόσο την άκρη μιας πλατανόβεργας ή μιας λυγαριάς από πιο πέρα, και βγάζοντας πάνω τους τα νεύρα του που δύσκολα μπορούσε να ελέγξει. Ώσπου ο κόντες χρειάσθηκε να πάει προς νερού του και απομακρύνθηκε πίσω από τους θάμνους που πότιζε ένα ρυάκι. Ο Βίκτωρ έπεσε στα γόνατα μπροστά σ' εκείνα της καλής του, σαν να τον χτύπησε δύναμη θεϊκή που ελλόχευε στις φυλλωσιές του γέρικου πλατάνου. «Μάτια μου, φως μου, τεζόρο μίο*, θέλω να σου μιλήσω. Και πάνω απ' όλα, μη μου στεναχωριέσαι... όλα θα φτιάξουν», πρόλαβε και της ψιθύρισε χαϊδεύοντας με τρυφερότητα και έκδηλη συγκίνηση το πρόσωπό της. Για τη Ζωή η κουβέντα μέτρησε, σαν να της έδιναν τον κόσμο όλο. Φωτίσθηκε το πρόσωπό της, ένα μειδίαμα χαράχθηκε με τις άκρες των χειλιών της και όλη της η ψυχή αρπάχτηκε από τη λυτρωτική κουβέντα του καλού της, κι ας μην είχε ακούσει κάτι συγκεκριμένο, το πώς και το γιατί μιας τόσο χαρμόσυνης αναγγελίας. Αρκέσθηκε σε αυτήν και δεν ένιωσε την ανάγκη να μάθει περισσότερα από την αόριστη διαβεβαίωση που φτερούγισε από τα χείλη του και κάθισε στη ματιά του. Με το ίδιο χαμόγελο υποδέχθηκε τον κόντε Σπύρο που της το ανταπέδωσε αμήχανος λέγοντας: «Τι βιάτζο και ετούτο». Προβληματιζόμενος σε τι χρωστούσε εκ μέ-

* Θησαυρέ μου

168

ρους της τέτοια αβροφροσύνη, απομακρύνθηκε προς την παραλία.

Κατά το απογευματάκι ρίγησε η επιφάνεια της θάλασσας κι ανέπνευσε η ελπίδα ότι θα σηκωνόταν κάποιο αεράκι για να μπορέσουν επιτέλους να αποπλεύσουν από το Ντουράτσο. Όλη τη νύχτα δεν έκλεισαν μάτι, μην τύχει και τους πάρει ο ύπνος. Κι όσο ένιωθαν στο πρόσωπο, στα μπράτσα τους, έναν ανεπαίσθητο, αβέβαιο στην αρχή πουνέντε, που μάλλον ανέβαινε όσο περνούσε η ώρα, τόσο φούντωνε η έγνοια την αναμονή, την προσδοκία να σαλπάρουν. «Ας φορτώσουμε και βλέπουμε...» απεφάνθη κάποια στιγμή ανυπόμονος ο κόντε Σπύρος και έτσι ανασκουμπώθηκαν, ξεσηκώνοντας το πανδοχείο με την αναχώρησή τους. Τους ξεπροβόδισε στα σκοτεινά με ένα λύχνο στο δεξί ο ξενοδόχος. Τα τσιράκια άφαντα, μάλλον κοιμόντουσαν τον ύπνο του δικαίου, και οι χαμάληδες που τόσο τους χρειάζονταν κάπου στην αμμουδιά χαμένοι.

Μια έκπληξη τους υποδέχθηκε, όταν έφθασαν στην παραλία, σέρνοντας οι ίδιοι τα σεντούκια τους και αγκομαχώντας. Το καράβι της προσδοκίας τους δεν ήταν το τρικάταρτο καράβι που δέσποζε στο λιμάνι και, όπως αποδείχθηκε, περίμενε τον ούριο άνεμο για να πάει ανάμεσα σε άλλα και κόκκινα νήματα από τα Αμπελάκια στο Βένετο, αλλά ένα πλεούμενο με δυο ιστία που είχε δέσει δίπλα του, μισό σε μπόι από εκείνο. Ο κόντες δεν έκρυψε τη δυσφορία του. Όμως δεν είχε νόημα να διαφωνήσουν, αν ήταν σκούνα, γο-

169

λετόμπρικο, μπρίκι, μπρατσέρα ή σακολέβα. Όπως άλλωστε ήταν πια αργά να ψάξουν, να πληροφορηθούν για οτιδήποτε άλλο θα σάλπαρε κάποτε, με ίσως μεγαλύτερη ασφάλεια για ένα τέτοιο ταξίδι.

Ο καπετάνιος, στην πραγματικότητα ένας θαλασσοδαρμένος καϊκτσής από την Κεφαλλονιά, που άκουγε στο σπάνιο όνομα Γεράσιμος, βοήθησε με δυο υπναλέους χαμάληδες να φορτώσουν τα σεντούκια τους και τους οδήγησε να κουρνιάσουν στην πρυμναία κουβέρτα, ένα σκαλοπάτι κάτω από τη λαγουδέρα, μαζί με καμιά δεκαριά ακόμη σιωπηλούς συνταξιδιώτες. Ο κόντε Σπύρος, αφού γκρίνιαξε δεόντως, βολεύτηκε πρώτος στο κάσαρο, σε μια από τις λιγοστές κουκέτες. Τον πήρε ο ύπνος επιτόπου. Οι νεότεροι στριμώχτηκαν πάνω σε ξεφτισμένα κιλίμια και καλαμωτά στρωσίδια στην κουβέρτα. Φορτώματα σε μεγάλα βαρέλια, κοφίνια και μπόγους, κλούβες με πουλερικά και οι αποσκευές αυτών που ταξιδεύαν συνέχισαν να φορτώνονται, αξιοποιώντας κάθε σπιθαμή με αξιοπρόσεχτη επιμέλεια και τάξη στο φως ενός ισχνού φαναριού.

Λίγο προτού σαλπάρουν, είδαν μία σκιά με ένα φανάρι να τρέχει στην παραλία πάνω κάτω και να ψάχνει. Το φεγγάρι βοήθησε να τον αναγνωρίσουν. Ήταν ο Ηλίας που τους αναζητούσε, για να τους αποχαιρετήσει. Αντάλλαξαν δύο θερμές κουβέντες, υποσχέθηκαν καλή αντάμωση, άγνωστο πώς, σε άλλα μέρη. Μάταια αναζητούσε ο Ηλίας στο σκοτάδι τα μάτια της Μαρίας, μάταια η Μαρία έψαχνε τα δικά του. Ψαχουλεύοντας σφιχταγκαλιάστηκαν οι παλάμες τους, κλειδώθηκαν έστω για λίγο τα δάχτυλά τους. Η τελευταία χειρονομία του Ηλία, αφού αγκάλιασε τον Βίκτορα, ήταν να δώσει στη Μαρία ένα μαντίλι με πέταλα ξερά, που μοσχομύριζε μυρωδικά, να τον θυμάται. Το ίδιο έκανε αμέσως κι εκείνη, μόνο που το δικό της είχε γεύση θάλασσας από τα πολλά δάκρυα που είχε χύσει. Όμοια με τη γεύση δυο μαργαριταριών που ανάβλυσαν εκείνη τη στιγμή από τα μάτια της, αλλά δεν διακρίνονταν μες στο σκοτάδι.

Ακούστηκαν ξαφνικά ένα δυο παραγγέλματα, σάλπα και βίρα, κάποιοι άτακτοι παφλασμοί από τα λυμένα παλαμάρια που έπεφταν στο νερό. Κάτι ακούστηκε για αμορόζο, μπαρμπαρέσα, βαρδαβέλα και κουτούκι*. Μόνο στο άκουσμα της λέξης άγκυρα ένιωσαν η Ζωή και η Μαρία να καταλαβαίνουν. Το καΐκι τους κουνήθηκε, λικνίσθηκε σαν να ξεκολλούσε από το βυθό του λιμανιού μετά από μέρες αραγμένο. Όλοι υποδέχθηκαν το λίκνισμα με επιφωνήματα ανακούφισης και προσδοκίας. Οι χριστιανοί έκαναν το σταυρό τους, μνημονεύοντας τον Χριστό, την Παναγία, τον Άγιο Σπυρίδωνα, τον Αϊ-Νικόλα, οι μωαμεθανοί γονάτισαν επιτόπου, επικαλούμενοι και προσκυνώντας τον προφήτη τους. Ένας μόνο, μάλλον εβραίος και από τα εγκόσμια βαθιά απογοητευμένος, θυμήθηκε την εντολή της μη επίκλησης του ονόματος του Θεού

* Σχοινιά του πλοίου

171

επί ματαίω και έμεινε ακίνητος θαυμάζοντας το μεγαλείο του φεγγαρόφωτου ουρανού. Μες στο σκοτάδι οι ταξιδιώτες δύσκολα ξεχώριζαν μεταξύ τους. Ίσως κάποιοι σκούφοι ημίψηλοι που θύμιζαν τη Γαληνοτάτη και κάποια φέσια και τουρμπάνια την οθωμανική αυτοκρατορία και τους κάθε λογής υποτακτικούς της, έδιναν υπόσταση σε σκιές και όγκους σκοτεινούς, που προτιμούσαν να σιωπούν και κουρνιασμένοι στα σκοτεινά σιωπηλά να ταξιδέψουν.

Ο Βίκτωρ περίμενε την κατάλληλη στιγμή υπακούοντας μαγεμένος μόνο στις υποδείξεις της καρδιάς του. Μόλις είδε να ανοίγουν τα πανιά και μετά κάποιους άτεχνους κλυδωνισμούς να παίρνουν τη ρότα τους, όπως όλοι εύχονταν με τη βοήθεια του λίγου ανέμου και του θεού τους, έπιασε τη Ζωίτσα από το χέρι και γέρνοντας προς το μέρος της ψιθύρισε: «Έλα». Την οδήγησε μέχρι την πλώρη του καϊκιού, προσπερνώντας τους ναύτες και αγνοώντας τις συμβουλές τους ότι κινδύνευαν εκεί που πήγαιναν να μουσκευτούν με το πρώτο κυματάκι που θα έσκαγε στην πρώρα. Κάθισαν χαμηλά όσο μπορούσαν και βολεύτηκαν πίσω από το ομοίωμα μιας γοργόνας, που με τα στήθια της τους άνοιγε το δρόμο.

Εκεί ο Βίκτωρ εξομολογήθηκε στη Ζωή με ζέση και ειλικρίνεια τα αισθήματά του, τις σκέψεις και τις αποφάσεις του. Ό,τι είχε νιώσει γι' αυτήν ήταν ό,τι πιο όμορφο είχε ποτέ του νιώσει για γυναίκα. Κάτι τόσο αλλιώτικο, αλλά και πιο δυνατό από εκείνο που ένιωθε για τη μητέρα του την ίδια. Έτσι όπως νιώθει κάθε αρσενικός, όταν μεστώνει και από έφηβος γίνεται άνδρας. Της μίλησε για αισθήματα που τον ανέβαζαν ψηλά. Αισθήματα όχι μόνο πάθους, αλλά και ουράνιας γαλήνης, που όλα μαζί τον οδηγούσαν στην ανείπωτη, στην άφθαστη και άφθαρτη ευτυχία. Αισθήματα και σκέψεις που τον έκαναν να θέλει να δώσει πιο πολλά από εκείνα που ο ίδιος εύλογα περίμενε να λάβει. Συνέχισε παίρνοντας μια βιαστική ανάσα και λέγοντας ότι ήταν ώριμος πια να ξέρει τι θέλει στη ζωή του. Ώριμος να αποφασίζει κόντρα στη γνώμη άλλων, που ίσως σε άλλους καιρούς θα έπρεπε να υπακούει. Τώρα τα πράγματα ήταν αλλιώς, ο νους και οι ιδέες του τον έπειθαν να μην πειθαρχεί, παρ' όλο τον σεβασμό που έτρεφε για εκείνους ή όφειλε να δείχνει μπροστά στη γνώμη των συνετών της πόλης. Ο γάμος δεν ήταν για να δοξαστούν οι οικογένειες, να προστεθούν και ν' αυγατίσουνε περιουσίες. Πάνω και πέρα απ' τα δοσίματα, τις προίκες, μετρούσε το συνταίριασμα των ανθρώπων, το συντρόφευμα της ψυχής των. Εκείνη τη στιγμή τους μούσκεψε το πρώτο κύμα, μα δεν έδειξαν να το καταλαβαίνουν. Ο Βίκτωρ την έσφιξε στην αγκαλιά του γλυκοφιθυρίζοντας στο αυτί της: «Τζόγια μου, σ' ορκίζομαι στον Άγιο, δεν γίνομαι αφόρκος. Ποτέ μου δεν πρόκειται να σε αφήσω. Δεν σ' έχω για απαφημένη».

Η Ζωή δεν μπόρεσε να αρθρώσει λέξη. Λύθηκε σε λυγμούς και άρχισε με πάθος, με τρέλα, να του γλυκο-

173

φιλά τα χέρια, τις χούφτες και να τις φέρνει σαν βάλσαμο στα μάγουλα και στο λαιμό της. Κοιτούσε με ευγνωμοσύνη το φεγγάρι που τύλιγε τους δυο τους στης νύχτας το γαλάζιο. Εκείνος σαν χαμένος θαύμαζε στου φεγγαριού το φέγγος το πρόσωπό της, το γυμνό λαιμό της, το άνοιγμα στον κόρφο της. Πάνω από τα χείλη της ανέπνεε την καυτή ανάσα της και της την έστελνε πίσω με ακόμη πιο δυνατή φλόγα. Ένιωθαν ξαφνικά το ρυθμικό σκαμπανέβασμα της πρώρας, το τρίξιμο των αρμών, να τους στέλνει στου ουρανού τον τρούλο και να τους κατεβάζει στη βαθιά αγκαλιά της θάλασσας. Άκουγαν τα κύματα που έσπαγαν στα πλαϊνά της πρώρας σαν όργανα νυχτερινά που τους εμφύχωναν, τους έδιναν κουράγιο. Αισθάνθηκαν ξαφνικά τους παλμούς στα σωθικά τους να συντονίζονται σαν τις χορδές της άρπας, μαζί να ανασαίνουν, βουβά να συνομιλούν, να επιθυμούν, να θέλουν. Αγκαλιάστηκαν στο αρμυρισμένο πάτωμα, φιλήθηκαν με πάθος. Ένιωσαν στις χούφτες τους τη γλύκα της αφής, τη γλύκα του κορμιού του άλλου. Αγαπήθηκαν εκεί, ακολουθώντας το σκαμπανέβασμα του κορακιού της πρώρας, τον πλαταγισμό των χειλέων της γυμνόστηθης γοργόνας, που έσχιζε το κύμα σε κάθε οργιά αφρίζοντάς το. Έμειναν με τα σώματά τους διπλοκλειδωμένα, όσο και αν τα κύματα έρχονταν κάθε τόσο και τους σκέπαζαν, λούζοντάς τους από την κορυφή στα νύχια. Έμειναν με τα μάτια ορθάνοιχτα για να φυλακίσουν τη μοναδική στιγμή που τους πήγαινε σ' έναν καινούργιο κόσμο.

Λες και ξεψύχησαν, λύθηκαν τα μέλη τους και τα κορμιά τους απ' την εξάντληση του πάθους. Ανάσκελα αγνάντεψαν στην ανατολή το πρώτο λυκαυγές να χαιρετά τα ημίγυμνα σώματά τους, τον Υμέναιο να τους ευλογεί, προτού ο ιερέας δώσει την ευχή του. Ανάμεσα στις τόσες σκέψεις που έτρεχαν σαν τρελές μες στο μυαλό της Ζωής, χωρίς να μπορούν για μια στιγμή να καταλαγιάσουν, κατάφερε και βρήκε τη θέση της κι εκείνη που έλεγε ότι αν ήθελε ο Θεός και είχε πιάσει τον καρπό του Βίκτορά της, θα τον ανέτρεφε όπως πάντα επιθυμούσε ο παππούς Θεοφάνης. Με αφοσίωση και σεβασμό στη γλώσσα των Γραικών.

5

Φάνηκε κάποτε να ξεχωρίζει η Κέρκυρα στο βάθος. Εκεί όπου ο θαμπός ορίζοντας έκανε τη θάλασσα με τον ουρανό να σμίγουν και να χάνονται, πρόβαλλε οργιά με την οργιά ο όγκος του νησιού ελπιδοφόρα. «Οφού θολίθρι», ακούστηκε να γκρινιάζει κάποιος. Όταν οι ταξιδιώτες διέκριναν τις δύο κορυφές των κάστρων, το καράβι σερνόταν πια με δυσκολία πάνω στη γαληνεμένη επιφάνεια της θάλασσας. Όλοι τους ύψωναν το βλέμμα στα ιστία, ζυγιάζοντας τη δύναμη του αέρα και ψιθύριζαν κάθε τόσο τη λέξη «υπομονή», κουνώντας με νόημα ο ένας στον άλλον το κεφάλι. «Κουράγιο και υπομονή», σαν να γινόντουσαν ανάμεσα σε άγνωστους καταμεσής στο πέλαγος πότε δεήσεις και πότε παρηγορητικές συστάσεις. Πολύ πριν πιάσουν στο μόλο, στέκονταν όλοι όρθιοι, ακίνητοι, πανέτοιμοι και σιωπηλοί, λες και φοβόντουσαν μήπως

179

από την παραμικρή λέξη ή κίνησή τους ανακόφουν το εξασθενημένο αεράκι και ματαιώσουν την επικείμενη άφιξή τους.

Είχε περάσει πια το μεσημέρι, ο ίδρος και η άρμη είχαν γίνει ένα στα ηλιοκαμένα πρόσωπά τους, το πόσιμο νερό είχε σωθεί, όταν μπήκαν αργά στο λιμάνι του Αϊ-Νικόλα. Μόνο η φωνή του καπετάνιου ακουγόταν να δίνει παραγγέλματα και άψυχα και ζωντανά να υπακούουν. Μαζεύτηκαν γρήγορα τα πανιά κι ακούσθηκε μία φωνή να τους φωνάζει το πασίδηλο, να τους καλεί να ετοιμασθούν και να φροντίσουν τα μπαγκάγια τους για να ξεμπαρκάρουν. «Επιτέλους! Μα τον Άγιο» ψιθύρισε ο κόντε Σπύρος και έκανε μεγαλόπρεπα το σταυρό του. Δίπλα τους ο εβραίος συνταξιδιώτης ανεγνώρισε κάποιον χαμάλη στην παραλία και άρχισε να τον καλεί με στεντόρεια φωνή στη διάλεκτό του, πράγμα που εκνεύρισε τον καπετάνιο και παραλίγο να αρπαχτούν. Ο καπετάνιος μάλιστα έσκυψε φουρκισμένος σ' ένα μικρό σωρό με πέτρες, πήρε δυο τρεις στα χέρια κι άρχισε να λιθοβολεί τον άμοιρο χαμάλη, ώσπου τον πέτυχε χαμηλά στο πόδι, όπως έδειξαν τα χοροπηδητά του. «Κατάλοιπο από παλιά συνήθεια, όταν λιθοβολούσαμε τους εβραίους...» σχολίασε ο κόντε Σπύρος αμήχανος, πιστεύοντας ότι δικαιολογούσε έτσι όσα έβλεπαν έκπληκτες οι θυγατέρες με τη φρίκη ζωγραφισμένη στο πρόσωπό τους. Ο Βίκτωρ αποκάλεσε τον καπετάνιο *χρετίνο*, όμως εκείνος έκανε ότι δεν άκουσε το προσβλητικό σχόλιό του.

Ένας άλλος χαμάλης απ' τη στεριά βοήθησε να δέσουν γρήγορα δίπλα σε μια εξέδρα, που έμπαινε στη θάλασσα κάμποσα μέτρα. Ο κόντε Σπύρος προτείνοντας το μπαστούνι του πάτησε απ' τους πρώτους το πόδι του στη γη των προγόνων. Έφερε μια βόλτα με τη ματιά του τον περίγυρο του λιμανιού, που δέσποζε μπροστά του, σαν να ήλεγχε, αν ήταν όπως τον είχε αφήσει κι έκανε νεύμα στους άλλους να μη χασομερούν και να τον ακολουθήσουν. Ένα τσούρμο ζητιάνων τον περικύκλωσε στο άψε σβήσε απλώνοντας το χέρι για ένα λιμόζινο, που θα τους επέτρεπε να ζήσουν ακόμη μία μέρα. Ο κόντες άστραφε στον πιο φορτικό μια σιληκουτιά και κάνοντας μια γκριμάτσα απέχθειας ύψωσε το μπαστούνι του για να ανοίξει δρόμο.

Ο Βίκτωρ βοήθησε τις δεσποσύνες να αποβιβασθούν. Έδωσε δυο σόλδια σ' έναν χαμάλη να βγάλει τα πράγματά τους και άλλο ένα σ' έναν πιτσιρικά να τρέξει σπίτι τους να ανακοινώσει την πολυπόθητη άφιξή τους. Στράφηκε λάμποντας από ευχαρίστηση στις δύο δεσποσύνες και είπε το *καλώς ήλθατε στην Κέρκυρα*. «Το σπίτι μας δεν είναι μακριά, δυο βήματα από την εκκλησιά της υπεραγίας Θεοτόκου, της κυράς της Αντιβουνιώτισσας, εδώ πιο πάνω. Όμως θα χρειαστούμε έτσι κι αλλιώς βαστάζους», συνέχισε κι έκανε νεύμα σε δύο άλλους ξυπόλητους, ρακένδυτους, φουκαράδες, που στέκονταν υπομονετικά λίγο πιο πέρα, περιμένοντας τον άρχοντα που θα τους έδινε τις εντολές, όπως συνηθιζόταν.

Ο κόντε Σπύρος θεωρώντας αυτονόητο ότι ο Βίκτωρ θα φρόντιζε ό,τι χρειαζόταν, γύρισε δίχως σχόλιο την πλάτη του και άρχισε να ανηφορίζει τη ράμπα που έφερνε απ' το λιμάνι στον περιφερειακό δρόμο και από εκεί λίγο πιο πάνω στο ντομενικάλε του. Οι δυο δεσποσύνες ζεματισμένες, με την ψυχή τους μαυρισμένη από τις άσχημες σκέψεις που τις κυνηγούσαν για το τι τους περίμενε στο νησί των Φαιάκων, ανήμπορες να απολαύσουν τη μαγική ομορφιά του νησιού, το απογευματινό χρώμα της θάλασσας, τα τρελά θαλασσοπούλια, αδυνατούσαν να πιασθούν από τις ενθαρρυντικές κουβέντες, τα καλοσυνάτα λόγια του ευγενικού Βίκτορα. Με κατεβασμένο το κεφάλι λες και μετρούσαν σπιθαμή προς σπιθαμή το μονοπάτι, πήραν τον Βίκτορα στο κατόπι, χωρίς να τολμήσουν να συλλαβίσουν μια λέξη, ν' ανταποδώσουν μια κουβέντα για τον ερχομό τους στην περιλάλητη Κέρκυρα, στους άρχοντες και στους αγίους της. Προτού φθάσουν στα μισά του δρόμου, φάνηκαν δυο δουλάκια να κατεβαίνουν τρέχοντας και αλαλάζοντας για να τους προϋπαντήσουν. Σε μικρή απόσταση ακολουθούσαν λαχανιασμένες η κοντέσα Ασημίνα και η κόρη της η Κορνηλία, που αφού σχεδόν προσπέρασαν μ' ένα νεύμα μάλλον βιαστικό παρά υποδοχής τον έκπληκτο κόντε Σπύρο, συνέχισαν διαλαλώντας τα καλωσορίσματα, για να υποδεχθούν γαμπρό και νύφη. Αλλά και πάλι, μετά βίας, μόλις κατάφερε η Ζωή να τους χαμογελάσει.

Λίγο αργότερα, αφού οι ταξιδιώτες απόθεσαν και

πήραν μια βαθιά ανάσα, έγινε η πρώτη υποδοχή στη σάλα με ροζόλιο, συκομαΐδα, κεράσματα και ευχές. Η Κορνηλία ενθουσιασμένη τράβηξε τη Ζωή μπροστά σε μια σπινέτα* κι άρχισε να παίζει και να τραγουδά μια βενετσιάνικη καντσόνα. Σχεδόν πανικόβλητη η κοντέσα μοίραζε στις δούλες οδηγίες για τις φροντίδες της νύφης και της εξαδέλφης. Ζεστά νερά, φρέσκα στρωσίδια, καινούργιες αλλαξιές. Αλλά και για ένα δείπνο που σίγουρα θα ήταν — όπως έλεγε — κατώτερο των περιστάσεων, παρ' όλο που τρελάθηκε η κουζινιέρα στις προετοιμασίες. Αχ! αν μπορούσαν να γνώριζαν πότε θα αρεβάρανε από την προηγουμένη. Να σφάζανε το γάλικο να τους περιποιηθούνε. Να κάνανε για τον Βίκτορα το αγαπημένο του σοφρίτο και για τον αφέντη τους το τσιγαρόλι. Οι ανυποψίαστες οικοδέσποινες δεν μπορούσαν πάντως να καταλάβουν ή να υποθέσουν, γιατί ο κάπος τση φαμίλιας έδειχνε τόσο συννεφιασμένος. Δεν έδωσαν ωστόσο σημασία.

Όλες οι έγνοιες της υποδοχής σαρώθηκαν μετά από λίγες ώρες. Προτού καν σουρουπώσει, ο κόντε Σπύρος βρήκε την ευκαιρία και τράβηξε τη συμβία του στο μπελβεντέρε. «Επιτέλους μπάστα με την πάρλα και τις τσιριμόνιες και ξέχνα τα προποδιάσματα και την προποδιάστρα», την αποπήρε αιφνιδιάζοντάς την. Στύλωσε την κορμοστασιά του και πριν προλάβει η κοντέσα να τον ρωτήσει για τα κακά του μούτρα, εκείνος

* Μουσικό όργανο

183

μπήκε στο θέμα κατευθείαν. Με μια ξερή φράση, με μια κοφτή κίνηση της παλάμης του μπροστά στο πρόσωπό της, τα είπε όλα: «Αυτός ο γάμος δεν μπορεί να γίνει. Από την προίκα δεν έχει ξεμείνει ούτε ένα τσεκίνι, μήτε ένα σόλδι. Ρουμπαρούμ, καταλαβαίνεις;» Το πώς και το γιατί δεν είχε σημασία. Αρκούσε η εξήγηση ότι τους είχανε ληστέψει. Η κοντέσα Ασημίνα με μάτια ορθάνοιχτα και την παλάμη της να φράζει το στόμα μπροστά στην αναπάντεχη συμφορά τους, προσπαθούσε να συλλάβει, να ζυγιάσει το κακό που τους είχε εύρει. Με δυσκολία ψέλλισε κάποια στιγμή: «Οχού την πόβερη» και λίγο μετά: «Παναγία, βόηθα μας μην ξερεζιλευθούμε».

Το μαντάτο για την απολεσθείσα προίκα και τις καταστροφικές συνέπειές της έτρεξε το ίδιο απόγευμα αστραπιαία από μάνα σε κόρη και από κόρη σε αδελφό. Ο Μάρκος κι η Κορνηλία, δευτερότοκα αδέλφια του Βίκτορα, έμειναν άλαλα, όταν άκουσαν το μαύρο μαντάτο. Ο Μάρκος μάλιστα διέκοψε αυτοστιγμεί την ενασχόλησή του με ένα λαούτο που το καταταλαιπωρούσε. Όταν κατάφερε να έρθει στα συγκαλά του και να ψευδίσει κάποια φράση, ενδιαφέρθηκε να μάθει, με ύφος ιεροεξεταστή, πώς έγινε και χάθηκε η προίκα, πού είχαν επιτέλους τα μυαλά τους, καταγγέλλοντας ως θεατρίνος την ασυγχώρητη ανικανότητά τους στα αγγελούδια που κοσμούσαν την οροφή τους. Η Κορνηλία — σίγουρα πιο ευαίσθητη από εκείνον — ψιθύρισε: «Και τώρα τι θ' απογίνει η άμοιρη η Ζωή...»

184

Κανείς δεν τόλμησε ν' απαντήσει. Μακρινές φωνές από την παραλία, συνηθισμένες κουβέντες από τα καντούνια, έμπαιναν απ' τα ορθάνοιχτα παράθυρα και ηχούσαν σαν καμπάνες στη δυσβάσταχτη σιωπή του ντομενικάλε.

Το βράδυ κάθισαν γύρω απ' το τραπέζι να δειπνήσουν αμίλητοι, κατηφείς, εξαντλημένοι. «Κάνε κάτι, θα μας ξεκάνει η μαλινκονία», ψιθύρισε η Κορνηλία στο αυτί του αδελφού της. Ο Βίκτωρ μάταια προσπάθησε να δώσει έναν τόνο ευχάριστο ανάμεσα στις ζεματισμένες φυσιογνωμίες της οικογένειας. Αντάλλασσαν λοξές ματιές και από έκδηλη αμέλεια ρουφούσαν ηχηρά μια εξαίσια ψαρόσουπα από ένα σαμπιέρο της πρωινής πεσκάδας, που σε άλλες μέρες θα είχε τύχει καλύτερης υποδοχής. Ανάλογες μάταιες προσπάθειες επεχείρησε και η Κορνηλία, ρωτώντας πληροφορίες για τη ζωή στα μακρινά Καρπάθια. Γρήγορα απογοητεύθηκε και προτίμησε να μην ξαναμιλήσει. Άπλωσε μόνο κάποια στιγμή με βλέμμα συμπάθειας και συμπόνιας το χέρι της στη χούφτα της Ζωής, όμως αντί να τη στηρίξει, να της δώσει ελπίδα, της ανέβασε δύο δάκρυα στα μάτια.

Αποδείπνησαν ακούγοντας την κοντέσα Ασημίνα να αφηγείται πώς μορφώθηκε στο μοναστήρι του Αγίου Νικολάου στο Μαντούκι μαζί με έξι ακόμη συνομήλικές της που καλοπαντρεύτηκαν η μία μετά την άλλη, πώς ο Ηλίας Θεοτόκης προσπάθησε δίχως επιτυχία να φκιάξει ένα κολέγιο που τόσο το είχαν στην Κέρκυρα ανάγκη, όμως η Βενετία αδιαφορούσε. Δεν έκρυψε τέλος την ανησυχία της για τα νόθα, που τελευταία πλήθαιναν ακόμη και στην τάξη των ευγενών, των cittadini, όπως τους αποκαλούσε. Φάνηκε ότι κανείς δεν της έδινε σημασία. Πρώτος ο κόντε Σπύρος εγκατέλειψε με ένα *καληνύχτα* το τραπέζι, ισχυριζόμενος ότι ήταν εξουθενωμένος μετά από ένα τέτοιο κακοπόδιακο ταξίδι. Ο Βίκτωρ καληνύχτισε τελευταίος τη Ζωή μπρος στη μισάνοιχτή της πόρτα. Της έδωσε ένα πεταχτό φιλί και μια υπόσχεση, ακόμη μια φορά, ότι είχε σχέδιο στο νου του και ότι όλα θα πήγαιναν καλά σύμφωνα με την ευχή του σιορ Θεοφάνη. Η Ζωή δέχτηκε την υπόσχεση σαν βάλσαμο πάνω στην πίκρα που είχε γίνει πια πληγή και είχε φωλιάσει στο λαιμό της. Εκείνο το βράδυ η Μαρία κούρνιασε στο κρεβάτι της Ζωής και της εξομολογήθηκε ότι αν τύχαινε κάτι στο δικό της δρόμο, θα παντρευόταν αυτοστιγμεί, δίχως να περιμένει συμφωνίες και αρραβωνιάσματα με τις ευχές των οικογενειών τους. Η Ζωή κούνησε το κεφάλι της με κατανόηση. Οι δυο εξαδέλφες αποκοιμήθηκαν αγκαλιά δίχως παρηγοριά, κάνοντας τις ανησυχίες τους μέσα στον ύπνο βασανιστικούς εφιάλτες.

Η εβδομάδα κύλησε μέσα σ' έναν εκνευρισμό, ανάμεσα σε μισοτελειωμένες φράσεις και υπονοούμενα, μέσα σε μια διάχυτη αμηχανία. Ο κόντε Σπύρος αναμασούσε στο τραπέζι τα μαντάτα της ημέρας. Κάποιες απαντήσεις της Γαληνοτάτης σε πρεσβείες της Κέρκυρας που δεν είχαν από καιρό απαντηθεί, τη δειλή στάση του κυβερνήτη απέναντι σ' αυτούς που αντιμάχονταν την τάξη τους ή ήθελαν σ' αυτήν να παρεισφρήσουν, τις κάθε λογής φαγωμάρες ανάμεσα σε πρόσωπα, τάξεις, συμφέροντα, δόγματα και προκαθήμενους. Ο Μάρκος προσέθετε ό,τι είχε ο ίδιος περισυλλέξει, πράγματα που προμήνυαν πόσο άσχημες μέρες περίμεναν την πόλη, τις σοδειές, αλλά και το εμπόριο μαζί τους. Όμως μέχρις εκεί. Όλοι τους πρόσεχαν μην πουν, μην τους ξεφύγει κάτι που θα 'βγαζε στην επιφάνεια αυτό που βάραινε σ' όλο το σπίτι και στα αφεντικά του: Τη δεινή οικονομική κατάσταση της οικογένειας από την οποία ήλπιζαν ότι, με την έστω μικρή προίκα της Ζωής, θα μπορούσαν να ξεφύγουν. Κι ακόμα: Τη δυσβάσταχτη απόφαση του κόντε Σπύρου ότι ο γάμος, που εδώ και τόσον καιρό είχε προαναγγελθεί κι ετοιμασθεί, δεν επρόκειτο να τελεσθεί, παρά την ευλογημένη από παπά μνηστεία.

Η Κορνηλία συμπάσχοντας με ειλικρίνεια για όσα συνέβαιναν στην παρ' ολίγον νύφη τους, βάλθηκε να παρασέρνει κάθε πρωί τις δύο εξαδέλφες σε καροτσάδα πότε στους μαγικούς όρμους και στα λιμανάκια έξω από την πόλη και πότε στις πανέμορφες εξοχές και στα μποσκέτα. Προσπαθούσε να τις κάνει λίγο να ξεχάσουν, να ξεδώσουν. Οι δύο κόρες, παρά τα επιφωνήματα θαυμασμού μπροστά στην πρωτόγνωρη φύση και στις καλλονές της, δεν κατόρθωναν για πολύ να ξεφύγουν από το βραχνά της οδυνηρής περιπέτειάς τους. Γρήγορα μελαγχολούσαν κι από ευγένεια και μόνο έκρυβαν τα μαύρα συναισθήματά τους. Το βράδυ, μόλις αποδειπνούσαν, σκοτείνιαζαν ακόμη πιο πολύ τα πρόσωπά τους. Θα νόμιζε κανείς ότι πενθούσαν. Ο Βίκτωρ ξύπνησε ένα πρωί αποφασισμένος να αντιδράσει. Να επιχειρήσει για άλλη μια φορά ν' αλλάξει τα μυαλά του γεννήτορά του, αφού προηγουμένως θα έπαιρνε με το μέρος του τη μητέρα του και τα δυο αδέλφια του. Κυρίως όμως τον αγαπημένο αδελφό του πατέρα του, που αν και καλόγερος στη μονή της Παναχράντου, με κάθε πρόσχημα ή ευκαιρία, καβάλα στο γαϊδούρι του, κατέβαινε στην πόλη και τους επισκεπτόταν, προκειμένου να μετάσχει και να γευθεί ο ίδιος τα εγκόσμια, παρά για να τους φέρει πιο κοντά στο δικό του κόσμο.

Ξεκίνησε μάλιστα από αυτόν, τον θείο Θεόκλητο τον πάπαρδο, όπως τον αποκαλούσαν, εξιστορώντας του στην πρώτη επίσκεψή του, κατά σύμπτωση την επομένη, όσα είχαν μεσολαβήσει με την καταλήστευσή τους στο Ντουράτσο. Ο θείος Θεόκλητος άκουγε την αφήγηση του Βίκτορα, κάνοντας κάθε τόσο το σταυρό του κι αφήνοντας επιφωνήματα έκπληξης, θεοσέβειας και φρίκης. Δεν δίστασε στο τέλος να κάνει, δίχως να του ζητηθεί, μια μικρή δέηση, χωρίς ο Βίκτωρ να κατανοεί σε τι θα βοηθούσε. Στο τέλος του ανέφερε τη μοιραία, την οδυνηρή απόφαση του πατέρα του να μην επιτρέψει το γάμο που ονειρευόταν. Με ιδιαίτερη ζέση στη φωνή τον παρεκάλεσε να βοηθήσει να τον μεταπείσουν.

Ο θείος Θεόκλητος άκουγε τον ανιψιό του να επαναλαμβάνει με πειστικότητα την παράκλησή του, τα επιχειρήματά του. Όμως φαίνεται ότι η πειστικότητα δεν του αρκούσε. Έλυσε μάλλον από αμηχανία τον κότσο των μαλλιών του, τα έπιασε με τη χούφτα του, τα τέντωσε και έπλεξε σφιχτό και στητό καινούργιο κότσο στην κεφαλή του. Χάιδεψε ή έξυσε, δεν ήταν τι από τα δύο φανερό, δεξιά και αριστερά τις παρειές του κάνοντας μια περίεργη, μάλλον θεατρινίστικη, γκριμάτσα. Σάλιωσε και έστρωσε στη συνέχεια τα πυκνά φρύδια του, κοιτώντας με ύφος βαθυστόχαστο στο κενό, στην κατεύθυνση του Πέλεκα, τον οποίο συνήθως μνημόνευε για τις νοστιμιές του.

Μετά από μια δυσβάσταχτη σιωπή, δήλωσε απότομα ότι δεν ήξερε τι να απαντήσει. Κατανοούσε την αγωνία της καρδιάς του ανιψιού του, αλλά και από την άλλη έβρισκε λογική την αντίδραση του αδελφού του. Γνώριζε από καιρό, όπως όλος ο κόσμος, τα οικονομικά του χάλια και τη συνακόλουθη, καθ' όλα εύλογη, απόφασή του. Να αναζητήσει νύφη με προίκα όχι από την Κέρκυρα, ούτε τα Γιάννενα, μήτε το Βένετο, αλλά από τα πέρατα του κόσμου. Από τα μακρινά Καρπάθια, όπου κανείς δεν γνώριζε τον ξεπεσμό τους. Τι τολμηρή απόφαση, τι ρίσκο αντάξιο της απόγνωσης του αδελφού του! Ζήτησε χαμηλώνοντας τη φωνή του ένα ποτηράκι κρασί να ευφρανθεί ο ταλαιπωρηθείς λαιμός του και ο Βίκτωρ έτρεξε να τον ικανοποιήσει.

189

Κάτι πήγε να φελλίσει ο άτυχος ανιψιός για τις σπουδές και τις ικανότητές του, όμως ο θείος Θεόκλητος ούτε και που κατάλαβε το επιχείρημά του. Τον έκοψε απότομα, αντιτάσσοντας χωρίς καμία λογική, αφού αυτό θα μπορούσε να αντιστραφεί σε επιχείρημα του Βίκτορα υπέρ της αγαπημένης του Ζωίτσας, ότι στην οικονομική κατάσταση που βρίσκονταν — και να τον συμπαθούσε — σίγουρα κανένας ευγενής γονιός δεν θα 'δινε τη θυγατέρα του στον Βίκτορα, όσο άξιος και σπουδαγμένος κι αν ήταν. Αυτή ήταν η αλήθεια, η μόνη αλήθεια και τίποτα άλλο δεν μπορούσε να συλλογισθεί. Στο τέλος, με χίλια ζόρια, υποσχέθηκε να πάρει το μέρος του ανιψιού του, εάν και εφόσον ερωτιόταν. Να παρέμβει αυτοβούλως; Όσο και αν τον παρακαλούσε ο Βίκτωρ, δεν ήταν διατεθειμένος να το κάνει και να χαλάσει τη ζαχαρένια του αντιγνωμώντας με τον αδελφό του. Στο τέλος, σαν να θυμήθηκε αίφνης κάτι, ζήτησε έναν κρόκο αυγού, χτυπημένο με ζάχαρη μέχρι ν' ασπρίσει και δυο σταγόνες λικεράκι στο οποίο, όταν του το προσέφερε λαχανιασμένο από την προσπάθεια το δουλάκι, προσέθεσε σχεδόν ακόμη ένα ποτηράκι.

Εκείνη την ημέρα ο θείος Θεόκλητος δεν παρακάθισε στο μεσημεριανό τους γεύμα. Βρήκε μια πρόφαση θεόπνευστη και λίγο αργότερα επέστρεφε για το αναχωρητήριό του καβάλα στο γαϊδούρι του, με ένα μανταρισμένο αντερί και τις προμήθειες, που ως συνήθως είχε απομυζήσει από το νοικοκυριό του αδελφού του.

190

Ο Βίκτωρ συνέχισε την προσπάθεια με την αδελφή του. Η Κορνηλία έδειξε από την αρχή άλλη στάση. Ίσως βλέποντας και τη δική της τύχη όμοια μ' εκείνη της Ζωίτσας, αλλά και φοβούμενη μην καταλήξει καλόγρια σε κάποιο μοναστήρι, προκειμένου να ελαφρύνει τα βάρη της οικογένειάς της, δεν δίστασε να πει αυθόρμητα το ναι στο αίτημα του αδελφού της. Ζήτησε μάλιστα την αναγκαία καθοδήγηση, για το πότε θα έπρεπε να εκφράσει τη γνώμη της στον γονιό τους, που της είχε τόση αδυναμία. «Πάμε πρώτα να πείσουμε τη μητέρα», ήταν η αντίδραση του Βίκτορα. Και δυο και τρεις μπήκαν στη σάλα, όπου βρήκαν τη μητέρα τους μπρος στο παράθυρο πάνω από το ρεκάμο της σκυμμένη.

Η κοντέσα αγνάντευε κάθε τόσο αφηρημένη το πέλαγο, στο βάθος τις βουνοκορφές της Οθωμανικής Αυτοκρατορίας και αναλογιζόταν τις οικονομικές τους δυσκολίες, τις ελιές τους που δεν έδιναν πια καρπό, το πάθος του Μάρκου για τον τζόγο, τα επιπόλαια νταραβέρια του στην Πίνια. Αναπήδησε μόλις είδε ξαφνικά δίπλα της, μπροστά της, τη σοβαρή, σχεδόν αγωνιώδη έκφραση στο πρόσωπο των συνοφρυωμένων παιδιών της. Κάρφωσε τη βελόνα στον καμβά του τελάρου και έσπασε τη σιωπή τους, ρωτώντας τους πρώτη τι συμβαίνει. Ο Βίκτωρ γονάτισε μπροστά της, έπιασε στα χέρια του τα γόνατά της και δίχως περιστροφές την ικέτευσε, προκειμένου να την πείσει για τον πολυπόθητό του γάμο.

Η κοντέσα Ασημίνα έδειξε περισσότερες αντιστάσεις

απ' όσες περίμεναν τα δυο αδέλφια ότι θα συναντούσαν. Ο σεβασμός της στην απόφαση του κάπο τση φαμίλιας έδειχνε πιο ισχυρός από τα επιχειρήματα της έντιμης συμπεριφοράς και της συμπόνιας, ή έστω της προστασίας του ονόματος της οικογένειας από την απαξίωση που θα τους επεφύλασσαν τα κουτσομπολιά της πόλης. Με χίλια βάσανα κι επικλήσεις του Αγίου, κατάφεραν να τη σύρουν και μετά από ώρα να την κερδίσουν στην άποψή τους. Ότι εκεί που φτάσανε τα πράγματα δεν ήταν δυνατόν να παρατήσουν το άμοιρο κορίτσι, που σε τίποτα δεν είχε φταίξει. Θα γινόντουσαν περίγελος με την κατάντια τους σ' όλη την πόλη. «Μα τον Άγιο, τι χογιοναρία, τι ρεντικολέτσα!» αναφώνησε ο Βίκτωρ κλείνοντας την αγόρευσή του. Χρειάσθηκε μια δεύτερη προσπάθεια εξίσου δύσκολη όπως η πρώτη, για να πεισθεί η κοντέσα να πάρει εκείνη την πρωτοβουλία και ν' ανοίξει τη συζήτηση στον κόντε Σπύρο.

Μετά και το δεύτερο *ναι* δεν είχε πολλά επιχειρήματα να αρνηθεί τη συμμετοχή της στην προσπάθεια για να κερδίσουν και τον άλλο γιο της. Τον βρήκαν να λιάζεται στο μπαλκόνι, χαϊδεύοντας τις χορδές του αγαπημένου του λαούτου. Η κοντέσα του μίλησε με την άνεση που μιλά η μάνα στο παιδί της. Ο Μάρκος έδειξε να μην ενδιαφέρεται ούτε για το *ναι* μήτε για το *όχι* της έκβασης της περιπέτειας του αδελφού του. Με συνεχείς γκριμάτσες φανέρωνε την ενόχλησή του για την παρέμβασή τους, την αδιαφορία του για το ζήτημά τους. Στο τέλος συνήνεσε μάλλον για να τους ξεφορτωθεί, παρά για να τους υποστηρίξει στην κρίσιμη στιγμή, που η κοντέσα Ασημίνα θα ξεκινούσε την προσπάθειά της. Όμως η κοντέσα δεν συμβιβάσθηκε, αντίθετα πείσμωσε με την απρεπή συμπεριφορά του δευτερότοκού της. Μέχρι το βράδυ είχε υιοθετήσει ολόψυχα την υπόθεση του άλλου γιου της. Έμενε να βρεθεί η κατάλληλη στιγμή, που θ' απουσίαζαν οι δύο κόρες απ' το σπίτι, ώστε με σημαιοφόρο τη μητέρα του να δώσει ο Βίκτωρ τη μεγάλη μάχη.

Την επομένη κιόλας η κοντέσα Ασημίνα μεθόδευσε την αφορμή. Προέτρεψε τις δύο κόρες να πάνε να παρακολουθήσουν την εσπερινή παράκληση στον Άγιο Σπυρίδωνα, κτητορική εκκλησία και καμάρι των Βουλγαρέων. Να ζήσουν έτσι μια μοναδική στιγμή κατάνυξης υπό τη σκέπη του Αγίου και τη βοήθειά του, και να της πουν τις εντυπώσεις τους σε σύγκριση με εκείνες που ήξεραν από τα μακρινά τους μέρη. Να πασεγκιάρουν όσο έχει φως δυο βήματα μέχρι την Πίνια, να δουν τα πλούτη και τα αγαθά του τόπου τους, που με την ευλογιά του Αγίου έφθαναν να τρέφουν όλους. Κι αν προλάβουν να πάνε λίγο πιο πέρα να θαυμάσουν το καμάρι τους, το θέατρο San Giacomo, στην πιατσέτα μπροστά στη σκαλινάδα. Η Ζωή πήρε μ' ένα νεύμα την άδεια του Βίκτορα και λίγο αργότερα οι δυο εξαδέλφες μ' ένα μαντίλι στα μαλλιά απ' το σεντούκι της κοντέσας Ασημίνας άρχισαν να χαζεύουν την παλιά εβραίικη γειτονιά, διασχίζοντας τα στενά καντούνια.

Η κοντέσα Ασημίνα δεν έχασε τον καιρό της. Κοιτάχθηκε στον καθρέφτη για ν' αντλήσει δύναμη, να δώσει θάρρος στο είδωλό της. Έσυρε από νευρικότητα τις ιδρωμένες παλάμες της στη φούστα της, πράγμα ανήκουστο σε άλλες περιστάσεις, μια τέτοια βαρβαρότητα πάνω στο σπάνιο εργόχειρό της. Ξεφύσηξε και γκρίνιαξε με την αβλεψία της, μα στην πραγματικότητα με τη δύσκολη αποστολή που είχε να φέρει σε πέρας. Αναζήτησε ελαφροπατώντας τον αρχηγό της ένδοξης, αλλά ξεπεσμένης φαμίλιας τους. Ένιωθε ότι τους είχε πάρει μια τέτοια κατηφόρα που όσο βάθαινε, τόσο δυνάμωνε τα θάρρετά της απέναντί του. Βρήκε τον κόντε Σπύρο να περιποιείται τα νύχια του με ιδιαίτερη επιμέλεια και φροντίδα. Θεώρησε ότι η τύχη δεν θα της προσέφερε καλύτερη ευκαιρία. Μάζεψε τους γιους της, φώναξε την κόρη της και ξανακάρφωσε μια φουρκέτα στα μαλλιά, μαζεύοντάς τα για τη μάχη. Αδιαφορώντας αν θα τους άκουγαν από τα ανοιχτά παράθυρα, που έφερναν απ' το πέλαγο λίγη δροσιά και τις φωνές κάποιων παιδιών που έπαιζαν πιο κάτω, ξιφούλκησε κατά του κόντε Σπύρου. Πίστευε ότι έτσι είχε καλύτερες πιθανότητες να τον πείσει, παρά όπως συνήθιζε με γλυκόλογα, γαλιφιές και κάθε είδους παρακαλετά. Δεν είχε δα και πολλά επιχειρήματα.

Επικαλέσθηκε πρώτα την ιστορία τη δικιά τους, όταν ο κόντε Σπύρος, όπως ήξερε η κοντέσα Ασημίνα κατά τα λεγόμενα του ίδιου, είχε ακούσει τη γλώσσα της καρδιάς του και παρά τη μεγάλη προίκα της δεν την εί-

χε πάρει από ιντερέσο*. Και δεύτερο ότι όλη η Κέρκυρα
γνώριζε πια ότι είχε πάει πέρα από το Δούναβη να βρει
να φέρει νύφη και τώρα τι θα λέγανε, ότι τους είχε βρω-
μίσει αυτή που οι ίδιοι διάλεξαν ή ότι δεν είχε προίκα;
Κι οι ίδιοι όταν διάλεγαν πού είχαν τα μυαλά τους; Ή
τέλος, την πικρή αλήθεια ότι κρέμονταν τόσο πολύ από
μία προίκα...; Τα 'πε μια έτσι, μια αλλιώς, τα ίδια και
τα ίδια σε τόνο αυστηρό. Μιλούσε κάθε τόσο με από-
γνωση για το χειρότερο: Τον πιο οδυνηρό ξεπεσμό που
διαφαινόταν πίσω από μία τέτοια απόφασή του, να αρ-
νηθεί το γάμο του Βίκτορα, παρ' όλο που είχαν φθάσει
τα πράγματα μέχρι τα σκαλοπάτια της εκκλησίας.

Ο κόντε Σπύρος συνέχιζε να περιποιείται τα νύχια
του, άκουγε, χαμογελούσε και δεν μιλούσε. Άφησε
στην άκρη το μικρό ψαλιδάκι και βούτηξε τα δάχτυλά
του για άλλη μια φορά στις δύο κούπες που είχε
μπροστά του. Ύψωσε τα φρύδια του και περιεργάστη-
κε τα πρόσωπα των παιδιών του, που στέκονταν σαν
παραστάτες πίσω από την κοντέσα Ασημίνα. «Και
εσείς, τι λέτε;» ρώτησε, κοιτώντας μια τον Μάρκο
και μια την Κορνηλία, μην κάνοντας τον κόπο να ψά-
ξει με το βλέμμα του τον Βίκτορα και την άποψή
του. «Να βάλουμε τον Μάρκο σώγαμπρο ή να δώ-
κουμε τον στόλο της μητέρας σας στον μόντε;» Η
Κορνηλία πρώτη φέλλισε ότι είχε δίκιο η μητέρα της
και σίγουρα, αν ρωτούσαν τον πρωτοπαπά, άνθρωπο

* Συμφέρον

195

σοφό, σχεδόν και άγιο, θα έδινε δίκιο στην κοντέσα
Ασημίνα. Ο Μάρκος συμφώνησε, δείχνοντας τη δυ-
σφορία του για το πώς φούσκωσε ξαφνικά ένα τέτοιο
θέμα, υπαινισσόμενος, ίσως δίχως να το καταλαβαί-
νει, τις ευθύνες του γεννήτορά του.

Ο κόντε Σπύρος δεν περίμενε ν' ακούσει τη γνώμη
του άλλου γιου του. Σηκώθηκε από την πολυθρόνα του
σκυθρωπός με τα χείλη σφιγμένα. Με μία απότομη κί-
νηση άδειασε τις δύο κούπες που είχε μπροστά του έξω
από το παράθυρο, δίχως να ενδιαφερθεί αν κάποιος
περνούσε από κάτω, και με φωνή ήρεμη, σαν να μονο-
λογούσε, σφύριξε ανάμεσα στα χείλια του: «Συνωμοσία
λοιπόν! Συνωμοσία!» και επανέλαβε δύο και τρεις φο-
ρές την ίδια αποτρόπαια λέξη. «Στιλέτο να 'χατε στο
χέρι, δεν θα διστάζατε να το καρφώσετε πισώπλατά
μου... με μια σκουντιά να με πνίξετε σε κάποιο κανάλι
της Γαληνοτάτης...» συνέχισε, σαν να συλλογιζόταν
ψύχραιμος το μέγεθος της προδοσίας. Κι όσο μονολο-
γούσε, κοκκίνιζε, γινόταν σαν παντζάρι, τρομοκρατώ-
ντας την κοντέσα, μην και τον εύρει κόλπο. Κι εκείνη
λύγισε και υπεχώρησε επιτόπου. «Μάιναρε, ακριβέ
μου, τον θυμό σου και μην χολομανάς», τον παρακά-
λεσε μετανιωμένη. Ο κόντες συνέχισε να δείχνει στενα-
χωρημένος, ίσως και συντετριμμένος, μπροστά στην
αποκάλυψη της συνεννόησης, της συνωμοσίας όπως πί-
στευε, που είχε πλεχτεί πίσω απ' την πλάτη του,
πράγμα πρωτάκουστο στην οικογένειά τους. Και βέ-
βαια δεν στάθηκε ούτε στιγμή να συλλογιστεί όσα του

196

έλεγε η πιστή συμβία του, που όσο κανείς άλλος του ήταν αφοσιωμένη. Ύψωσε το χέρι του κι έκανε ένα νεύμα απορριπτικό, μια κίνηση απαξιωτική προς όλους τους. Σαν να έλεγε να φύγουν, να εξαφανισθούν, δεν ήθελε άλλο να τους βλέπει. Κοιτώντας απ' το παράθυρο στο πέλαγο, λες και συνδιαλεγόταν μαζί του, έσπασε τη σιωπή και επανέλαβε με φωνή κάπως τραγουδιστή, αλλά αποφασιστική: «Αυτός ο γάμος δεν μπορεί να γίνει και δεν θα γίνει». Η απόφαση ήχησε σαν να ήταν η κορύφωση ενός μονόλογου, το κρεσέντο μιας άριας που είχε πνίξει στα σωθικά του.

Ο Μάρκος αγκάλιασε την αδελφή του από τους ώμους και την απομάκρυνε από το θέατρο της μάχης σιγοτραγουδώντας ειρωνικά: «Κε φαρό σέντσα Ευριντίτσε...» Ο Βίκτωρ έπιασε τη μητέρα του από το μπράτσο και της έκανε νεύμα να αποσυρθούν. «Μπάστα, μητέρα, δεν έχει νόημα η γκρίντα...» φιθύρισε στο αυτί της. Η προσπάθεια είχε άδοξα ναυαγήσει. Το ίδιο βράδυ ο Βίκτωρ ανάσκελα στο κρεβάτι, αγναντεύοντας από το ανοιχτό παράθυρό του στο σκοτεινό γλαυκό της νύχτας, έπαιρνε τις δικές του αποφάσεις.

Η επόμενη ημέρα ξημέρωσε με τον ήλιο να εισβάλλει από τα ορθάνοιχτα παράθυρα στο αρχοντικό του κόντε Σπύρου, σαν να 'θελε να διαλύσει τα μαύρα σύννεφα, που είχαν κουρνιάσει για τις δύο κόρες από την προηγουμένη. Πρωί πρωί ο Βίκτωρ είπε στη μητέρα του: «Μάνα, δώσε μου την ευχή σου», και δίχως να της εξηγήσει πώς και τι, πήρε ένα άλογο και χάθηκε προς άγνωστη κατεύθυνση. Η κοντέσα Ασημίνα έκανε πίσω από την πλάτη του το σημείο του σταυρού και αναστέναξε: «Ο Άγιος να μας φωτίσει!» Ο νεροκουβάλος μπρος στην πόρτα τους ξαφνιάσθηκε που δεν πήρε πίσω ούτε μια *καλημέρα*. Στην αγορά κάποιοι συνάντησαν τον κόντε Σπύρο και του 'παν ότι είδαν τον Βίκτορα να περνά καλπάζοντας σχεδόν, προς τη δυτική πύλη της πόλης. Ο κόντε Σπύρος παραξενεύτηκε, αλλά ήταν τόσο φουρκισμένος με τον γιο του, που δεν καταδέχτηκε να απασχολήσει το μυαλό του με τα φουρτουνιασμένα πάθη του, μήτε να δείξει βέβαια στους συντοπίτες του ανησυχία για τη συμπεριφορά του πρωτότοκού του.

Η ημέρα κύλησε σαν όλες τις άλλες. Μες στη ραστώνη για τους αρσενικούς ευγενείς της Γαληνοτάτης, στην επιλεκτική νοικοκυροσύνη για τις γυναίκες της ευγένειάς τους. Ανάβραδο γλυκό και η Ζωή με τη Μαρία καθόντουσαν στα σκαλοπάτια της Παναγίας της Αντιβουνιώτισσας, κοιτάζοντας σιωπηλές με μαύρη την καρδιά τη θάλασσα, που σήκωνε από βορρά ένα ανάλαφρο κυματάκι. Αραιά και πού ακουγόταν μια φράση πίστης βαθιάς στην αξιοσύνη, στον ιπποτικό χαρακτήρα του Βίκτορα, αλλά και μια απάντηση απόγνωσης και απελπισίας, μια πρόβλεψη χειρότερη από την προηγουμένη. Όλα να κλώθονται γύρω από τα ίδια και τα ίδια. «Άραγε τι προσδοκούσαν, τι είχε ο Βίκτωρ στο μυαλό του, τι τάχατες μπορούσε να τις περιμένει...» Η Μαρία να μονολογεί, να μην διστάζει. Να παίρνει πάνω της όλες τις ευθύνες για το πώς άφησε μέσα από τα χέρια της τον Ηλία. Απέναντί τους η Κορνηλία με τη βελόνα του κεντήματος παρατημένη στο τελάρο, να τις αποπαίρνει, να τις εμψυχώνει, σίγουρη ότι κάτι θα άλλαζε, σίγουρη ότι η εξαφάνιση του Βίκτορα έκρυβε ένα χαρμόσυνο μαντάτο.

Εκεί κάποια στιγμή η Μαρία ξαφνικά ανασκίρτησε. Κόλλησε, κρεμάστηκε από το πλευρό της εξαδέλφης της. Δεν πίστευε στα μάτια της. Όμως δεν ήτανε παραίσθηση. Μόν' έμοιαζε πιο πολύ με θαύμα. Άπλωσε το χέρι της, έπιασε απ' τον καρπό σκουντώντας τη Ζωή και ψιθύρισε: «Άγγελοι των ουρανών, βοηθάτε με, τα μάτια μου μην και με απατάνε». Η Ζωή κοίταξε με τη σειρά της αυτόν που ανέβαινε αργά τα σκαλοπάτια και αντιψιθύρισε με τη σειρά της: «Καρδιά μου, αυτός είναι!» Ο Μοσχοπολιάνος πραματευτής κοιτώντας δεξιά, αριστερά και ψάχνοντας, ανέβαινε δυο δυο τα σκαλοπάτια που τον οδηγούσαν από το δρόμο προς το αρχοντικό του κόντε Σπύρου. «Ο Ηλίας...» κατάφερε να φελλίσει η Μαρία. «Να κι ο Ηλίας...» επανέλαβε χαμογελώντας, λες και τον γνώριζε η Κορνηλία, στην πραγματικότητα όλο αμηχανία.

«Την καλησπέρα μου στις δεσποσύνες», βροντοφώνησε λάμποντας ο Ηλίας κι απόθεσε ένα μικρό μπόγο από τον ώμο του στα σκαλοπάτια. Για μια στιγμή σταμάτησε να σκοτεινιάζει, το αεράκι να φυσά, ο χρόνος να κυλάει. Αναριγώντας από συγκίνηση η Μαρία κράτησε την αναπνοή της. Σαν να τα είχαν μιλημένα

199

οι δυο νέοι, σαν να 'χαν σχέση από καιρό, σαν να 'χαν πάρει τις ευχές και τις ευλογίες των δικών τους, έπεσε ο ένας στην αγκαλιά του άλλου με δάκρυα στα μάτια. Κοιτάχτηκαν με δύναμη, με πάθος, τρέμοντας στα ακροδάχτυλά τους και ο Μοσχοπολιάνος προχώρησε δίχως δισταγμό στον άγιο σκοπό του: «Ήρθα να σε ζητήσω για γυναίκα μου. Να σε πάρω, να σε πάω στα Γιάννενα και να στεφανωθούμε. Πες μου το ναι, αλλιώς θα πέσω από εδώ να σκοτωθώ, δεν έχει άλλο νόημα η ζωή μου». Η Μαρία δεν θέλησε ούτε στιγμή να στρέψει το βλέμμα της προς τη Ζωή, να δει την όποια αντίδρασή της. Έφερε στο μυαλό της τη ζωή στο Βρασοβό και το σκοπό του ταξιδιού που την είχε φέρει μέχρι τα πέρατα του κόσμου. Σκέφθηκε τις περιπέτειες και τις αναποδιές της εξαδέλφης της και διέγραφε διαμιάς την έγκριση των δικών της ή των δικών του. Σκέφθηκε ότι μπορεί να του χρωστούσε την τιμή της, αλλά και το ότι έβλεπε ακόμη κάθε πρωί τον ήλιο. Ο Ηλίας ήταν ο δικός της ήλιος...

Κατέβασε το κεφάλι μπροστά στον κόρφο της και εκεί μέσα σε μια στιγμή — αλόγιστα βέβαια θα 'λεγαν οι συνετοί — πήρε τη μεγάλη απόφασή της και ψιθύρισε: «Ναι, καλέ μου, και πάλι ναι», και τον έσφιξε απ' το λαιμό τρελά στην αγκαλιά της. Απόμειναν εκεί να μοιράζονται τις ελπίδες και τις αγωνίες τους, τα τόσα ερωτηματικά τους και να αναρωτιόνται τι τους έμελλε για γραφτό τους.

Έτσι τις βρήκε ο Βίκτωρ, καθώς επέστρεφε πεζή, λί-

200

γο πριν δύσει ο ήλιος, σέρνοντας το άλογό του. Η Μα-
ρία να παραμιλά σχεδόν απ' τη χαρά της, η Ζωή μ'
ένα χαμόγελο συμπάθειας κάτω από τα βουρκωμένα
μάτια της. Χαιρέτησε εγκάρδια τον Ηλία και στην εύ-
λογη ερώτησή του *πώς κι από εδώ;* εκείνος του απή-
ντησε δίχως δισταγμό, ότι του ζητούσε το χέρι της
Μαρίας. Η Κορνηλία χτύπησε ενθουσιασμένη παλαμά-
κια. Έκπληκτος, χαμογελώντας μπροστά στην αναπά-
ντεχη εξέλιξη, ο Βίκτωρ επανέλαβε: «Με την ευχή
μου, με την ευχή μου», κάνοντας το σταυρό του, για
να δείξει μάλλον την έκπληξή του.

Μπήκαν όλοι στο σπίτι, καθείς αναστατωμένος με
αυτά που τον βασάνιζαν για την προσωπική του τύχη.
Ενοχλημένος ο κόντε Σπύρος από την παρουσία και
την αναπάντεχη φιλοξενία του Μοσχοπολιάνου, ενός
παρακατιανού στο ντομενικάλε του, δεν θέλησε ν'
ανοίξει συζήτηση με τον Βίκτορα γύρω από την ολοή-
μερη εξαφάνισή του. Στο δείπνο μιλούσαν μόνο ο Βί-
κτωρ, ο Μάρκος και ο Ηλίας, οι πρώτοι ρωτούσαν τι
γινόταν στην Ήπειρο, στα Γιάννενα και στο εμπό-
ριο, και ο Ηλίας περιχαρής έδινε απαντήσεις, αφη-
γούνταν περιστατικά και κρατούσε όσο μπορούσε ζω-
ντανό το ενδιαφέρον της ομήγυρης.

Ο κόντε Σπύρος μην μπορώντας να αντέξει την
παρέα και το συγχρωτισμό μαζί της, το νταραβέρι
που υποψιαζόταν ανάμεσα στον Ηλία και στην Μα-
ρία, εκφώνησε απότομα, αδέξια, ένα «καληνύχτα σας,
να με συμπαθάτε, είμαι κουρασμένος» και αποσύρθηκε

στο δωμάτιό του. Τον ακολούθησε ο Μάρκος. Μ' ένα νεύμα ο Βίκτωρ έκανε νόημα στη μητέρα του και στην αδελφή του να παραμείνουν. Με φωνή χαμηλή, αλλά ύφος αποφασιστικό, με το βλέμμα του σχεδόν βλοσυρό, ξετύλιξε τα σχέδιά του. Κανείς δεν τόλμησε να τον διακόψει, κάτι να ρωτήσει. «Αμπονόρα αμπονόρα» ήταν η τελευταία του κουβέντα. Όλοι έμειναν άφωνοι. Για την ακρίβεια σχεδόν όλοι, γιατί η κοντέσα Ασημίνα πρόλαβε κι έβγαλε σχεδόν ημιλιπόθυμη ένα λυγμό όλο αγωνία.

Εν τούτοις η κοντέσα δεν έκλεισε μάτι όλη τη νύχτα, ούτε έμεινε με τα χέρια σταυρωμένα. Μάζεψε κι έριξε στην καναβέτα των δικών της γάμων ό,τι έκρινε αναγκαίο. Όσα αχρησιμοποίητα λατιτσένια μπόρεσε να εντοπίσει, ένα άφθαρτο πάπλωμα σε χρώμα τσελέστε, μια δίχτωση για κάθε χρήση, ένα αφόρετο κότολο της Κορνηλίας, δυο ντεμέλες, δυο οργιές μέρλο και άλλες δύο άθικτο βελούδο παγουνάτσο, ένα λουμίνι, μια φιορεντίνα, τα δικά της καπιτσίνια, ένα τουρναλέτο, ένα σιάλι, μια σκαβίνα, ένα ταβουλομέσαλο κεντητό από την ίδια, δυο κουτιά πόλβερη απ' το Βενέτο και ποιος να το περίμενε, μέχρι και κάτι αναπαφόλια που βρήκε — άραγε τίνος και από πότε ξεχασμένα — σ' ένα παλιό μπαούλο καταχωνιασμένα. Στο τέλος υποσχέθηκε στον εαυτό της να φροντίσει για τόσα κι άλλα τόσα βάζοντας σε ενέχυρο ό,τι της είχε απομείνει.

Σύναυγα την επομένη ο Βίκτωρ, η Ζωή, ο Ηλίας και η Μαρία, με τα υπάρχοντά τους φορτωμένα σε ένα κα-

202

ρέτο, περίμεναν να σκάσει μύτη ο ήλιος, για να ανοίξει η πύλη της πόλης. Απ' τη βιασύνη του ο Βίκτωρ έδωσε πέντε σόλδια στον φύλακά της, που παρέβλεψε το καθήκον του κι άνοιξε την πύλη προτού καν ξημερώσει. Πήραν σιωπηλοί ένα στρατόνι για τους Κουραμάδες, με κάποια ανησυχία να σιγοτρώει τα φυλλοκάρδια τους, αν η μητέρα και αδελφή θα κρατούσαν τον όρκο σιωπής που είχαν δώσει, όταν αποκαλυπτόταν στον πατέρα του η εξαφάνισή τους. Και κάθε τόσο να κοιτούν ξοπίσω τους μήπως κάποιο μάτι τους είχε πάρει στο κατόπι.

Σ' ένα ξωκλήσι ένας παπάς, ο παπα-Γιώργης, νιος δίχως μία άσπρη τρίχα, στεφάνωσε τον Βίκτορα και τη Ζωή, ευλόγησε λίγο πριν σηκωθεί ο ήλιος το γάμο τους, έδωσε την ευχή του. Με τη Μαρία και τον Ηλία για κουμπάρους, με δυο κλαδιά ελιάς που έγιναν στεφάνια κι ένα ζευγάρι δαχτυλίδια που 'χε φροντίσει να προμηθευτεί ο Βίκτωρ στην επιστροφή του την προηγουμένη, παντρεύτηκαν με το ελάχιστο απ' όλα τα έθιμα, τα τελετουργικά, τις ιεροτελεστίες, που εύλογα κάθε μελλόνυμφος στη θέση τους θα ανέμενε και θα ευχαριστιόταν. Και κάθε τόσο στο μυαλό της Ζωής έφευγε κι ερχόταν η ίδια σκέψη: «Αχ να 'ξερες, πατέρα μου σεβαστέ, πού βρίσκεται και πώς παντρεύεται η αγαπημένη σου θυγατέρα...». Και να, τα δάκρυα απ' τη συγκίνηση, αλλά και την αίσθηση της λύτρωσης που δεν μπορούσε να συγκρατήσει.

Δεν πρόλαβε ο παπα-Γιώργης να αποσώσει τις γαμήλιες ευχές του και οι φυγάδες απομακρύνονταν με

203

το καρέτο τους για τον τελικό προορισμό τους. Μισή ώρα δρόμος δυτικά στην κορυφή ενός λόφου στους Βαρυπατάδες, ζωσμένου από ελιές και πλούσιες πρασινάδες, παρά το θέρος που πήγαινε να σβήσει. Ένα απαλάτι κολλητά σ' ένα λιοτρίβι τούς περίμενε σαν καταφύγιο για να τους φιλοξενήσει.

Έκπληκτη η Ζωή είδε στην πόρτα του μια μεγαλόσωμη γυναίκα να αφήνει κατά μέρος ένα δρεπάνι, να σφουγγίζει τα χέρια της στην μπροστελίνα της και μ' ένα πλατύ χαμόγελο να πλησιάζει μισοτρέχοντας για να τους προϋπαντήσει. «Η θεία Στυλιανή», είπε ο Βίκτωρ και συμπλήρωσε ψιθυριστά, «μακρινή ξαδέλφη της μητέρας μου, μπάσταρδο παιδί από κάποιο παρακλάδι των Βουλγαρέων, ανύπαντρη και βέβαια ξεχομμένη από το αρχοντοσόι της γενιάς της».

Ο Βίκτωρ μόλις και που απόσωσε να δώσει τις συστάσεις, ν' αναφωνήσει «Της μοίρας μου ο μόρος!» και έπεσε στην αγκαλιά της Στυλιανής, σφίγγοντάς την με όση θέρμη γεννούσανε οι περιστάσεις. Τα ίδια ανταπέδωσε η θεία στη νύφη — μόλις την προηγουμένη μιλημένη από τον ξετρελαμένο ανιψιό της. Δεν θέλησε παρακαλετά. Μήτε χρειάσθηκαν επιχειρήματα για να πείσουν την ανύπαντρη μεγαλοκοπέλα. Η Στυλιανή του είχε ανοίξει γενναιόδωρα την καρδιά της και την αγκαλιά της. Εδώ θα 'ταν το καταφύγιό τους με όσα μέσα τους έδινε ο Άγιος. Οι φροντίδες της θα 'ταν εκείνες του φύλακα-άγγελού τους, έως ότου περάσει η μπόρα κι ο θυμός του κόντε Σπύρου αγάλι αγάλι μαλακώσει. Τον γνώριζαν δα και από άλλες περιστάσεις.

Το βράδυ του γάμου η Στυλιανή γύρω από το γιορταστικό τραπέζι, που είχε φροντίσει και περιποιηθεί με έναν κόκορα όσο μπορούσε, δεν δίστασε δίχως να ερωτηθεί να κάνει τις προβλέψεις της για να τους καθησυχάσει. Ήτανε σίγουρη, η κοντέσα Ασημίνα θα κατάφερνε να πείσει τον κόντε να δεχθεί τους νιόπαντρους και πάλι κοντά του. Στη σιωπή της ομήγυρης, που δεν μπορούσε να φαντασθεί το πώς, συνέχισε η ίδια ότι ήταν ζήτημα εβδομάδων, έστω μηνών, για να αποτελειώσει η καταστροφή αυτούς που μόνο από την ελιά περίμεναν να σώσουνε το βιος τους. Από τα εισοδήματα του γιατρού θα τρέφονταν πια όλοι στο σπίτι. Αυτός θέλοντας και μη γινόταν ο αφέντης. Στα γόνατα θα έπεφταν για να γυρίσει με τιμές κι ευχές στο αρχοντικό, κρατώντας τη Ζωίτσα στο πλευρό του. Ήτανε τόσο πειστική η θεία Στυλιανή, που ένα χαμόγελο έσκασε σε όλων τους τα χείλη.

Ξημέρωσε η επομένη και για τον Μοσχοπολιάνο ήταν φανερό ότι δεν είχαν χρόνο για να χάσουν. Τα δυο ζευγάρια έπεσαν το ένα στην αγκαλιά του άλλου με κλάματα, υποσχέσεις, ευχές και όρκους. Ο Ηλίας ανέβασε στο άλογο την κατασυγκινημένη Μαρία και τράβηξαν κατά την πόλη, για να βρουν καράβι που θα τους περνούσε απέναντι με τελικό προορισμό τα Γιάννενα και έναν ακόμη γάμο.

Την ίδια μέρα κιόλας, σ' ένα κομμάτι χαρτί που βρέθηκε όπως όπως, η Ζωή έγραφε δυο λόγια για τον πατέρα της στον θείο Μιλτιάδη και τον θερμοπαρακάλεσε να τα στείλει αμέσως στον αγαπημένο αδελφό του. Απέτρεπε με όση έμφαση μπορούσε τον πατέρα της να ξεκινήσει για την Κέρκυρα, γιατί ο γάμος είχε πια τελεσθεί για λόγους σοβαρούς και ανυπερβλήτους. Μια άλλη φορά θα του έγραφε τις λεπτομέρειες και θα του εξηγούσε. Ήταν πάντως καλά κι ευτυχισμένη. Αυτό είχε σημασία και ζητούσε και πάλι την ευχή του.

Μια εβδομάδα αργότερα η κοντέσα Ασημίνα έστειλε στη Ζωή κρυφά από τον κόντε Σπύρο το γράμμα του Θεοφάνη που μόλις είχε φθάσει και ζητούσε απ' τη Ζωή να αναβάλλει τις ετοιμασίες του γάμου, έως ότου δώσει ο ίδιος και πάλι την άδειά του. «Πολύ αργά, κακόμοιρε πατέρα...» ψιθύρισε η Ζωή παίρνοντας μια βαθιά ανάσα. «Ευτυχώς πολύ αργά...» διόρθωσε, σύμφωνα με τις υποδείξεις της καρδιάς της.

Διαβάζοντας με συγκίνηση ξανά και ξανά το γράμμα του Θεοφάνη, ούτε και που υποπτεύθηκε την αιτία της δεύτερης έγκρισης που απαιτούσε για το γάμο της ο γεννήτοράς της, μήτε βασανίσθηκε ιδιαίτερα ψάχνοντάς την. Όποια και να 'ταν, άλλες έγνοιες βασάνιζαν εκείνη. Όμως ήδη μέσα σε μια εβδομάδα είχε επιστρέψει το χαμόγελο στα χείλη της και με γοργό ρυθμό χτιζόταν η πεποίθησή της ότι εκεί στην παραδεισένια ερημιά, στους πράσινους λόφους των Βαρυπατάδων, μπορούσε να ευτυχήσει.

6

Δυο μέρες αφού έφυγε η Ζωή, ο Νεόφυτος ήταν έτοιμος να ξεκινήσει για την αποστολή που του είχε αναθέσει ο κύριος Χατζή Νίκου. Χωρίς τον ενθουσιασμό των πρώτων ημερών, όταν είχε αποφασισθεί εκείνο το ταξίδι, περιφερόταν την τελευταία μέρα μελαγχολικός, αφηρημένος μες στο σπίτι, ακούγοντας κάθε τόσο τις συμβουλές του πατέρα του, που όλες περιστρέφονταν γύρω από την εχεμύθεια, την προσοχή, την επαγρύπνηση. Την εύλογη καχυποψία απέναντι σε οτιδήποτε θα μπορούσε να απειλήσει ή να διακινδυνεύσει την ασφαλή μεταφορά των χρημάτων του Χατζή Νίκου στην Τράπεζα της Βιέννας. Ο Νεόφυτος κουνούσε καθησυχαστικά το κεφάλι του, όμως είχε πάρει τις αποφάσεις του και είχε αλλού το νου του.

Ωστόσο λίγες ώρες πριν φιλήσει του πατέρα του το χέρι και αποχωρισθεί οριστικά το σπιτικό του, ένιωθε

209

ξαφνικά αβέβαιος, αν είχε την τόλμη, το κουράγιο, να τα φέρει όλα σε πέρας. Ένιωθε να κλονίζεται μπροστά στις συνέπειες μιας τέτοιας απόφασης, που δεν θα είχε τρόπο επανόρθωσης ή έστω επιστροφής στο σταυροδρόμι από όπου τώρα αναχωρούσε. Όμως η επιθυμία γι' αυτή τη μεγάλη αλλαγή στη ζωή του φούντωνε τις τελευταίες εβδομάδες και επανερχόταν με μεγαλύτερη ορμή. Ήταν αποφασισμένος πια να φύγει για πάντα από την οικογένειά του, από τη γενέτειρά του. Ήταν αποφασισμένος να γευθεί τη δική του ελευθερία και γιατί όχι να αναζητήσει την τύχη του μες στην ορμή της Γαλλικής Επαναστάσεως δίπλα στον Ροβεσπιέρο.

Κατάφερε κι έδιωξε τους απρόσκλητους δισταγμούς, την ξαφνική αβεβαιότητα που τον πολιορκούσε. Τα είχε σκεφθεί όλα τόσες φορές στο προσκεφάλι του, πριν κλείσει τα μάτια του ο ύπνος. Ήθελε να ακολουθήσει τις ιδέες του για περισσότερη, για άπλετη ελευθερία. Να πάρει την τύχη του στα χέρια του με οποιοδήποτε τίμημα, αρκεί να μη γινόταν έμπορος, και μάλιστα έμπορος στο Βρασοβό. Δεν ήταν άλλωστε ο μόνος. Είχε παράδειγμα τον αδελφό του, αλλά και τόσους άλλους, που ο έξω κόσμος είχε ξεμυαλίσει. Ανάμεσα στη ζωή του, που ο ίδιος ήθελε να ορίσει με τίμημα την πίκρα που θα προξενούσε στον πατέρα του και στη ζωή που πρόκρινε ο γεννήτοράς του, επέλεγε την πρώτη. Πίστευε ότι όφειλε να επιλέξει την πρώτη. Σ' αυτό τον οδηγούσαν όλες οι νέες ιδέες που μήνες τώρα τον είχαν συνεπάρει. Με τον καιρό ο πατέρας του θα καταλάβαινε και θα τον συγχωρούσε. Έκανε αυθόρμητα το σταυρό του να φθάσει σώος μέχρι τη Βιέννα. Θα έβαζε πρώτα τα χρήματα του Χατζή Νίκου στην Τράπεζα. Σίγουρος ότι είχε επιτελέσει το καθήκον του, θα έγραφε μία επιστολή σε εκείνον και μία άλλη στον πατέρα του, όπου θα του εξηγούσε όσο καλύτερα μπορούσε τις αποφάσεις του. Ζητώντας κατανόηση, θα του φιλούσε το χέρι και θα ήλπιζε στην ευχή του.

Το βράδυ της προηγούμενης της αναχώρησής του, αναζήτησε τον Γιούλιους στη Βιβλιοθήκη για να τον αποχαιρετήσει. Αυτόν που ίσως θα αποκαλούσε μοναδικό του φίλο. Όμως τι σόι φίλος του ήτανε αυτός, αφού δεν αποτόλμησε να του αποκαλύψει όλη την αλήθεια, αφήνοντας μόνο υπονοούμενα ότι ήθελε να φύγει και να μην ξαναγυρίσει. Ωστόσο ο Γιούλιους, με την ευαισθησία και την ευφυΐα του, πίστευε ότι κατάλαβε περισσότερα από όσα ήθελε ο Νεόφυτος να του αποκαλύψει. Δεν δίστασε μάλιστα, κάτι σπάνιο για τις συνήθειές του, να εκδηλώσει τα αισθήματά του. Χωρίς να του αποκριθεί, τον αγκάλιασε σφιχτά και τον κράτησε έτσι όσο μπορούσε. Όταν τραβήχτηκε ο Νεόφυτος, μπόρεσε και διέκρινε στο λιγοστό φως τα γαλανά του μάτια βουρκωμένα. Έκπληκτος, αμήχανος, μπροστά στα πρωτόγνωρα αισθήματα που φανερώνονταν μπροστά του, πήρε στα χέρια του και έσφιξε νευρικά του φίλου του τις παλάμες, φελλίζοντας: «Εις το επανιδείν... adieu». Επέστρεφε στο σπίτι του αναστατωμένος, όμως γρήγορα απώθησε την ταραχή και τα ερωτηματικά του, αναλογιζόμενος το άλμα της επόμενης ημέρας.

Ο πατέρας του απουσίαζε στην καθιερωμένη σύναξη των εμπόρων πρώτης τάξεως. Ένιωσε το στομάχι του να γουργουρίζει και ζήτησε από την Ευανθία να του βάλει να φάει. Αφού αποδείπνησε, χειροφίλησε τη γιαγιά και για ώρα πολλή έμεινε σκυμμένος μπροστά της, παίρνοντας μια και δυο φορές ένα κορδόνι απ' τις ευχές της. Κλείστηκε στο δωμάτιό του, έφτιαξε τα χρειαζούμενα για το ταξίδι και εναπόθεσε προσεκτικά στον πάτο της τσάντας του μια δέσμη από τα αγαπημένα του σονέτα. Άκουσε τον πατέρα του να επιστρέφει, αλλά έκανε τον κοιμισμένο. Όλη τη νύχτα δεν μπόρεσε να κλείσει μάτι. Αραιά και πού λαγοκοιμόταν, κυνηγημένος από την αγωνία μην και τον πάρει ο ύπνος.

Χαράματα πετάχτηκε ξαφνικά απ' το κρεβάτι, σαν να είχαν πατήσει αγρίμια τις έξω γειτονιές τους. Άναψε προσεχτικά το λύχνο, καθώς άκουγε έναν κόκορα να κράζει. Έριξε λίγο νερό στο πρόσωπό του και έστρωσε βιαστικά με τα δάχτυλα τα μαλλιά του. Φόρεσε μηχανικά ό,τι του είχε ετοιμάσει με αγάπη η Ευανθία από την προηγουμένη. Φόρεσε και το σταυρό του με το φεγγαροδιαβασμένο φυλαχτό του. Άδειασε μονομιάς μια κούπα γάλα που του 'φερε με δυο παξιμάδια η Ευανθία, αναστενάζοντας και ψελλίζοντας ακατάληπτα λόγια. Κούνησε το κεφάλι του ευχαριστώντας την βουβά, αποφεύγοντας να της πει έστω μία κουβέντα. Εκείνη κάθισε πίσω από την πλάτη του και καλού κακού τον ξεμάτιαξε, κάνοντας πάνω στο κεφάλι του δύο φορές το σημείο του σταυρού και λέγοντας τα γνωστά λόγια της προσευχής: Δυο μάτια σε ματιάσανε, τρία σε ξεματιάσανε, Πατήρ, Υιός, και Άγιο Πνεύμα, Τριάδα ομοούσιος και αδιαίρετος.

Λίγο αργότερα, μπροστά στην ανοιχτή πόρτα της πόστας, ο Νεόφυτος έσφιξε βουρκωμένος στην αγκαλιά του τον πατέρα του, χωρίς εκείνος να μπορεί να υποπτευθεί τους λόγους της συγκίνησης του γιου του. Ο Θεοφάνης μάλιστα τον χτύπησε συγκαταβατικά στην πλάτη και σχεδόν τον έσπρωξε για να ανεβεί στην άμαξα. «Το νου σου, κακομοίρη μου... και τα μάτια σου δεκατέσσερα!» ήταν η τελευταία του κουβέντα. Την ίδια στιγμή, η Ευανθία με τα μάτια της να τρέχουν θυλάκωσε στον κόρφο του ένα ακόμη φυλαχτό, ειδικά γι' αυτόν, δυο μέρες πριν φτιαγμένο, ψευδίζοντας τις πρέπουσες συνοδευτικές κουβέντες και κάνοντας με το δεξί της σχήματα στον αέρα που σίγουρα απείχαν από το να είναι το σχήμα του σταυρού.

Ξεκινώντας το μακρύ ταξίδι για τη Βιέννα, ο Νεόφυτος είχε το νου του πρώτα στις συμβουλές του πατέρα του για το πολύτιμο φορτίο που κουβαλούσε και δευτερευόντως στις δικές του αποφάσεις. Όμως όσο απομακρυνόταν από τη Στεφανόπολη, που ο ίδιος πια συχνά πυκνά αποκαλούσε «Βρασοβό» και εκνεύριζε τον γονιό του, τόσο εξανεμίζονταν τα διλήμματα, οι δισταγμοί και οι συναισθηματικές φορτίσεις του αποχωρισμού απ' την πατρίδα του και την οικογένειά του. Το πρόσωπο της Γκρέτχεν του χαμογέλασε μια δυο φορές, όμως το απόδιωξε σαν κάτι άπιαστο, ονειρικό, μπορεί και δίχως σημασία που ήδη είχε εξανεμιστεί προτού προλάβει να τον σαγηνέψει και σαν αντίβαρο να τον κρατήσει στη γενέτειρά του. Έμειναν τα βουρκωμένα μάτια του Γιούλιους να επανέρχονται αραιά και πού, να τον προβληματίζουν και να τον συντροφεύουν.

Μια γλυκιά βραδιά του Αυγούστου, προχωρημένη ώρα, ο Νεόφυτος έφθασε στη Βιέννη. Η τέθριππος άμαξα πέρασε από την πύλη της Καρινθίας, που άνοιξε μετά από τον συνήθη έλεγχο των επιβατών της, και συνέχισε πάνω στο λιθόστρωτο με τα πέταλα των αλόγων και τις ρόδες της να αντηχούν στη σιωπή και να ανησυχούν αυτούς που ακόμη ξαγρυπνούσαν. Έφθασε στον καθεδρικό ναό του Αγίου Στεφάνου και κατέληξε λίγο πιο πίσω από το ιερό του στο Μικρό Ταχυδρομείο, σοφό δημιούργημα, σωστή επανάσταση της Μαρίας Θηρεσίας. Όχι μόνο γι' αυτούς που ήθελαν να αλληλογραφήσουν, αλλά και για όσους είχαν ανάγκη να ταξιδεύουν απ' άκρη σ' άκρη στην αυτοκρατορία.

Ο Νεόφυτος μπόρεσε και πήρε από τον βαριεστημένο αμαξηλάτη με μία κίνηση του χεριού του μια μάλλον αόριστη πληροφορία για την κατεύθυνση που ενδιαφερόταν. Βεβαιώθηκε για το πολύτιμο φορτίο του και ρίχνοντας το ζεμπίλι του στον ώμο τον καληνύχτισε, ευχαριστώντας τον για το ασφαλές ταξίδι που τους είχε προσφέρει. Διέσχισε την Πάνω Αγορά και κοντοστάθηκε ρωτώντας έναν χαμάλη που κουβαλούσε νυχτιάτικα κάδους με αλάτι από την παρακείμενη βασιλική υπηρεσία άλατος. Ο χαμάλης έδειξε να ξέρει κάτι παραπάνω. Ο Νεόφυτος τον ευχαρίστησε και πήρε τη Σαλβατόρστρασσε, προσπέρασε το Δημαρχείο και παραπατώντας κάθε τόσο στα σκοτεινά έφθασε μέχρι την εκκλησία της Παναγίας στα Σκαλοπάτια. Με μόνο βοηθό τη δυνατή του μνήμη από την προηγούμενή του επίσκεψη πριν τρία χρόνια, κατάφερε να καταλήξει στον προορισμό του, στη μικρή κατηφόρα που έβγαζε στο ποτάμι. Εύκολα αναγνώρισε την είσοδο της αυλής που αναζητούσε. Λίγο αργότερα, έπεφτε στην αγκαλιά του έκπληκτου αδελφού του.

Το σπιτικό του Χριστόδουλου, αν και μικροσκοπικό, στο πίσω μέρος μιας συνηθισμένης μεσαυλής της Βιέννας, έδειχνε νοικοκυρεμένο, τίποτα να μην του λείπει, χωρίς βέβαια να μπορεί να συγκριθεί με το πατρικό αρχοντικό τους. Τα δυο αδέλφια ξενύχτησαν γιορτάζοντας με μια κανάτα κρασί ανάμεσά τους την αναπάντεχη συνάντησή τους. Ο Χριστόδουλος πρόλαβε μόλις να πει ότι κατά κανόνα ήταν στη δούλεψη ενός Φλωρεντινού αρχιμάστορα. Μαζί με τόσους άλλους από τις γειτονικές επαρχίες της Τοσκάνης είχαν κατακτήσει τη Βιέννα χάρη στο γούστο τους, που τόσο οι εύποροι Βιεννέζοι εκτιμούσαν και ξεχώριζαν για την κατασκευή των αρχοντόσπιτών τους. Κατ' εξαίρεση εκείνο τον καιρό επισκεύαζε τη σκεπή του καθεδρικού ναού τους. Όμως δεν πρόλαβε να συνεχίσει. Ανυπόμονος, σχεδόν αναστατωμένος, ο Νεόφυτος τον διέκοψε και άνοιξε την καρδιά του. Του εμπιστεύθηκε τις ιδέες του, τα αισθήματά του, το θαυμασμό του για τον Ροβεσπιέρο, αλλά και πόσο τον είχαν εντυπωσιάσει με τις σκέψεις τους κάποιοι διανοούμενοι. Ανέφερε μια αράδα φωτισμένους λόγιους με επικεφαλής τον Λέσινγκ, αλλά και τον Καντ, παρ' όλο που ομολόγησε ότι δυσκολευόταν να τον κατανοήσει. Δεν δίστασε ούτε στιγμή και σαν τόπι από μετάξι ξεδίπλωσε υπερήφανος για το αληθινό και άξιο εμπόρευμά του τις αποφάσεις και τα σχέδιά του. Στο τέλος άδειασε σχεδόν με ορμή την κούπα που είχε μπροστά του, αφήνοντας ένα επιφώνημα βαθιάς ικανοποίησης, για όσα είχε εμπιστευθεί στον αδελφό του.

Ο Χριστόδουλος αφού τον άκουσε προσεχτικά, πιο πολύ με οδηγό το δυνατό ουγγαρέζικο τοκάι, παρά τη φρονιμάδα του μυαλού του, πιάνοντάς τον φιλικά από το σβέρκο, στήριξε τις επιλογές του και τον εμφύχωσε στις αποφάσεις του. Λίγο πριν καταρρεύσει ο ταλαιπωρημένος ταξιδιώτης, άκουγε μετά βίας αλλά όλος αυτιά τον αδελφό του να του εξομολογείται ότι ήταν πλέον ώριμος να προσχωρήσει σε μία βιεννέζικη στοά τεκτόνων. Όμως δεν άντεχε άλλο να μείνει ξάγρυπνος για να ικανοποιήσει την περιέργειά του. Χάραζε πια όταν ο Νεόφυτος έπεσε να κοιμηθεί εξαντλημένος και ο Χριστόδουλος άγρυπνος, στα όρια της μέθης, έφυγε για τη δουλειά του.

Περασμένο μεσημέρι με τον ήλιο να τυφλώνει τους Βιεννέζους, ο Νεόφυτος μούσκεμα στον ίδρο από την αποπνικτική ζέστη περνούσε με δέος το κατώφλι της Βασιλικής Τράπεζας της Βιέννας. Σκούπισε με το μαντίλι το πρόσωπό του και φόρεσε βιαστικά την περούκα του αδελφού του. Ο υποδιευθυντής της που τον δέχθηκε, αφού τον είχε αφήσει δίχως λόγο να περιμένει, έγινε αυθόρμητα προσηνής και ευγενής, όταν ο Νεόφυτος του εξήγησε το λόγο της επίσκεψής του. Μέσα σε λίγη ώρα είχαν όλα τελειώσει με υπογραφές και με σφραγίδες. Ο Νεόφυτος βάζοντας στον κόρφο του, στη θέση της καρδιάς, το αποδεικτικό έγγραφο της κατάθεσης που είχε κάνει, βγήκε ανάλαφρος στη μικρούτσικη πλατεία Πανεπιστημίου που χώριζε το πανεπιστήμιο από την τράπεζα. Όμως δεν είχε ακόμη μάτια για τη Βιέννα, τους δρόμους της, τα εντυπωσιακά κτίσματά της. Ούτε καν για τη ζωντάνια της ή τις γοητευτικές Βιεννέζες. Αλλού είχε το νου του, άλλα έψαχνε η ανήσυχη ματιά του. Δεν δυσκολεύτηκε να βρει εκείνο που ζητούσε.

Από το πρώτο εμπορικό που βρήκε μπροστά του προμηθεύτηκε επιστολόχαρτα, δυο φακέλους κι ένα φτερό χήνας. Ένιωθε περίεργα, σαν κλέφτης, που μαγνήτιζε το βλέμμα των υποφιασμένων. Κατέβασε

217

το κεφάλι του και πήρε το δρόμο με βήμα γοργό για το σπίτι του αδελφού του, προκειμένου να ολοκληρώσει τις δύο του υποχρεώσεις. Πρώτα την εύκολη. Η επιστολή στον Χατζή Νίκου. Μέσα σε λίγες φράσεις του έγραφε ότι είχε επιτελέσει με ακρίβεια την αποστολή του και ότι επεσύναπτε το σχετικό αποδεικτικό έγγραφο, αφήνοντας συγχρόνως σε μια αποστροφή να εννοηθεί ότι μάλλον ο ίδιος θα αργούσε να επιστρέφει. Φιλούσε το χέρι του και τον διαβεβαίωνε για το βαθύ σεβασμό που έτρεφε για το πρόσωπό του.

Ακολούθησε η δεύτερη επιστολή, η δύσκολη. Χρειάσθηκε δυο και τρεις φορές για να τη γράψει. Όταν τελείωσε, τη διάβασε, όμως δεν έμεινε ικανοποιημένος. Κρατώντας την στο πλάι, την ξανάγραφε, βάζοντας μεγαλύτερο σθένος και αποφασιστικότητα γι' αυτά που πίστευε και για εκείνα που είχε αποφασίσει. Ένιωθε το χέρι του να τρέμει από την ταραχή, τον ίδρο να τρέχει στους κροτάφους του και αιτία να μην είναι η ζέστη. Απ' τη συγκίνηση, τη φόρτιση, συνέθλιψε το φτερό της χήνας που κρατούσε. Ευτυχώς βρήκε δεύτερο στο ερμάριο με τα γραφικά του αδελφού του.

Ξεροκατάπιε μια και δυο φορές. Πρώτη φορά μιλούσε στον πατέρα του μ' αυτό τον τρόπο, έτσι όπως μιλούσε, όταν άνοιγε την καρδιά του στη Ζωίτσα. Γέμισε και την τελευταία κόλλα μέχρι τέλους, προκειμένου να αντισταθμίσει με λόγια αγάπης, σεβασμού κι εκτίμησης στο πρόσωπο του πατέρα του την πίκρα που θα του είχε προξενήσει με τα προηγούμενα

218

γραφόμενά του. Τη γέμισε μέχρι τέλους με λόγια ευγνωμοσύνης για όσα του είχε προσφέρει ως πατέρας, χωρίς καν να σκεφθεί να τον πληροφορήσει για την ολοκλήρωση του σκοπού του ταξιδιού του. Το θυμήθηκε την ώρα που βροντούσε τη γροθιά του επάνω στο βουλοκέρι. Ήτανε πια αργά, αλλά σκέφθηκε ότι δεν είχε σημασία, αφού ο Χατζή Νίκου θα τον ενημέρωνε ότι όλα είχαν γίνει σύμφωνα με τις οδηγίες που του είχε δώσει.

Το ίδιο απόγευμα αναζήτησε στην αρχή της Φλάισμαρκτ το εμπορικό του κυρίου Δημητρίου με τον οποίον ο πατέρας του, αλλά και ο Χατζή Νίκου, είχαν σταθερά δοσοληψίες. Δεν δυσκολεύθηκε να τον βρει και να του εξηγήσει. Την πόστα δεν την εμπιστευόταν. Οι δύο επιστολές είχαν τεράστια σημασία για τους αποδέκτες τους. Ο Γραικός έμπορος ανέλαβε μετά χαράς να εξυπηρετήσει τον Νεόφυτο, γνωρίζοντας ότι έτσι εξυπηρετούσε όχι μόνο τον Θεοφάνη, αλλά και τον Χατζή Νίκου, προς τον οποίο έτρεφε σεβασμό και είχε από παλιά υποχρεώσεις. Κράτησε και τις δυο επιστολές και τον διαβεβαίωσε ότι σε δύο μέρες, μαζί με άλλα φορτώματα υπό τη συνοδεία ανθρώπου της εμπιστοσύνης του, οι επιστολές θα ξεκινούσαν για τον προορισμό τους.

Ο Νεόφυτος τον καληνύχτισε με απανωτά ευχαριστώ. Βγήκε στο δρόμο, το σούρουπο γλυκό δεν έλεγε ακόμη να υποχωρήσει στο σκοτάδι. Με την άκρη του ματιού του έπιασε δύο δεσποσύνες να τον κοιτούν, να

219

φτιάχνουν δήθεν με επιμέλεια το καπελίνο τους και να κρυφογελάνε. Δεν παρασύρθηκε. Ανακουφισμένος με όσα είχε ολοκληρώσει, αλλά και αναστατωμένος με όσα είχε τολμήσει να γράψει στον γονιό του, στάθηκε σ' ένα ταβερνείο να πιει μια μπίρα. Στον πάγκο απέναντί του καθόταν ένας ομιλητικότατος αμαξοποιός, όπως του συστήθηκε ευθύς ο ίδιος, και του έπιασε κουβέντα για τις ξακουστές σε όλη τη Βιέννα άμαξές του. Ήταν προμηθευτής της Αυλής και των τάδε και τάδε ευγενών, που τα ονόματά τους δεν έλεγαν τίποτα στον συνομιλητή του. Ήξερε και να διαλέγει άλογα, αν το επιθυμούσε η ευγένειά του. Ο Νεόφυτος χαμογελούσε, έδειχνε ότι τον άκουγε και ότι πίστευε με θαυμασμό στην τέχνη του και στα λεγόμενά του, αλλά ήδη πανευτυχής με την άμαξα του νου και της καρδιάς του βρισκόταν μακριά στον αχό της επανάστασης και στην αχλή του Παρισίου.

Μόλις εκείνο το βράδυ ο Νεόφυτος συνειδητοποίησε, όταν κάθισε στο τραπέζι, ότι η αναστάτωση, οι αγωνίες και η ταραχή του δεν του είχαν επιτρέψει να αντιληφθεί ότι η γυναίκα που μπαινόβγαινε σιωπηλή όλη την προηγούμενη βραδιά και τους φρόντιζε με κρασί και με καλούδια δεν ήταν κάποια δούλα αλλά η Βοημή σύντροφος του αδελφού του, προς την οποία δεν είχε σκεφθεί να απευθύνει μία κουβέντα. Νιώθοντας άσχημα για την ασυγχώρητη αγένειά του, πετάχτηκε απότομα απ' την καρέκλα του κι έτρεξε στην κουζίνα να της σφίξει το χέρι, με δυο λόγια να επα-

νορθώσει. «Με λένε Νεόφυτο», είπε ξερά χαμογελώ-
ντας. «Το ξέρω», απήντησε μάλλον κακότροπα η
Βοημή, κρατώντας με δυσκολία το κοροϊδευτικό μει-
δίαμά της. Όμως σαν να το σκέφθηκε καλύτερα στη
συνέχεια, ανταποκρίθηκε λέγοντας: «Κι εμένα Έρι-
κα...» Του γύρισε ωστόσο την πλάτη για να συνεχί-
σει στο νεροχύτη τη δουλειά της.

Τότε μόλις πρόσεξε ο Νεόφυτος την κάπως περίερ-
γη στάση του κορμιού της και τη λίγο φουσκωμένη
κοιλιά της. «Παιδάκια έχετε;» ρώτησε, δείχνοντας
ξαφνικά και αδέξια ενδιαφέρον. Η Έρικα δεν έκανε
τον κόπο να στραφεί προς το μέρος του για ν' απα-
ντήσει. Αρκέσθηκε να πει ότι παιδάκια ο Θεός ακόμη
δεν τους είχε δώσει. Ένα μπάσταρδο φρόντιζε στα
σωθικά της, γιατί δεν είχανε περάσει ακόμη τα στε-
φάνια, και στα λόγια του Χριστόδουλου δύσκολα τέ-
τοια σχέδια διακρίνονταν. *Ο γάμος ήθελε περίσκεψη
και όχι βιάση*, ήταν μονότονα η απάντησή του, όταν
εκείνη ένιωθε να σώνονται οι αντοχές κι οι υπομονές
της και όλο απόγνωση τον ερωτούσε.

Η συζήτηση βούλιαξε απότομα εκεί, στην ξαφνική
αμηχανία, στον σαρκασμό που ξέφυγε από τα χείλη
της Έρικας και πάγωσε τα πρόσωπά τους. Ο Νεόφυ-
τος ένιωθε ένοχος, σαν να 'ταν αυτός υπαίτιος για την
ανέντιμη στάση του αδελφού του. Σιώπησε και απο-
τραβήχτηκε να πάρει ένα λουτρό, που ένιωθε ότι το εί-
χε τόσο ανάγκη. Λίγο αργότερα τουρτουρίζοντας από
το κρύο νερό, αποσύρθηκε στον κιναπέ που του χρησί-

μευε για κρεβάτι και τον φιλοξενούσε. Κούρνιασε εκεί καρφώνοντας βλοσυρά το βλέμμα του στον αδελφό του. Όμως εκείνος δεν έπαιρνε χαμπάρι. Αποκοιμήθηκε μην μπορώντας να δεχθεί την κατάσταση που μόλις του είχε αποκαλυφθεί, και την άνανδρη συμπεριφορά του αδελφού του. Άνανδρη κι ας ήταν με μπάσταρδα γεμάτη όλη η χώρα. Αποφάσισε να κάνει οπωσδήποτε πριν φύγει κουβέντα στον Χριστόδουλο, ελπίζοντας να τον συνετίσει.

«Ελεύθερος, ελεύθερος...» ψιθύριζε ο Νεόφυτος κάθε τόσο, καθώς περπατούσε την επομένη το πρωί άσκοπα στους δρόμους της Βιέννας και χάζευε πρώτη φορά με άλλη ματιά έναν καινούργιο κόσμο. Ένιωσε την ανάγκη να ευχαριστήσει τον Θεό και να αντλήσει δύναμη όσο μπορούσε και από Εκείνον. Ρωτώντας δεξιά αριστερά για τον Άγιο Γεώργιο, την εκκλησία των Γραικών, δεν ήταν άλλωστε και τόσο μακριά από το σπίτι του αδελφού του, έφθασε στο κατώφλι της, έκανε το σταυρό του και μπήκε με μια πρωτόγνωρη ανάταση ψυχής να προσκυνήσει. Άναψε ένα κερί, προχώρησε με ευλάβεια στο τέμπλο, ψιθύρισε λόγια ευγνωμοσύνης στον Θεό και ζήτησε τη βοήθειά Του για το μεγάλο ταξίδι που είχε αποφασίσει. Η ευλάβεια όμως δεν μπόρεσε να τον συνεπάρει. Παιδεύτηκε με τη σκέψη του λίγο. Και αν η επανάσταση τα είχε βάλει με τον κλήρο, αυτό αφορούσε σε εκείνους που εκπροσωπούσαν επί γης το λόγο του Θεού, τους τρόπους, τα προνόμιά τους και όχι την ίδια τη θρησκεία και τα Θεία. Ως συνήθως, ήτανε βέβαιος πως έπραττε σωστά, πως ήξερε σωστά να διακρίνει. Ως συνήθως... γιατί πίστευε ότι πάντα η λογική, η δύναμη του νου σε συμπεράσματα σωστά τον οδηγούσε. Βγήκε πιο σίγουρος, πιο δυνατός, και στύλωσε ευδιάθετος την κορμοστασιά του. Ένιωσε την ανάγκη μιας ανάσας πριν προχωρήσει στο σχέδιο που θ' άλλαζε τη ζωή του.

Πήρε το δρόμο προς τον καθεδρικό ναό του Αγίου Στεφάνου, για να χαζέψει την πόλη, τη ζωή της. Δεν είχε άλλωστε και τι να κάνει.

Βρέθηκε ξαφνικά σε μια πανσπερμία κόσμου στην πλατεία μπροστά στην πρόσοψη της εκκλησίας. Άκουγες όχι μόνο γερμανικά ή ουγγαρέζικα, αλλά ακόμη και γλώσσες άγνωστες, κάποιες μπορεί να ήταν βοημικά, βενετσιάνικα ή ισπανικά και άλλες ίσως από τη Φλάνδρα. Ευγενείς, νοικοκύρηδες και άνθρωποι του λαού να συνδιαλέγονται, να παζαρεύουν, ακόμη και να χωρατεύουν μεταξύ τους. Άλλοι βιαστικοί, φουριόζοι κι άλλοι περνώντας ράθυμα τον καιρό τους, επιδεικνύοντας και απολαμβάνοντας ακόμη και τους όλο χάρη τρόπους συμπεριφοράς τους. Σε κάθε δεύτερο ή τρίτο πηγαδάκι, η συζήτηση στρεφόταν γύρω από τη μουσική, το θέατρο, τα θεάματα, τη μόδα. Άλλος κόσμος, τόσο διαφορετικός από εκείνον των Σαξόνων, που ήξερε ο Νεόφυτος ή έστω φανταζόταν για τους Βιεννέζους. Όμως ίσως αυτός ήταν ο πραγματικός κόσμος της πρωτεύουσας, αυτή ήταν η Βιέννα και όχι

223

οι βαριές κουβέντες για την πολιτική και τον μεγάλο εχθρό τους τη Γαλλία.

Θυμήθηκε ότι στη στέγη του ναού θα 'πρεπε να επιστατεί κάποιες δουλειές ο αδελφός του. Θεώρησε ότι του δινόταν μια ευκαιρία να του μιλήσει για την Έρικα, για την ανεύθυνη στάση του απέναντι στον γιο του που ερχόταν, και σε εκείνη. Δίχως να διστάσει, ανέβηκε από την εσωτερική σκάλα του ναού, αναζητώντας τον στις σκαλωσιές της στέγης. Ατυχώς ο Χριστόδουλος, όπως τον πληροφόρησαν, απουσίαζε για λίγο. Ο Νεόφυτος ξεφύσηξε δυσανασχετώντας. Κοίταξε γύρω του και εκμεταλλεύτηκε τη στιγμή να θαυμάσει από το άνοιγμα της σκεπής τη θέα. Η ματιά του έπιασε μακριά στο βάθος, στην κορυφή ενός υψώματος, στα καλαίσθητα ανάκτορα του Μπελβεντέρε. Μέσα στην πρωινή λιακάδα δυο αμαξάκια κατηφόριζαν ανάλαφρα δίπλα σε μια δενδροστοιχία. Κάποιοι έφιπποι κάλπαζαν σε αντίθετη κατεύθυνση, μάλλον απολαμβάνοντας τις ήπιες ανηφόρες των γύρω λόφων, αν έκρινε κανείς από τις μάταιες προσπάθειες των άτυχων ιπποκόμων να τους φθάσουν. Ένιωσε ξαφνικά περίεργα, ίσως και ένοχα. Όλα τα έβρισκε τόσο όμορφα, τίποτα δεν τον ενοχλούσε από τις ειδυλλιακές στιγμές αυτών, που κατ' εξοχήν θύμιζαν τους αυλικούς των Αψβούργων, δηλαδή τον κόσμο των ευγενών που ήθελε το ίνδαλμά του ο Ροβεσπιέρος ν' ανατρέψει.

Χαιρέτησε τους εργάτες ευχόμενος καλή συνέχεια και κατέβηκε από τις σκαλωσιές. Αναζήτησε μία σκιά

224

και τη βρήκε στα πανύψηλα τείχη της πρόσοψης της εκκλησίας, ελπίζοντας από στιγμή σε στιγμή να φανεί ο αδελφός του. Κούρνιασε καταγής με την πλάτη του κολλημένη στα σκιερά πλαϊνά της. Έφερε στο μυαλό του το ταξίδι που είχε μπροστά του και για πρώτη φορά, τώρα, λίγο πριν εγκαταλείψει οριστικά τη μεγάλη Αυστρία κι όλες τις ευεργετικές βεβαιότητες και ευχέρειες που είχε παράσχει γενναιόδωρα στους Γραικούς η Μαρία Θηρεσία και οι ομοϊδεάτες διάδοχοί της, ένιωσε και πάλι, όπως την προηγούμενη της αναχώρησής του, απέναντι στο άγνωστο ένα δέος. Γιατί στην πραγματικότητα ένα άγνωστο θα άλλαζε συθέμελα τη ζωή του.

Βασανιστικά ερωτήματα άρχισαν ύπουλα να τον ζώνουν. Θα κατάφερνε άραγε να επιβιώσει; Να δοθεί στην επανάσταση και να προσφέρει στην πραγματοποίηση των ιδεών της, χωρίς να κατέχει τη γαλλική γλώσσα; Άραγε θα κατάφερνε να εντοπίσει κάποιους Γραικούς σε μια τέτοια μεγαλούπολη και να τους πείσει να τον δεχθούν στη δούλεψή τους; Θα τα κατάφερνε δίχως να κρατά στο χέρι μία επιστολή από πρόσωπο εμπιστοσύνης που θα έλεγε μια καλή κουβέντα για την αφεντιά του; Τι θα έκανε, όταν θα πρωτοπατούσε το πόδι του στο Παρίσιον; Σίγουρα θα αναζητούσε το μνήμα, όπου η επανάσταση είχε ξαναθάψει το λείψανο του Βολτέρου με τις τιμές που του αξίζαν. Όμως μετά; Όλα αυτά τα ερωτηματικά, τους ενδοιασμούς και τις επιφυλάξεις, τα απωθούσε μέχρι τώρα, γιατί δεν

225

ταίριαζαν με την ορμή της επανάστασης, δεν βρίσκονταν στο ύψος των ιδεών της. Ή μήπως επειδή το μόνο που ήθελε κατά βάθος ήταν απλώς να φύγει απ' τη γενέτειρά του;

Αβέβαιος, αμφίθυμος, έδιωξε δυσανασχετώντας για άλλη μια φορά τις στενόχωρες σκέψεις. Θυμήθηκε ότι την προηγουμένη στο μαγαζί απ' όπου είχε προμηθευθεί τα επιστολόχαρτά του, το μάτι του είχε πάρει και κάποια βιβλία. «Να κάτι που ποτέ του το Βρασοβό δεν θα αποκτήσει...» είπε περιφρονητικά για τη γενέτειρά του. Ανασηκώθηκε, τίναξε απ' το παντελόνι του τη σκόνη και κατευθύνθηκε προς το εμπορικό ορεξάτος. Από την ορθάνοιχτη πόρτα του έβγαινε ο απόηχος μιας συζήτησης σε τόνους υψηλούς. Κοντοστάθηκε στο άνοιγμά της με έκδηλη την περιέργεια να παρακολουθήσει και να πληροφορηθεί τη διένεξη που είχε φουντώσει ανάμεσα σε μια παρέα. Αν και δεν ήταν φοιτητές σε ώρα σχόλης από το διπλανό πανεπιστήμιο, ήτανε σίγουρος ότι μόλις θα είχε φθάσει κάποια είδηση από το μέτωπο της επανάστασης και ως συνήθως θα τους είχε διχάσει.

Με έκπληξη διαπίστωσε ότι είχε πέσει έξω. Οι συμπαθείς Βιεννέζοι, συνομήλικοι του πατέρα του, αρχοντάνθρωποι και χωρίς εμφανή έγνοια για την εξασφάλιση του επιούσιού τους, αν έκρινε κανείς από το ντύσιμό τους, άλλοι ανεμίζοντας με το δεξί τα μαντιλάκια τους για να δροσισθούνε και άλλοι ρουφώντας τη μακρύλαιμή τους πίπα, διαφωνούσαν για το ποιος ήταν ο πιο σπουδαίος. Ο Μότσαρτ ή ο Χάιντν; Τι θα είχε συμβεί, αν δεν είχε πεθάνει αιφνίδια ο Μότσαρτ τόσο νέος; Εδώ και δύο χρόνια είχε εγκατασταθεί στη Βιέννη κάποιος νεαρός πιανίστας ονόματι Μπέετοβεν. Μπορούσε κάποιος έγκυρα να βεβαιώσει για τις φημολογούμενες χαρισματικές ικανότητες και δεξιότητές του και να δικαιολογήσει τις κατ' επέκταση εύλογες αναμονές, που είχε γεννήσει σε όσους τον είχανε ακούσει; Ο Μεταστάσιο άξιζε της φήμης που είχε σε κύκλους της αυλής πριν χρόνια αποκτήσει; Κι ακόμα: Είχε ή δεν είχε η Βιέννα όλες τις προϋποθέσεις να γίνει μητρόπολις του κόσμου της μουσικής; ...γιατί όχι μητρόπολις του πολιτισμού σε όλη την Ευρώπη;

Ο Νεόφυτος άκουγε μαγνητισμένος, αδιαφορώντας, όπως συνήθιζε, αν θα γινόταν αντιληπτή η αδιάκριτη συμπεριφορά του. Πρώτη φορά αισθανόταν γοητευμένος από μια τέτοια συζήτηση. Ανακάλυπτε ότι υπήρχε κι ένας άλλος κόσμος ικανός να παθιάσει και να συμπαρασύρει ακόμη και αμύητους στα μυστικά του. Όμως δεν πρόλαβε να απολαύσει τη συζήτηση που τον είχε ήδη σαγηνεύσει.

Προχώρησε δυο βήματα για να μη στέκεται στην πόρτα και η ματιά του έπεσε σε μια εφημερίδα, που θα 'λεγε κανείς ότι τον περίμενε για να τη διαβάσει. Η είδηση φαρδιά πλατιά στην πρώτη της σελίδα. Η μεγάλη είδηση. Ανοιγόκλεισε νευρικά τα μάτια του για να πεισθεί γι' αυτό που διάβαζε μπροστά του. Η απίστευτη είδηση, που του 'κοβε τα γόνατα και την

227

ανάσα: Λίγες μέρες πριν είχαν καρατομήσει στην γκι-
λοτίνα τον ίδιο τον Ροβεσπιέρο!!! Μαζί με αυτόν και
καμιά εικοσαριά αγωνιστές της επανάστασης, στενούς
του συνεργάτες. Πήρε την εφημερίδα στα χέρια του
και μέσα σε δυο γραμμές πληροφορήθηκε ότι οι αντί-
παλοι του Ροβεσπιέρου τον είχαν ανατρέψει. Ο Νεό-
φυτος ένιωσε να φεύγει η γη κάτω απ' τα πόδια του.
Σφήνωσε δυο δάχτυλα μέσα από το περιλαίμιό του,
προσπαθώντας κάπως να το χαλαρώσει. Κατάφερε να
ρωτήσει τον μαγαζάτορα για την ακρίβεια της είδησης
κι εκείνος, αφού τον κοίταξε καλά καλά, μάλλον κα-
χύποπτα, ζυγιάζοντας και ψάχνοντας να βρει τι έκρυ-
βε η ερώτησή του, απήντησε ικανοποιημένος, κουνώ-
ντας με έμφαση το κεφάλι: «Oh ja!»*

Η ομήγυρις είχε σταματήσει ξαφνικά τη συζήτησή
της. Η σιωπή γινότανε βρόγχος γύρω από το λαιμό
του. Τον κοιτούσαν και με τη ματιά τους τον έσπρω-
χναν προς την πόρτα. Βγήκε στο δρόμο σαν χαμένος,
ο ήλιος έλαμπε κι όμως τα πάντα είχαν σκοτεινιάσει.

Επέστρεφε στο σπίτι συγκλονισμένος, με το κεφάλι
σκυφτό, σαν να έψαχνε στο λιθόστρωτο τις απαντήσεις.
Κοντοστεκόταν κάθε τόσο. Περαστικοί τον έσπρωχναν
στο διάβα τους ή τον σκουντούσαν, χωρίς ο ίδιος να
αντιλαμβάνεται ότι προχωρούσε σαν ζαλισμένος μετά
από δυνατή οινοποσία. Το όργανο της τάξεως μπροστά
στην είσοδο της αυλής του Δημαρχείου τον πλησίασε

* Ω, ναι

228

και τον ρώτησε, μάλλον από ενδιαφέρον εκ καθήκοντος παρά από συμπόνια, αν κάτι του συμβαίνει. Εκείνος απομακρύνθηκε καθησυχάζοντάς τον. Ένα τον ένοιαζε. Προσπαθούσε εναγώνια να συλλάβει τη σημασία της τραγικής είδησης και τις συνέπειές της για την επανάσταση. Είχε ανάγκη να μιλήσει με τον αδελφό του — να ανταλλάξει δυο κουβέντες με τον οποιονδήποτε που θα μπορούσε να τον φωτίσει — όμως πού να τον βρει και πού να τον ψάξει;

Βρήκε την Έρικα να απλώνει την μπουγάδα της στη μεσαυλή. Ζήτησε ένα ποτήρι νερό και κάθισε σ' ένα σκαμνί, προσπαθώντας να βγάλει από το φτωχό δημοσίευμα κάποια επιπλέον συμπεράσματα. Όπως ίσως ότι θα επικρατούσαν πλέον οι αστοί; Τουλάχιστον οι μετριοπαθείς αστοί και όχι οι βασιλόφρονες! Αλλά και έτσι... όλα πια θα είχαν τελειώσει! Έμεινε εκεί αβοήθητος, δίχως απαντήσεις, ανάστατος αλλά και αφηρημένος να χαζεύει.

Ένας περαστικός αξιωματικός διασχίζοντας την αυλή βρήκε την ευκαιρία να πειράξει την Έρικα, όμως κόντεψε να λουστεί μία λεκάνη με απόνερα και το 'βαλε στα πόδια. Ο Νεόφυτος ξεχάστηκε προς στιγμή, χαμογέλασε φαρδιά πλατιά, ενθουσιασμένος με την αντίδρασή της και κόλλησε πάνω της τη ματιά του. Η φούστα της κάθε τόσο άφηνε μια πιθαμή ακάλυπτη πάνω απ' τον αστράγαλό της. Από το άνοιγμα της κατάλευκής της μπλούζας ξεπηδούσε το γοητευτικό της στήθος, σαν δυο δίδυμα φρεσκοψημένα ψωμά-

229

κια. Πράγματι μια όμορφη γυναίκα, σκέφθηκε, που με το παρουσιαστικό της, παρά την εγκυμοσύνη, μπορούσε να σε αναστατώσει, δίχως η ίδια να το επιδιώκει! Όμως τι είδους συζήτηση θα μπορούσε μαζί της να ανοίξει για την επανάσταση και για τον Ροβεσπιέρο; Εκεί έτρεχε το μυαλό του, άλλα αναζητούσε η ψυχή του. Ποιος άραγε θα μπορούσε να ξέρει κάτι παραπάνω;

Θυμήθηκε ξαφνικά τους αδελφούς Μαρκίδες-Πούλιου που εξέδιδαν την «Εφημερίδα». Παρά τις σοβαρές επιφυλάξεις του για την ατολμία της και την ουδετερότητά της, σίγουρα θα ήταν κάποιοι από τους οποίους θα μπορούσε να μάθει κάτι, μέχρι να επιστρέψει το βράδυ ο αδελφός του. Ρώτησε την Έρικα, αν είχε ακούσει ποτέ τα ονόματά τους. Προς μεγάλη του έκπληξη, εκείνη του απήντησε ότι ίσως να ήταν αυτοί που έγραφαν την εφημερίδα που είχε ο Χριστόδουλος δίπλα στο προσκεφάλι του. Ο Νεόφυτος τη ρώτησε, αν γνώριζε πού θα μπορούσε να τους βρει κι η Έρικα του υπέδειξε να ρωτήσει στον πασίγνωστο εμπορικό οίκο του Δούκα Χατζημιχαήλ. Λίγο πιο κάτω, Αμ Φλάισμαρκτ στον αριθμό 737, μέσα στο στενό. Εκεί μπορούσε κανείς να πληροφορηθεί οτιδήποτε αφορούσε στους Γραικούς.

Μεσημέρι περασμένο και η Βιέννα να μην αντέχει τόση ζέστη. Άφαντο και το ελάχιστο αεράκι που ερχόταν συνήθως από τους λόφους της Βοημίας και συνόδευε τον Δούναβη στην κατεβασιά του. Η σκόνη σαν πούδρα πάνω στο λιθόστρωτο να κάνει τις πέτρες πότε να τρίζουν και πότε να γλιστρούνε. Τα αριστοκρατικά ομπρελίνα που μέχρι πριν λίγο έκαναν τις ευγένειές τους να ξεχωρίζουν, είχαν ήδη αποσυρθεί από τους δρόμους. Υπαίθριοι πωλητές και πλανόδιοι μικροπραματευτάδες άρχιζαν να αραιώνουν. Κάθιδρος, με την εφημερίδα των τραγικών συμβάντων υπό μάλης, ψάχνοντας και ρωτώντας, ο Νεόφυτος δεν δυσκολεύθηκε να βρεθεί μπροστά στο τυπογραφείο των αδελφών Πούλιου, κοντά στον οίκο του Χατζημιχαήλ, στον αριθμό 744. Εντυπωσιάσθηκε μάλιστα τόσο από την εκδοτική δραστηριότητα των δύο αδελφών, καθώς εθαύμαζε τα βιβλία τους σε μια στενή προθήκη πίσω από το παράθυρο. Άρχισε να σκέφτεται μήπως είχε βιασθεί κάποτε να τους κακολογήσει. Όμως δεν ήταν αυτό το ζήτημά του.

Μπήκε στο τυπογραφείο και κοντοστάθηκε, φωνάζοντας από την πόρτα τα ονόματα των Πούλιου. Τα δυο αδέλφια δούλευαν εκείνη τη στιγμή σκυμμένοι καθένας στη γωνιά του. Σήκωσαν το κεφάλι τους ξαφνιασμένοι. Ο ένας χαμήλωσε πάνω στη μύτη τα γυαλιά του, ο άλλος ρώτησε μάλλον χαμηλόφωνα «τι θέλετε;», κοιτώντας πλάγια τον αδελφό του. Τον υποδέχθηκαν με επιφυλακτικότητα, ίσως και καχυποψία, έτσι όπως τον είδαν να μπαίνει με ορμή στο τυπογραφείο και να τους αναζητά, σαν να ήταν όργανο της αστυνομίας. Και κυρίως όταν, άγνωστος μεταξύ αγνώστων, άρχισε να ξανοίγεται σχεδόν αμέσως, έτσι

231

απροκάλυπτα και με τέτοια επιπολαιότητα, ρωτώντας για την επανάσταση και τον Ροβεσπιέρο, αψηφώντας οποιονδήποτε και οτιδήποτε στον περίγυρό του.

Η συζήτηση εν τούτοις δεν δυσκολεύθηκε να ξεπεράσει τις αρχικές εντυπώσεις και να τους φέρει λόγο στο λόγο πιο κοντά. Ο Νεόφυτος μπόρεσε και κέρδισε τους συνομιλητές του με τον αυθορμητισμό του, το ύφος του και την ξάστερη ματιά του. Κατάφερε και τους έπεισε για τις πεποιθήσεις του, την ειλικρίνεια των διαβεβαιώσεών του και βέβαια το πιο σημαντικό για τα δύο αδέλφια, ότι δεν ήταν σπιούνος της αστυνομίας.

Οι αδελφοί Πούλιου, μετά από ώρα συζήτησης, έδειξαν να χαλαρώνουν ή μπορεί και να αποφάσισαν να ξανοιχθούνε. Έπεισαν τον Νεόφυτο ακόμη πιο εύκολα ότι δεν ήταν πειθήνια όργανα του απολυταρχικού καθεστώτος του Φραγκίσκου, αλλά ότι πάντα προσπαθούσαν να βρίσκονται μέσα στα όρια της νομιμοφροσύνης. Ιδίως με τη βοήθεια ενός φιλέλληνα Βιεννέζου ονόματι Μπάουμαϊστερ, παιδαγωγού στα ανάκτορα της Βιέννας, που τους είχε υπό την προστασία του και στον οποίο αρχικά ανήκε το τυπογραφείο. Αλλιώς κινδύνευαν να βρεθούν και μόνο για τις ύποπτες πεποιθήσεις και την ανατρεπτική τους ιδεολογία — και προς Θεού όχι τα γραπτά τους — ανά πάσα στιγμή σε κάποιο σκοτεινό μπουντρούμι της διαβόητης αστυνομίας, όπου θα σάπιζαν μέχρι ν' αποδημήσουνε στον άλλο κόσμο. Με χίλια βάσανα και όρκους πί-

232

στης είχαν μόλις ξεμπλέξει με την αστυνομία, εξαιτίας μιας αναφοράς της 6ης Απριλίου κάποιου Αυστριακού στρατηγού από το Τέμεσβαρ προς το Αυλικό Πολεμικό Συμβούλιο, που κατήγγειλε την κυκλοφορία της εφημερίδας των Γραικών στο Βιδίνι για την περιγραφή των αποτυχιών των Αυστριακών στον πόλεμο κατά των Γάλλων.

Σίγουρο ήταν ότι συμμερίζονταν τις επαναστατικές ιδέες του Νεόφυτου, αλλά το βλέμμα τους δεν ήτανε στραμμένο στην Εσπερία και στο Παρίσιο, αλλά στην μεταφύτευση των ιδεών και των αρχών της επανάστασης στο νότο και στο υποδουλωμένο γένος. Είχαν αιφνιδιασθεί από την είδηση της καρατόμησης του Ροβεσπιέρου, αλλά δεν έδειχναν να συγκλονίζονται και να παθιάζονται από το γεγονός και τις συνέπειές τού, όπως ο ίδιος.

Άνοιξε ξαφνικά η πόρτα και το κουδουνάκι της άρχισε να κτυπά σαν τρελό πέρα δώθε. Τα δυο αδέλφια δεν έδειξαν να εκπλήσσονται, όταν είδαν την παχουλή φράου Ελίζαμπεθ να εισβάλει με ένα δίσκο φορτωμένο με ένα μικρό καρβέλι ψωμί, συκώτι χήνας, τουρσιά και βραστές πατάτες, καθώς και δύο μεγάλα ποτήρια μπίρα. Χωρίς περιστροφές, οικοδεσπότες και επισκέπτης επέπεσαν πάνω στο δίσκο πεινασμένοι. Ο Πούπλιος Πούλιος μασουλώντας με βουλιμία έδειξε κάποια στιγμή να κοιτά αφηρημένος στο κενό, σαν να προβληματιζόταν. Ρώτησε τότε τον Νεόφυτο για τα σχέδιά του κι εκείνος τα 'χασε. Γύρισε ο κόσμος μέσα του κι ήρθαν τα πάνω κάτω. Κομπιάζοντας, ομολόγησε ότι δεν είχε. Τα δυο αδέλφια κοιτάχτηκαν στα μάτια, έτσι όπως όταν αντάλλασσαν σκέψεις συγγενικές και συνεννοούνταν.

Ο Πούπλιος Πούλιος πήρε πάλι το λόγο. Εκθείασε πρώτα τις μεγάλες αλλαγές που είχαν γίνει από τους Αψβούργους στις μέρες της Μαρίας Θηρεσίας και των φωτισμένων γιων της Ιωσήφ και Λεοπόλδου, με τη νηφάλια συμβουλή και συμβολή του εβραίου Ιωσήφ Ζόνενφελς, τη φιλελεύθερη πολιτική τους, την ανεξιθρησκεία απέναντι σ' όλα τα δόγματα. Αλλά και την ευαισθησία τους απέναντι σε κάποια ζητήματα των υπηκόων τους, όπως εκείνα της δημόσιας υγείας, της προστασίας της μικρής ιδιοκτησίας πάνω στη γη, καθώς και σε φαινόμενα αυταρχισμού της δημόσιας διοίκησης απέναντι στους υπηκόους τους που προσπάθησαν να περιορίσουν. Πράγματα εξόχως σημαντικά, που όμως δεν εκτιμήθηκαν επί των ημερών της, αν κρίνει κανείς από την γκρίνια που τη συνόδευσε στη δύση της διακυβέρνησής της. Πάντως ό,τι κι αν έλεγαν, οι Γραικοί έμποροι δεν είχαν λόγο να είναι παραπονεμένοι, σε αντίθεση με τους εβραίους, που παρά την παρουσία του Ζόνενφελς, υστερούσαν σε αρκετά δικαιώματα στην καθημερινή ζωή τους.

Ο αγορητής αφού πήρε μια βαθιά ανάσα, ρεύτηκε μάλλον δυνατά και συνέχισε αμέσως. Μετά τον πρόωρο θάνατο του Λεοπόλδου και την ενθρόνιση του Φραγκίσκου, τα πράγματα είχαν τα τελευταία δύο χρόνια αλλάξει. Ό,τι πιο αυταρχικό ελλόχευε στην αυλή των Αψβούργων, πήρε τα πάνω του και συσπειρώθηκε, έγινε βρόγχος για τον άπειρο εικοσιτετραετή αυτοκράτορά τους. Οι πλέον φωτισμένοι αυλικοί που έκαμαν μέχρι πριν κουμάντο μπήκαν στο περιθώριο, μάλλον για πάντα. Οι συνέπειες άγγιζαν ήδη και τους Γραικούς. Οι έλεγχοι για κάθε νιόφερτο που επιζητούσε άδεια παραμονής, ιδίως Γραικών εμπόρων, είχαν τελευταία ενταθεί. Άγνωστο για ποιον άλλο λόγο, πέραν εκείνου της αυξανόμενης καχυποψίας απέναντι σε όποιον δεν ήταν αναφανδόν ενθουσιώδης υπήκοος της Αυτού Μεγαλειότητάς του και αρεστός στους σπιούνους που ήταν στη δούλεψή του. «Με σύμβουλο το φόβο δεν κυβερνιέται ούτε μία αυλή μήτε μία αυτοκρατορία», είπε στοχαστικά αυτός που έδειχνε ότι ήταν ο μεγαλύτερος των δύο αδελφών.

«Κι όμως...», συνέχισε ο νεότερος. Οι αυλικοί φοβόντουσαν μην βρεθούνε μιμητές αυτών που είχαν ξεκινήσει την επανάσταση στη Γαλλία. Φοβόντουσαν τους Μασόνους και τους Ιακωβίνους. Φοβόντουσαν τους κρυφούς Γαλλόφιλους στην επικράτειά τους μέσα σε μια κυμαινόμενη εμπόλεμη κατάσταση με τη Γαλλία και τις αβεβαιότητές της. Φοβόντουσαν αυτούς που θα μπορούσαν να τους δημιουργήσουνε μπλεξίματα και προστριβές με τις άλλες μεγάλες δυνάμεις. Φοβόντουσαν ακόμη και τον Βενιαμίν Φραγκλίνο και τις εφευρέσεις του, αλλά και πόσους ακόμη ανάλογούς του θα μπορούσε η Αγγλία να ξεφουρνίσει και να κυριαρχήσει

235

με τα όπλα και τις ανακαλύψεις της επιστήμης.

Η κατάληξη ήταν μοιραία: Η λυτρωτική προκήρυ-ξη της ελευθερίας του Τύπου από τον ίδιο τον αυτο-κράτορα Ιωσήφ το 1781 είχε προ πολλού περιπέσει σε αχρησία. Τίποτα δεν επιτρεπόταν να τυπώσουν και να δημοσιεύσουν χωρίς την άδεια της λογοκρισίας. «Όχι βέβαια ότι τηρούμε με ευλάβεια την υποχρέωσή μας... σε κάθε περίσταση έχουμε κι άλλο ζύγι... ας είναι καλά ο Βαρθολομαίος Κοπιτάρ, ο λογοκριτής για τα ελληνικά κείμενα, που είναι ένθερμος φιλέλλη-νας και άνθρωπος καλά φυλαγμένων φιλελευθέρων πεποιθήσεων.»

Ο Πούπλιος Πούλιος σταμάτησε προς στιγμή την αγόρευσή του, σκούπισε τον ίδρο που τον έλουζε στο μέτωπο και γύρω από το λαιμό του και απήντησε ως αυτόκλητος υποβολέας σε μια υποθετική ερώτηση που δεν του είχε γίνει: Ο Νεόφυτος ως καισαροβασιλικός υπήκοος σίγουρα δεν ανήκε σ' αυτήν την κατηγορία των αιτούντων άδεια παραμονής ή υπηκοότητα, και ακόμη ότι η φρονιμάδα που ζωγραφιζόταν στο πρό-σωπό του ήταν πέραν πάσης αμφιβολίας.

Έγινε απότομα μια παύση στην προσπάθεια του Πούπλιου να βάλει με ένα νεύμα στη συζήτηση τον αδελφό του. Το πέταγμα μιας μύγας κυριάρχησε μες στο δωμάτιο. Ο Νεόφυτος άκουγε σιωπηλός, κουνώ-ντας το κεφάλι του και συμφωνώντας, χωρίς να μπο-ρεί να φαντασθεί πού θα κατέληγε εκείνη η ασυνήθι-στη αγόρευση. Και τότε ο Γεώργιος Πούλιος που

236

έδειχνε να κουράζεται από του αδελφού του την πολυλογία, αφού άδειασε το ποτήρι με την μπίρα, ερώτησε ευθέως τον Νεόφυτο αν ενδιαφερόταν να μπει στη δούλεψή τους για την προώθηση της Εφημερίδας τους, καθώς και των βιβλίων που εξέδιδαν. Κυρίως για την αναζήτηση και την εγγραφή συνδρομητών στις απανταχού κοινότητες των Γραικών. Ταξίδευαν κι οι ίδιοι, αλλά όσο περνούσε ο καιρός, τόσο μεγάλωνε και η ανάγκη για ακόμη ένα χέρι βοηθείας.

Ο Νεόφυτος αιφνιδιάσθηκε. Σίγουρα δεν ήτανε σε θέση να απαντήσει με ένα ναι, εγκαταλείποντας τα σχέδια και τα όνειρά του. Κόμπιασε, ξερόβηξε, έγλειφε τα στεγνά του χείλη. Από την άλλη πλευρά, δεν ήθελε να αποκριθεί με ένα όχι ξερό στην καλόκαρδη πρότασή τους. Τότε ο Πούπλιος για να τον βγάλει από τη δύσκολη θέση ή και για να τον παγιδέψει στο φιλότιμό του, έγειρε προς το μέρος του πιάνοντάς τον από τον ώμο. Χαμηλόφωνα, λες και θα τους άκουγε αλλιώς ολόκληρη η Βιέννα, τον κάλεσε το βράδυ σε ένα αρχοντικό ομογενούς στο τελευταίο διώροφο της Χέρρενγκάσσε — αποφεύγοντας ακόμα και να ονοματίσει τον Γραικό έμπορο — για ένα ποτήρι κρασί με κάποιους φίλους. Τόνισε μάλιστα την αναγκαία εχεμύθεια με την οποία περιέβαλλε την πρόσκλησή του, ώστε ο Νεόφυτος δεν τόλμησε να ρωτήσει, αν θα μπορούσε να συνοδεύεται από τον αδελφό του. Χώρισαν ευδιάθετοι και με την αίσθηση μιας συνωμοσίας ήδη να τους δένει, παρόλο που ο Νεόφυτος είχε επιφυλαχθεί σε όλα να απαντήσει. Δίσταζε ακόμη και να πάει μόνος του στη σύναξη, άγνωστος ανάμεσα σε ξένους, όμως καθώς απομακρυνόταν, ένιωθε μέσα του την περιέργεια να τον τρώει.

Δυο αστυνομικοί, που πρόβαλαν ξαφνικά από τη γωνία να περιπολούν, τον προσπέρασαν, αφού του έριξαν μια βλοσυρή ματιά. Ο Νεόφυτος ενοχλήθηκε, ωστόσο η ματιά τους δεν στάθηκε ικανή να τον φοβίσει. Ευθυτενής οδήγησε τα βήματά του λίγο πιο πέρα στον καφενέ του πανδοχείου «Ο Λευκός Βους», στέκι και πέρασμα πασίγνωστο των Γραικών της Αυστρίας και της Μολδοβλαχίας. Παρήγγειλε μια μπίρα για να ξαποστάσει και να σκεφθεί. Όμως δεν πρόλαβε να την απολαύσει. Εισέβαλαν οι δύο αστυνομικοί που μόλις είχε συναντήσει και κάθισαν σε ένα παραδιπλανό τραπέζι. Άπλωσαν επιδεικτικά τα πόδια τους ανοίγοντάς τα, σαν να ήθελαν να διατρανώσουν, ποιος έκανε εκεί κουμάντο. Ένας καλοντυμένος κύριος με περιποιημένη κατάλευκη περούκα, τον αντίχειρα σφηνωμένο στο τσεπάκι του γιλέκου του, σηκώθηκε ενοχλημένος. Πέταξε ένα νόμισμα στο τραπέζι και με αργά βήματα, στηριζόμενος με χάρη στο κομψό μπαστούνι του, εγκατέλειψε το καφενείο. Ο Νεόφυτος ένιωσε την ανάγκη να φερθεί παρόμοια. Δίχως δεύτερη σκέψη χαιρέτησε αμήχανα τη σερβιτόρα που κατέφθανε χαμογελαστή, κρατώντας την μπίρα μπροστά στα ροδαλά της στήθη, και με δυο δρασκελιές βρέθηκε στο λιθόστρωτο.

Ο δρόμος της επιστροφής στο σπίτι του αδελφού του μετατράπηκε σε άσκοπη περιπλάνηση στην αγορά της Βιέννας και στους γύρω δρόμους. Σε κάθε δημόσια βρύση κοντοστεκόταν, δροσιζόταν με μια χούφτα νερό ή βρέχοντας το μαντίλι του, και σέρνοντάς το στο πρόσωπο και στο λαιμό του. Δίχως να το καταλάβει, έφθασε μέχρι τα ανάκτορα, όμως δεν είχε μάτια και μυαλό να τα θαυμάσει, όπως συνέβαινε με κάθε περαστικό που τύχαινε να βρεθεί μπροστά τους.

Είχαν αρχίσει πάλι να τον ζώνουν οι αμφιβολίες και οι μαύρες σκέψεις. Να μην ξέρει ξαφνικά τι να απαντήσει στην πρόταση του Πούλιου και πώς να τα βρει με τον εαυτό του. Το κομπόδεμά του σύντομα θα εξανεμιζόταν πολύ πιο γρήγορα από ό,τι είχε υπολογίσει. Το όνειρό του να ριχθεί και να αφεθεί στην ορμή της επανάστασης έδειχνε να σβήνει, μαζί με όσες ελπίδες έσβηναν με το θάνατο του Ροβεσπιέρου. Ο στόχος του να φθάσει στο Παρίσιον, άρχισε να φαντάζει υπερβολικός, γεμάτος ερωτηματικά και αβεβαιότητες. Να επιστρέφει στο Βρασοβό, μήτε κατά διάνοια περνούσε από το μυαλό του. Το εργαστήριο του τυπογραφείου των δύο αδελφών με τα βιβλία τους ήταν ένας μικρόκοσμος των ιδεών, των φώτων που ανέτελλαν και επιζητούσε. Θα μπορούσε άραγε από μόνος του να δώσει εδώ στη Βιέννα νόημα στη ζωή του; Γιατί όχι; Άλλωστε, τι αξία μπορούν να έχουν ιδέες κλεισμένες στο λόγο και στο νου, χωρίς δράση για να μετατραπούν σε πράξη;

Ένιωθε και αλλιώς σε αδιέξοδο παγιδευμένος. Να φύγει... και βέβαια να φύγει. Όμως έπρεπε πρώτα απ' όλα να βρει τα μέσα για να ζήσει. Να ζήσει τίμια, αλλά και σύμφωνα με τις ιδέες του και τα μυαλά του κάπου ανάμεσα στο Βρασοβό και στο Παρίσιον. Να προσφύγει σ' αυτό που ονόμαζαν ενεχυροδανειστήριο στο Ντοροτέουμ για να ζητήσει κάποιο μικροδάνειο, ούτε που το συζητούσε. Ο ασημένιος του σταυρός, το μονόπετρο δαχτυλίδι του, το ρολόι και η καδένα του ήταν τόσο πολύτιμα αντικείμενα, που δεν ήταν διατεθειμένος να τα αποχωρισθεί έστω και για λίγο. Ο αδελφός του άραγε για πόσο θα μπορούσε να του συμπαρασταθεί ή έστω να τον τρέφει; Κι ο ίδιος ποια τέχνη θα μπορούσε να ασκήσει εκτός εκείνης του εμπόρου; Όμως ακριβώς γι' αυτήν είχε αποδράσει απ' το σπιτικό του. Η ψυχή του κάτι άλλο επιζητούσε, που δεν ήτανε σε θέση να το ονοματίσει. Κάτι που να δενόταν με τα οράματά του για τον άνθρωπο και την ελευθερία. Αλλά όσο το σκεφτόταν, τόσο διαπίστωνε ότι μόνο με τα οράματα δεν θα μπορούσε να εξασφαλίσει τον επιούσιόν του. Κάτι άλλο θα έπρεπε να κάνει, με κάτι άλλο να καταπιαστεί. Έφερε ξανά την πρόταση του Πούλιου στο μυαλό του, όμως ετούτη τη φορά δίστασε, έκρινε ότι ακόμη δεν μπορούσε να την εκτιμήσει.

Επέστρεψε καταπονημένος, πιστεύοντας ότι τα πόδια του είχαν κάνει φουσκάλες. Άραξε στην κουζίνα κι έβγαλε τις κάλτσες και τα μποτάκια του να ξαποστάσει. Η Έρικα, δίχως να τον ρωτήσει, έφερε μια λεκάνη νερό, κάθισε οκλαδόν και παρά την άβολή της στάση λόγω εγκυμοσύνης, άρχισε με απαλές κινήσεις να περιποιείται τα πόδια του μέσα στις χούφτες της. «Έτσι αρέσει του αδελφού σου, όταν γυρνά αργά τις δύσκολες ημέρες...» Το είπε απλά, καλοσυνάτα, δίχως ίχνος παραπόνου.

Ο Νεόφυτος δεν μίλησε. Η ματιά του είχε καρφωθεί στον όμορφό της κόρφο, που οι ακτίνες του ήλιου από κάποιο πέρασμα πυρπολούσαν. Έτσι όπως ελαφρά γερμένος από πάνω την κοιτούσε, ήταν σαν να του προσφερόταν σε κάθε κίνησή της, χωρίς καν ο ίδιος να το έχει επιζητήσει. Αιφνιδιάστηκε. Ήταν αιχμάλωτος ξαφνικά μιας στάσης του κορμιού του, δέσμιος, ακίνητος μην και τη χαλάσει. Το θέαμα της σταρένιας επιδερμίδας της, το δυσδιάκριτο ξανθό της χνούδι τον μάγευε, τον ζάλιζε, του βάραινε την ανάσα. Ένιωσε συγχρόνως μια περίεργη γλύκα να ξεκινά από τις πατούσες του, ν' ανεβαίνει στις γάμπες του κι από εκεί στα γόνατά του. Την ίδια στιγμή μια ταραχή σύγκορμα να τον κυριεύει.

Τράβηξε απότομα τα πόδια του απ' την ποδιά της, ψιθυρίζοντας ένα ευχαριστώ μισοπνιγμένο. Άκουγε τη βαριά ανάσα του να συνεχίζει να γεμίζει τη σιωπή ανάμεσά τους. Δεν άντεχε άλλο. Έσκυψε και την έπιασε από τον αριστερό καρπό της. Τον έσφιξε σαν να ήθελε να της περάσει κάποιο μήνυμα, που μήτε ο ίδιος γνώριζε, αν ήταν μήνυμα ανταπόκρισης κι αποδοχής ή έχ-

241

πληξης κι απόστασης απέναντί της. Έκανε γρήγορα
ένα λουτρό. Σκουπίστηκε βιαστικά, ζήτησε μια καθαρή
πουκαμίσα του αδελφού του και το γιορτινό σακάκι
του. Προτίμησε να μην τον συναντήσει, ένοχος για όσα
είχε έστω προς στιγμή νιώσει για την αστεφάνωτη σύ-
ντροφό του. Σχεδόν αλαφιασμένος βγήκε πάλι στους
δρόμους. Ευτυχώς ο ήλιος αργούσε να δύσει κι οι δου-
λειές στις οικοδομές καλά κρατούσαν.

Η σύναξη στο αρχοντικό της Χέρρενγκάσσε, δυο
βήματα από τα ανάκτορα, ήταν μια μεγάλη, μια ευ-
χάριστη έκπληξη για τον Νεόφυτο που γρήγορα σά-
ρωσε όλες τις συστολές και αναστολές του. Δεν εντυ-
πωσιάσθηκε τόσο από το μεγαλοπρεπές κλιμακοστά-
σιο με τα σιδερένια κιγκλιδώματα που σχημάτιζαν
περικοκλάδες και τη λαμπρή σάλα υποδοχής με τους
πολυελαίους, τα εξεζητημένα κηροπήγια, τις πορσε-
λάνες, τις επουράνιες παραστάσεις στην οροφή, τις
χρυσοποίκιλτες διακοσμήσεις και απολήξεις, κι ας μην
επεδείκνυαν οι λουθηρανοί Σάξονες του Βρασοβού πο-
τέ τους τέτοιο πλούτο. Όμως σίγουρα εντυπωσιάσθη-
κε από τον κόσμο που βρήκε εκεί και όσους ακολού-
θησαν μετά την άφιξή του. Το παράστημα των πα-
ρευρισκομένων, το αρχοντικό παρουσιαστικό με το
σκούρο αυστηρό ντύσιμό τους, κάποια ονόματα που η
χάρη τους έφθανε μέχρι την Τρανσυλβανία και το
Βουκουρέστι ήταν ικανά να τον πείσουν ότι βρισκόταν
σε μια σπάνια και σημαντική μάζωξη. Το δικό του
απλό ντύσιμο, παρά την περούκα που είχε πάρει από

τον αδελφό του, μπορεί να φάνταζε σε κάποιους πα-
ρακατιανό, όμως ο Νεόφυτος δεν στάθηκε σε τέτοιες
σκέψεις. Ήξερε ποιος ήταν, στην πατρίδα του σε ανά-
λογες περιστάσεις θα ήταν ανάλογα ντυμένος. Αν όχι
ο ίδιος, σίγουρα ο σεβαστός του πατέρας.

Ο Γεώργιος Πούλιος παρέκαμψε τον οικοδεσπότη
λέγοντας κάτι στο αυτί του και έκανε τις συστάσεις.
Ήταν εκεί δύο φιλέλληνες λόγιοι ο Γιόχαν Κρίστιαν
Ένγκελ και ο Φραντς Καρλ Άλτερ, αλλά και οι Σια-
τιστινοί έμποροι Κωνσταντίνος Δούκας, Αθανάσιος
Μανούσης και Θεοχάρης Τορούντζιας, ένας φοιτητής
της ιατρικής ονόματι Κωνσταντίνος Καρακάσης, ο
Ιωάννης και ο Παναγιώτης Εμμανουήλ από την Κα-
στοριά, ο Γεώργιος Θεοχάρης, ο Κοζανίτης λόγιος
Γεώργιος Σακελλαρίου, οι Γιαννιώτες Δημήτριος Νι-
κολίδης και Κυρίτσος Πολύζος, γιατροί κι οι δύο, ο
έμπορος και λόγιος Αντώνιος Κορωνιός, ο μεγαλέ-
μπορος Ευστράτιος Αργέντης από τη Χίο, δυο Καρα-
τζάδες, προφανώς τόσο γνωστοί, που κανείς δεν έκανε
τον κόπο να μνημονεύσει τη σχέση μεταξύ τους ή
έστω την καταγωγή τους, ο Ίβο Δροσινός, ο Μιχαήλ
Δήμου, ο Σιατιστινός Δημήτριος Ψαρράς και κάποιος
Θεμελής που δεν διευκρινίσθηκε αν ήταν το βαπτιστι-
κό ή το όνομα της οικογένειάς του. Σε μια γωνιά,
ένα τρίο έπαιζε διακριτικά σονάτες του Τέλεμαν,
όπως τον διαβεβαίωσε χαμογελαστά και πρόθυμα ο
κύριος Άλτερ, παρ' ότι ο ίδιος δεν είχε δείξει ανάλογη
περιέργεια.

243

Ήταν ακόμη κι άλλοι Αυστριακοί που δεν μπόρεσε να συγκρατήσει το όνομά τους. Σχημάτιζαν πηγαδάκια για τόσο ετερόκλητα ζητήματα. Γύρω από ένα τραπεζάκι παιγνίων μιλούσαν για τον πρόωρο χαμό του Μότσαρτ και όσα με τον φωτεινό του νου υπαινισσόταν στον Μαγικό Αυλό. Στην άλλη άκρη μιλούσαν για τη μεγάλη οικονομική απειλή που ορθωνόταν από την Αγγλία, με τις πρωτόγνωρες διαστάσεις που έπαιρνε η υφαντουργία και ήδη αναμετριόταν με εκείνη των Σαξόνων. Πιο εκεί κάποιοι πλειοδοτούσαν μάλλον χαμηλόφωνα, όμως με ζέση, για την ανάγκη απελευθέρωσης απ' οτιδήποτε έπνιγε τη δημιουργία και την προκοπή. Οι ομογενείς πιο συνωμοτικοί χαμήλωναν απελπιστικά, σχεδόν προσβλητικά, τον τόνο της φωνής τους, μόλις τον έβλεπαν να πλησιάζει.

Γρήγορα οι συζητήσεις οδηγήθηκαν εκεί που ήθελε ο ευγενής οικοδεσπότης. Ύψωσε ξαφνικά τον τόνο της φωνής του και ξεκίνησε λέγοντας: «Φίλοι μου, οι εκτεταμένες συλλήψεις της 24ης Ιουλίου που είχαν ως στόχο μια ανύπαρκτη συνωμοσία Ιακωβίνων στην πόλη μας, είναι ενδεικτικές για το τι μας περιμένει. Τι περιμένει τις ελευθερίες, που οι προκάτοχοι του κάιζερ είχαν τόσο απλόχερα εκχωρήσει». Ολοκλήρωσε την περιγραφή των ανησυχητικών φαινομένων και στο ίδιο πνεύμα συνέχισαν όσοι πήραν μετά από αυτόν το λόγο. Διχάστηκαν ωστόσο στο ερώτημα αν θα 'πρεπε να αντιδράσουν ή να περιμένουν.

Ο Νεόφυτος δεν δυσκολευόταν να συμπεράνει ότι

κάτι πιο συγκεκριμένο συνέδεε όλους εκείνους ή έστω τους περισσότερους από αυτούς. Ίσως ένας μυστικός δεσμός πέραν της κοινωνικής συναναστροφής, όπως συνηθιζόταν πρόσφατα σύμφωνα με τις αχαλίνωτες φήμες για την εμφάνιση τόσων μυστικών εταιριών; Η παντελής απουσία γυναικών τον έβαζε σε σκέψεις, ενίσχυε τις υποψίες του. Όταν με τη βοήθεια των Πούλιων κατάφερε να γίνει αποδεκτός στην ομήγυρη των ομογενών, αντιλήφθηκε ότι τουλάχιστον στο επίκεντρο του ενδιαφέροντός τους δεν ήταν το εμπόριο, μήτε κάποια ζητήματα της παροικίας των Γραικών, όπως εκείνα που κάθε τόσο φύτρωναν στην κοινότητα της γενέτειράς του. Όπως επίσης δεν τους απασχολούσε το τέλος του Ροβεσπιέρου ή οι προοπτικές της επανάστασης στη Γαλλία, αλλά οι αρχές της που θα ξεσήκωναν τα άλλα έθνη.

Ήταν φανερό. Ξεχώριζαν, μιλούσαν, παθιαζόντουσαν, λογομαχούσαν για τη μεγάλη υπόθεση του γένους, την ελευθέρωση και ανάστασή του. Κουνούσαν το κεφάλι, εκφράζοντας λόγια βαθιάς εκτίμησης και σεβασμού για κάποιον Ρήγα από τη Θεσσαλία, για τις ιδέες του και τα οράματά του. Αλλά και για το σθένος του με το οποίο ξεσήκωνε τον κόσμο. Μιλούσαν όμως και για τα παθήματα όσων μέχρι τότε είχαν επιχειρήσει να σηκώσουνε κεφάλι. Έφερναν για παράδειγμα τους Ρώσους που είχαν ξεσηκώσει το γένος στην Πελοπόννησο, με αποτέλεσμα να χαθούν άδικα τόσοι και τόσοι με τις φαμίλιες τους από τον Τούρκο και πόσοι άλλοι να ξεριζωθούν και να προστρέξουν στα μέρη της Μαύρης Θάλασσας ή ακόμα και της Σμύρνης.

Ο Νεόφυτος προτίμησε να αποτραβηχτεί σε μια γωνιά. Ένιωθε μέσα του να ωριμάζουνε οι σκέψεις και να κατασταλάζουν, οι αποφάσεις να αποκτούν οριστικά το περιεχόμενό τους. Ο κύκλος εκείνος των ανθρώπων, ομογενείς και Αυστριακοί, τον είχε εντυπωσιάσει. Η απολυταρχική Βιέννα ήταν συγχρόνως φυτώριο των πιο ωραίων φιλελεύθερων ιδεών. Η καταπιεστική Βιέννα ζυμωνόταν στο δρόμο, ίσως μάλιστα να βρισκόταν στα πρόθυρα μιας μεγάλης αλλαγής; Οι άνθρωποι γύρω του μια εξέχουσα συντροφία σκέψεων όμοιων με τις δικές του. Μια συντροφία στην οποία άξιζε να είσαι μέλος με όλη τη δύναμη του νου και της ψυχής σου.

Γοητευμένος από αυτές τις σκέψεις, αλλά και τον περίγυρό του, αβίαστα πήρε τη μεγάλη απόφασή του. Πρώτα απ' όλα θα αποδεχόταν την πρόταση των Πούλιων να μπει στη δούλεψή τους. Τα υπόλοιπα θα ακολουθούσαν, το 'βλεπε, το διαισθανόταν. Το ίδιο βράδυ, καληνυχτίζοντάς τους, όμως κρύβοντας τον ενθουσιασμό του, απήντησε στα δυο αδέλφια ότι αποδεχόταν την πρότασή τους. Στο κατώφλι της εξώθυρας πήρε μια βαθιά ανάσα, αποδιώχνοντας ένα μεγάλο βάρος από τα στήθια του, ακόμη πιο μεγάλο από αυτό που νόμιζε ότι κουβαλούσε. Έβγαλε την περούκα του και ταλαιπωρώντας την κατά τρόπο απερίγραπτο, τη χρησιμοποίησε για βεντάλια. Αναστατωμένος όπως ήταν, δεν είχε όρεξη να επιστρέψει στου αδελφού του.

246

Θέλησε να περπατήσει λίγο για να σκεφθεί ήρεμα τις μεγάλες αλλαγές που ξημέρωναν στη ζωή του και κατευθύνθηκε προς τα ανάκτορα. Προσπέρασε το Βασιλικό Θέατρο, έφθασε μπροστά στην Ανακτορική Βιβλιοθήκη και κοντοστάθηκε στη μέση της μικρής πλατείας. Θυμήθηκε την πρόσφατη πληροφορία που είχε συγκρατήσει ότι ο πλούτος της ήταν ανοιχτός σε κάθε υπήκοο και θαύμασε το μυαλό εκείνων που το είχαν σκεφθεί. Αποφάσισε να την επισκεφθεί στην πρώτη χαραμάδα ελεύθερου χρόνου που θα του παρουσιαζόταν. Τα όμορφα συναισθήματα ωστόσο εξανεμίσθηκαν αυτοστιγμεί. Η νυχτερινή περίπολος που τον σταμάτησε, ζητώντας τα στοιχεία του, φάνηκε αποτρόπαια μπροστά στους φιλικούς νυχτοφύλακες του Βρασοβού. Τον πείσμωσε και επιβεβαίωσε την ορθότητα της απόφασής του να μείνει και να αγωνισθεί για τις ιδέες του στη Βιέννα.

Λίγο πριν αποκοιμηθεί, τον νανούριζαν οι μεσημεριανές εικόνες της Έρικας και των περιποιήσεών της, η απαράδεχτη στάση του αδελφού του απέναντί της, αλλά και μια έγνοια για την αδελφή του. Έτρεξε με τη σκέψη του σαν αστραπή κοντά της. Όχι βέβαια ότι συμμεριζόταν τις αγωνίες του πατέρα του. Αν και έκρινε χρήσιμο, μπορεί και αναγκαίο, τη διάσωση της γλώσσας των Γραικών, πιο πολύ τον ένοιαζαν οι ιδέες που εκφράζανε η μία ή η άλλη γλώσσα. Γι' αυτό και για την αδελφή του, θα του αρκούσε το πιο σημαντικό. Θα του αρκούσε η ευτυχία της στην αγκαλιά του Βίκτορα και στο καινούργιο οικογενειακό της περιβάλλον, αν μπορούσε κάποιος γι' αυτά να τον διαβεβαιώσει. Γνώριζε πόσο δύσκολο ήταν αυτό που επιζητούσε και αρκέσθηκε να υποσχεθεί νοερά να της γράψει μια επιστολή, να ρίξει έτσι γέφυρα ανάμεσα στις δυο καινούργιες τους πατρίδες.

Πριν έρθει η Κυριακή, ο Νεόφυτος μπήκε στη δούλεψη των Πούλιων. Το ίδιο βράδυ, έγραψε μια επιστολή στην πολυαγαπημένη αδελφή του, εξιστορώντας τις αποφάσεις και το δρόμο που είχε πάρει, κάνοντας έκκληση για κατανόηση, αλλά προπάντων για εχεμύθεια απέναντι στον γεννήτορά τους. Πέρασε όλη τη βραδιά του μονολογώντας και αφηγούμενος στον Χριστόδουλο και στην Έρικα τις πρώτες του εντυπώσεις. Τα πλέον τετριμμένα πράγματα ξεδιπλώνονταν με ενθουσιασμό, καθώς και σκέψεις του «μήπως...» και του «άραγε...» με πάθος ακατανόητο από τους συνομιλητές του, που κουτουλούσαν από τη νύστα και την αδιαφορία, για όσα είχε ζήσει ο Νεόφυτος στη ρουτίνα του τυπογραφείου των αφεντικών του.

Ο Νεόφυτος ρίχτηκε με πάθος στην καινούργια του ζωή. Πάνω απ' όλα τον συνεπήρε ο περίγυρος των αδελφών Πούλιων, η επιθυμία του να μην τους διαφεύσει στην εμπιστοσύνη που του είχαν δείξει. Καλά καλά δεν έμαθε τις καθημερινές δουλειές του τυπογραφείου και τις εμπορικές συνήθειες της Βιέννας, και οι προϊστάμενοί του τον έστειλαν σε μια γύρα στις κοντινές παροικίες των ομογενών, όπου έβρισκε ανταπόκριση η εκδοτική δραστηριότητα των δύο αδελφών ή από συστάσεις και κουβέντες απλωνόταν και πύκνωνε ο ιστός της τακτικής τους πελατείας. Εκπλήρωση ανεκπλήρωτων παραγγελιών, συνομολόγηση καινούργιων, εγγραφή συνδρομητών, προκαταβολές και αποπληρώσεις, όλα του φαίνονταν οικεία. Εκτός από μία επτασφράγιστη αλληλογραφία που διακινούσε κατόπιν ρητής εντολής των Πούλιων με ιδιαίτερη μυστικότητα, σχεδόν τρομοκρατημένος. Δεν είχε καν τολμήσει να ερωτήσει σε τι αφορούσε.

Ξεκίνησε βιαστικά την πρώτη γύρα για να προλάβει να κάνει και δεύτερη προτού πέσουν τα χιόνια, που θα μετέτρεπαν τα μακρινά ταξίδια του σε περιπέτεια. Σίγουρα θα καθυστερούσαν ή και θα ανέβαλλαν κάποιους προορισμούς, όμως: «Συνηθισμένα τα βουνά απ' τα χιόνια», όπως του είχε πει για να τον εμψυχώσει ο Γεώργιος Πούλιος. Μια αλυσίδα κυρίως εύπορων ομογενών αποτελούσαν τον καινούργιο κύκλο γνωριμιών του Νεόφυτου από πολιτεία σε πολιτεία, από κοινότητα σε κοινότητα της ομογένειας. Όλα καλά και άγια, αλλά το κουβάλημα του πολύτιμου εμπορεύματος σ' ένα δερμάτινο μπαούλο, ερχόντουσαν στιγμές, κυρίως το απόβραδο μετά από μια κουραστική ημέρα, που τον έκανε και βαρυγκωμούσε. Σε μια λεκάνη με ζεστό νερό και βότανα ξεκούραζε όποτε μπορούσε τα ταλαιπωρημένα πόδια του. Όμως ούτε μία στιγμή δεν έδειξε στον εαυτό του να μετανοεί για τον καινούργιο δρόμο της ζωής του. Ακόμα κι όταν οι προσπάθειές του να κερδίσει νέους πελάτες, παρά τους τρόπους και την πειθώ του, δεν κατάφερναν να καρποφορήσουν, ή η σύγκριση με τις περιορισμένες ευθύνες και υποχρεώσεις δίπλα στον πατέρα του θύμιζαν μια ζωή μάλλον πιο ξεκούραστη από αυτήν που ζούσε τώρα.

Αναρωτήθηκε πολλές φορές αν θα έπρεπε να γράψει δυο λόγια στον πατέρα του, να του πει κυρίως ότι είχε νοικοκυρευθεί με τον δικό του τρόπο. Όταν ζήτησε τη γνώμη του αδελφού του, ο Χριστόδουλος τον αποπήρε τραντάζοντάς τον από τον ώμο. «Τρελάθηκες; Την άλλη μέρα κιόλας θα ξεκινήσει να σε περιμαζέψει.» Ήταν πειστικός. Αυτό και μόνο ως ενδεχόμενο αρκούσε για να βγάλει το δίλημμα από το μυαλό του και μάλιστα ν' αποφασίσει στις γύρες του να μην πατήσει στην Τρανσυλβανία.

Μέχρι να ρίξουνε τα φύλλα τους τα δέντρα, ο Νεόφυτος είχε εγκατασταθεί και με τους τρόπους του και τον αυθορμητισμό του είχε γίνει ένα με την καθημερινή ζωή της Βιέννης, κάνοντας γνωριμίες με Γραικούς, Αυστριακούς κι εβραίους. Είχε καταφέρει κιόλας να κάνει και τη δεύτερη μεγάλη γύρα στις μακρινές επαρχίες της αυτοκρατορίας, προωθώντας την πραμάτεια των αδελφών Πούλιου και κλείνοντας νέους συνδρομητές, νέες παραγγελίες. Ετούτη τη φορά μάλιστα εξορκίζοντάς τον σε ό,τι πιο ιερό ο ίδιος είχε, ο Γεώργιος Πούλιος του εμπιστεύθηκε μία επιστολή για

κάποιον Ρήγα στο Βουκουρέστι, περιγράφοντας την εξ
Αποκαλύψεως καταστροφή, αν παράπεφτε η επιστολή
σε άλλα χέρια. Έφυγε δίχως και πάλι να τολμήσει
να ρωτήσει. Άραγε να επρόκειτο για το ίδιο πρόσωπο
που είχε πρωτακούσει στη μάζωξη της Χέρρενγκάσσε;

Σε όλο το ταξίδι αναλογιζόταν με θαυμασμό τον
κόσμο των Γραικών, τόσο πολυπληθή, τόσο χαμένο
και σπαρμένο στα πέρατα του κόσμου, να ευημερεί
και να προκόβει. Θυμόταν τα λόγια του πατέρα του,
που τα εκλάμβανε μάλλον ως υπερβολές παρά για
αλήθεια. Όμως και απογοητευόταν, όταν δεν συνα-
ντούσε τη φλόγα που ο ίδιος συντηρούσε μέσα του για
επανάσταση, ελευθερία, ισότητα, δικαιοσύνη. Όσο
για το όραμα του απελευθερωμένου γένους, ο κόσμος
δύσκολα ξανοιγόταν ή μπορεί και να μην συγκινιόταν.
Μόνο εκείνος ο Ρήγας σε μια αυθόρμητη νύξη του για
ελευθερία ψιθύρισε: «Η ώρα πλησιάζει», στρίβοντας
αργά την άκρη του μύστακά του. Επέστρεφε στη
Βιέννα με έναν απολογισμό, που ενθουσίασε τα δυο
αδέλφια με τα δείγματα της ευλογημένης δουλειάς
και προκοπής του νεαρού συνεργάτη τους.

Με την επιστροφή του άρχισε να γεύεται τη ζωή
στην πόλη, αλλά και τις μικροχαρές της ιδιωτικής ζω-
ής του. Μέσα στη φούρια των πρώτων ημερών και
στην προσωρινότητα της παραμονής του είχε βολευτεί
όπως όπως στο σπιτικό του αδελφού του. Απολάμβανε
τη φιλοξενία του, το ζεστό πιάτο φαγητού, την καλό-
καρδη περιποίηση της Έρικας, που δίχως δεύτερη σκέ-

ψη, σαν κάτι αυτονόητο, άρχισε να φροντίζει τις αλλα-
ξιές και τα ασπρόρουχά του, ό,τι είχε ένας άντρας ανά-
γκη για φροντίδα. Το βράδυ του 'στρωνε σε έναν κανα-
πέ δίπλα απ' τη σόμπα της κουζίνας. Έτρωγε, έπινε,
δεν άφηνε ένα φλορίνι κι αυτό τον ενοχλούσε. Προσπά-
θησε ν' ανοίξει κουβέντα στον αδελφό του για μια ελά-
χιστη συμμετοχή στα έξοδα του σπιτιού, όμως εκείνος
δεν ήθελε ν' ακούσει λέξη. Αποφάσισε να προσφέρει κά-
θε τόσο για το κυριακάτικο τραπέζι μια κότα, ένα κου-
νέλι, ό,τι εκλεκτό θα τύχαινε μπροστά του. Όμως παρ'
όλη την καλή διάθεση ανάμεσα στους τρεις τους, η συ-
γκατοίκησή του ήταν βάρος, γιατί ο ίδιος ένιωθε να εί-
ναι ένα βάρος. Όταν στη μεσαυλή πέθανε ένας γέροντας
και άδειασε μία μικρή κατοικία στο κατώι ενός τριώρο-
φου, δίπλα στο σταύλο με την άμαξα του άρχοντα των
πάνω ορόφων, ο Νεόφυτος δεν δίστασε ούτε στιγμή.
Τη νοίκιασε παρά τις διαμαρτυρίες και τα μούτρα του
αδελφού του. Τουλάχιστον έμειναν σύμφωνοι ότι εκτός
από τον ύπνο, τίποτα άλλο δεν θ' άλλαζε στην καθημε-
ρινή ζωή τους, στην αυτονόητη φροντίδα της Έρικας,
στη βραδινή συντροφιά των τριών τους.

Η μεσαυλή στην οποία έβλεπαν οι προσόψεις τριών
τριώροφων σπιτιών και η οπισθία όψις ενός τετάρτου
που κοίταζε στο δρόμο, είχε την ιδιαιτερότητά της.
Αντί να καταδυναστεύεται, όπως συνηθιζόταν, απ' τις
φωνές των παιδιών, τους κάθε λογής θορύβους των γει-
τόνων, τον αντίλαλο του κόσμου, αλλά και των αμα-
ξών που μπαινόβγαιναν απ' το πρωί μέχρι το βράδυ,

είχε υποταχθεί στους κανόνες ευλαβικής ησυχίας που είχε επιβάλει ο κύριος Ααρών Τσβάιχ. Ο κύριος Ααρών Τσβάιχ διδάσκαλος μουσικής, ανεγνωρισμένος δεξιοτέχνης βιόλας ντα γκάμπα, εδίδασκε συγχρόνως και τραγούδι στο σπινέτο. Όταν δεν είχε μάθημα στους γόνους της αφρόκρεμας της Βιέννας, μικρή ομάδα μαθητευομένων με ισχνότερα εισοδήματα αντέγραφε μέχρι τη δύση του ηλίου παραγγελίες μουσικών έργων. Η όλη στάση του κυρίου Ααρών Τσβάιχ επέβαλλε ησυχία και τ' όνομά του, το επιβλητικό του ύφος με τη συνδρομή της γαμψής του μύτης, η επίκληση του θείου έργου του, τον είχαν βοηθήσει να επιβάλλει στην αυλή μία πρωτόγνωρη ευταξία, σαν να επρόκειτο για αυλόγυρο αυστηρού μοναστηριού, που δεν γνώριζε την επαφή με τον παραέξω κόσμο. Όχι μόνο ο κύριος Ααρών αλλά και οι γύρω ένοικοι, με τον καιρό αυτόκλητοι θεματοφύλακες της ευλαβικής εκείνης ευταξίας, άνοιγαν το παράθυρο και κατακεραύνωναν όποιον τολμούσε από άγνοια ή αμέλεια να την παραβιάσει. Για τον Νεόφυτο τα μαθήματα τραγουδιού, όποια και αν ήταν η μαθήτριά τους, όταν επέστρεφε αργά το απόγευμα από τους Πούλιου, ήταν πηγή συγκίνησης, γιατί του θύμιζε την αδελφή του και τη γλυκιά φωνή της. Δεν άργησε με κάποια αφορμή να κάνει γνωριμία με τον κύριο Τσβάιχ και δεν δίστασε για ν' αυξήσει τα εισοδήματά του να ζητήσει και να προστεθεί στη μικρή ομάδα αυτών που αντέγραφαν έναντι αμοιβής νότες, σύμφωνα με τις παραγγελίες που δεχόταν ο κύριος Τσβάιχ.

253

Η ζωή άρχισε να παίρνει το ρυθμό της, κάθε μέρα να γεμίζει σιγά σιγά με το καινούργιο νόημά της. Ο Νεόφυτος ένιωθε για πρώτη φορά αυτοπεποίθηση για όσα έκανε, γι' αυτό που ήτανε ο ίδιος με τις δικές του δυνάμεις. Μόνο κάτι του ξέφευγε που τον βασάνιζε και τον στεναχωρούσε. Ένας πέπλος μυστηρίου κάλυπτε μια πτυχή από τις δραστηριότητες των Πούλιων, τους ιδιαίτερους κρυφούς δεσμούς τους μ' έναν κύκλο συμπολιτών τους. Μια μέρα, ο ένας αδελφός φώναξε έναν πελάτη τους πίσω από την πλάτη του, σιτουαγιέν*, ίσως για να τον δοκιμάσει, κι εκείνος τινάχθηκε κεραυνοβολημένος, ψάχνοντας με το αετίσιο μάτι του να εντοπίσει ποιος τον είχε προσφωνήσει. Έδειξε ν' ανακουφίζεται όταν διεπίστωσε ποιος ήτανε ο δράστης. Δεν έμενε ωστόσο στον Νεόφυτο άλλος δρόμος παρά να περιμένει να του ξανοιχθούν τα αφεντικά του, όποτε θα το αποφάσιζαν οι ίδιοι.

Δεν πέρασε μήνας, έτσι τα θέλησε η τύχη, και συνέπεσαν στο σπίτι του Χριστόδουλου μέσα σε λίγες μέρες η μεγάλη χαρά με τη μεγάλη οδύνη. Φούσκωσε η κοιλιά της Έρικας, τα χέρια της δεν έφευγαν ούτε στιγμή από τη μέση να την κρατούνε, να τη στηρίζουν. Πύκνωσε η μαμή τα σούρτα φέρτα κι όσοι τη γνώριζαν στη γειτονιά περίμεναν με τον Χριστόδουλο

* Πολίτης

254

και τον Νεόφυτο την ευλογημένη στιγμή της γέννας. Μια Κυριακή πρωί έσπασαν τα νερά και λίγη ώρα αργότερα στον απόηχο ενός καμπαναριού άφησε η Έρικα στο άψε σβήσε να γλιστρήσει ένα ολοζώντανο, φωνακλούδικο αγγελούδι, όπως εκείνα που υπερίπτα-ντο και έψελναν τα «ωσαννά» στα γλυπτά των τόξων των εκκλησιών, υμνώντας τη γέννηση του θείου βρέ-φους. Τίποτα ωστόσο δεν άλλαξε στη ζωή τους. Το μωρό καλόβολο δεν έκλαιγε, κανέναν δεν ενοχλούσε. Κάποιες πάνες μονάχα κρέμονταν πάνω από τη σό-μπα να στεγνώνουν και να θυμίζουν την ύπαρξή του.

Λεχώνα ακόμη η Έρικα και το κακό κτύπησε την πόρτα του σπιτιού τους. Εκείνο το απόγευμα ο Νεόφυ-τος δεν είχε ιδιαίτερη δουλειά στους Πούλιου. Είχε αράξει δίπλα από τη σόμπα του εργαστηρίου του κυρίου Τσβάιχ, όπου αντέγραφε κάποιες σονάτες του Ντίτερ-σντορφ. Δίπλα του μια στοίβα από σονάτες περίμεναν τη σειρά τους για αντιγραφή. Κβαντς, Στάμιτς, Σιτς, ονόματα που του ήταν άγνωστα, αλλά και του κινού-σαν την περιέργεια, παρά την άγνοιά του για τον κόσμο της μουσικής και τους δημιουργούς της. Μάλιστα σκέ-φθηκε προς στιγμή ότι ίσως ήταν καιρός να μάθει να διαβάζει νότες. Χουχούλιαζε κάθε τόσο μες στις χού-φτες του τα ακροδάχτυλά του μάλλον από υπερβάλλου-σα επιμέλεια, για να αποτρέψει το παραμικρό τρέμουλο που θα προκαλούσε μια καταστροφική μουντζούρα.

Ένας πιτσιρίκος μπήκε με φούρια στο εργαστήριο και αναζήτησε τον κύριο Τσβάιχ, που σε μια γωνιά

255

μελετούσε μία παρτιτούρα. Ο κύριος Τσβάιχ κοίταξε με αυστηρότητα τον νεαρό, που έμπαινε έτσι ορμητικά στον ιερό του χώρο. Ο μικρός δεν έδειξε να σκιάζεται. Κοίταξε βιαστικά τα πρόσωπα όσων μαζί με τον Νεόφυτο ήταν σκυμμένοι πάνω στον επικλινή πάγκο και τράβηξε με θάρρος τον κύριο Τσβάιχ από το μανίκι, προσπαθώντας να φθάσει στο αυτί του. Δίχως να περιμένει ενθάρρυνση από τον συνοφρυωμένο κύριο Τσβάιχ, του ψιθύρισε το κακό μαντάτο. Ο κύριος Τσβάιχ αναπήδησε από το ημίψηλο σκαμνί του. Έφερε την παλάμη μπροστά στο στόμα του και μπόρεσε μόνο να ρωτήσει, αν ο μικρός ήτανε σίγουρος γι' αυτά που του είχε εμπιστευθεί. Εκείνος κοίταξε τον Νεόφυτο και δεν δίστασε μάλιστα, έτσι άμαθος που ήτανε σε τρόπους, να υψώσει το χέρι του και να τον δείξει στον κύριο Τσβάιχ, λες και δεν ήξερε εκείνος ποιοι ήταν οι συνεργάτες στο εργαστήριό του.

Ο Νεόφυτος ενοχλήθηκε, αλλά και ανησύχησε από εκείνη την αυθόρμητη χειρονομία του μικρού Καρλ, τον οποίο γνώριζε από τα φωνακλάδικα παιχνίδια του με τους συνομήλικούς του στη Σαλβατόρστρασσε, εκεί όπου δεν έφτανε η μήνις του κυρίου Τσβάιχ. Ακούμπησε προσεχτικά το φτερό στην άκρη και περίμενε την είδηση από τον προϊστάμενό του. Ο κύριος Τσβάιχ έκανε ένα δυο βήματα προς το μέρος του, όμως κοντοστάθηκε κοιτώντας σκυθρωπός τα πλακάκια του δαπέδου και ξύνοντας το μέτωπό του. Έκανε άλλα δυο βήματα, τον πλησίασε, αλλά δίστασε και πάλι. Ο Νεόφυτος

περίμενε υπομονετικά να μάθει αυτό που σίγουρα προ-
οριζόταν για τον ίδιο. «Νεόφυτε, παιδί μου», ακού-
σθηκε η φωνή του κυρίου Τσβάιχ, απότομα βραχνή,
να ανεβαίνει με δυσκολία από το λαιμό του. «Ο Χρι-
στόδουλος! Ο αδελφός σου! Πρέπει να φανείς δυνατός,
να το αντέξεις...» Κοίταξε δεξιά αριστερά, σαν να έψα-
χνε τον τρόπο να ξεφύγει. Όμως βρήκε τη δύναμη να
συνεχίσει. «Ο Καρλ μόλις μου είπε ότι ο αδελφός σου
έπεσε από τη σκαλωσιά του καμπαναριού. Τι να πω...
Δεν μπορώ να το πιστέψω...»

Εκεί σταμάτησε η ανακοίνωση του τραγικού μαντά-
του. Ύψωσε τα χέρια του και τ' άφησε να πέσουν έτσι,
όπως θα κατέρρεε ένα σώμα που θα το εγκατέλειπε η
ψυχή του. Ο Νεόφυτος δεν περίμενε άλλη κουβέντα,
πετάχτηκε απ' το σκαμνί του κι έφυγε τρέχοντας, ψελ-
λίζοντας παρακλητικά τα νέα να μην ήτανε αλήθεια.

Η κηδεία έγινε σε μια χορταριασμένη γωνιά του νε-
κροταφείου της Βιέννας, παρουσία μιας χούφτας γνω-
στών μαυροντυμένων, περιτριγυρισμένων από κάργες,
που λες ότι τους ακολουθούσαν. Με εξαίρεση τον Γεώρ-
γιο Πούλιο, δεν παραβρέθηκε κανείς άλλος από την κοι-
νότητα των Γραικών, αφού ο μακαρίτης είχε προ πολ-
λού απ' όλους τους ξεκόψει. Καλύτερα έτσι, σκέφθηκε ο
Νεόφυτος. Ο ίδιος θα αποφάσιζε το πότε και το πώς θα
πήγαινε το τραγικό μαντάτο στον γονιό τους. Το βράδυ
εκείνο κούρνιασε στον καναπέ που τον φιλοξενούσαν
στον πρώτο καιρό της διαμονής του και βούλιαξε μέσα
από τα απανωτά σναπς, μόνη διέξοδο παρηγορίας.

Αποκοιμήθηκε λίγο αργότερα υποκύπτοντας και αυτός στο νανούρισμα του μικροσκοπικού ανιψιού του.

Αντίθετα η Έρικα δεν μπόρεσε να κλείσει μάτι. Κυνηγημένη από σκέψεις και ερωτηματικά, αναρωτιόταν για τη δύστυχη ζωή που ανοιγότανε μπροστά της. Με έκπληξη έπιανε τον εαυτό της να μην νιώθει εκείνη την οδύνη που θα περίμενε κανείς με το χαμό του αγαπημένου της συντρόφου. Έκλαψε μονάχα μια φορά, βούρκωσε άλλες δύο, όμως δεν πόνεσε από το κενό, την απουσία του Χριστόδουλού της. Μόνο ο φόβος, η αγωνία, η αβεβαιότητα για το αύριο του μωρού και τη ζωή της την πλάκωναν, την έπνιγαν, την κυνηγούσαν. Ήταν το μόνο που κατάφερε κάποιο βράδυ να εμπιστευθεί, φελλίζοντας μισόλογα στον Νεόφυτο, όταν προσπάθησε εκείνος με αδέξιες κουβέντες να την παρηγορήσει.

Η συζήτηση εκείνη έφερε στο μυαλό του Νεόφυτου μια άλλη συζήτηση, ιδιαίτερα δυσάρεστη στην κατάληξή της, που είχαν κάνει τα δυο αδέλφια, προτού αρχίσει τα ταξίδια του ο Νεόφυτος στις επαρχίες της αυτοκρατορίας. Είχε προσπαθήσει να συνετίσει τον μακαρίτη, να τον πείσει να στεφανωθεί την άμοιρη Έρικα που τον φρόντιζε με αφοσίωση σαν δούλα και επρόκειτο από εβδομάδα σε εβδομάδα να φέρει στον κόσμο τον βλαστό του. Άκαρπη είχε σταθεί τότε κάθε προσπάθειά του. Τη δεύτερη μάλιστα φορά, που επανέλαβε λίγες μέρες αργότερα τα επιχειρήματά του, έγινε προσβλητικός, ο Χριστόδουλος ενοχλήθηκε, τα δύο αδέλφια συγκρούστηκαν, πέρασε μια ολόκληρη ημέρα για να ξαναμιλήσουν.

Επιστρέφοντας από τη δεύτερη γύρα στις παροικίες της ομογένειας, θέλησε αυθόρμητα να φέρει την κουβέντα στο ίδιο θέμα. Όμως σαν κάτι να τον κράτησε τότε, δάγκωσε τα χείλια του, μετάνιωσε, έλεγξε τη φόρα που είχε πάρει. Είχε αναρωτηθεί αργότερα, σε τι οφειλόταν εκείνη του η συμπεριφορά. Σίγουρα δεν ήταν φόβος μην τύχει και συγκρουστεί και πάλι με τον αδελφό του. Χρειάσθηκε να περάσει ώρα και να βασανισθεί για να ομολογήσει ότι ίσως καλύτερα που η Έρικα δεν είχε δεσμευθεί απέναντί του με όρκους πίστης, όπως συνηθιζόταν με μία παντρεμένη. Σαν να ένιωθε ότι έτσι μπορούσε να είναι ο ίδιος πιο κοντά της. Εκείνο το βράδυ πριν αποκοιμηθεί, είχε ομολογήσει στον εαυτό του κι άλλες σκέψεις, κάποιες απόκρυφες που γέμιζαν τα σωθικά του με γλύκα, αλλά συγχρόνως και τον τάραζαν με την εξομολόγηση και την αποδοχή τους.

Από την επομένη κιόλας μέρα της κηδείας, ο Νεόφυτος της άφησε στο τραπέζι κάποια φλορίνια, προσπαθώντας να αναπληρώσει το κενό του αδελφού του. Όμως δεν έφτανε για την Έρικα μια τέτοια χειρονομία.

Την Κυριακή που ακολούθησε, βγαίνοντας ο Νεόφυτος στη μεσαυλή, είδε απ' το παράθυρο τη φιγούρα της μες στο σπίτι. Παραξενεύτηκε, γιατί όπως συνήθιζε, θα έπρεπε Κυριακή πρωί να είναι στην εκκλησία. Χτύπησε την πόρτα και την έσπρωξε δίχως να περιμένει απόκρισή της. Την καλημέρισε και δικαιολογήθηκε ότι του είχε τελειώσει το τσάι. Είχε επιθυμήσει να πιει ένα μαζί

259

της, να πούνε δυο κουβέντες. Η Έρικα χωρίς να απαντήσει, έβαλε να βράσει ένα τσάι και γύρισε δίχως σχόλια στη δουλειά της. Ένα τεράστιο σεντόνι απλωμένο στο κρεβάτι και καταμεσής στοιβαγμένα κάποια ρούχα της, ένας εσταυρωμένος πλαγιαστός στην κορυφή τους, σ' ένα μικρό σωρό πιο δίπλα κάποια μικροπράγματά της, όλο το δωμάτιο σε μια ασυνήθιστη αταξία.

Ο Νεόφυτος ξαφνιάσθηκε, δεν δίστασε να τη ρωτήσει: «Έρικα, τι συμβαίνει;» Εκείνη μετά από μία μακρόσυρτη σιωπή, κάθισε αναστενάζοντας στην άκρη του κρεβατιού που μοιραζόταν πάνω από τρία χρόνια με τον αδελφό του. Κοίταξε στο κενό, μακριά έξω απ' το παράθυρο. Δίχως καμία φόρτιση ή συγκίνηση, σαν μια χαμένη στο λαβύρινθο του μυαλού της, απήντησε: «Δεν έχω πώς να ζήσω, τι να κάνω... Πώς να θρέψω το μικρό μου σπλάχνο. Θα γυρίσω στους δικούς μου στην Μπρατισλάβα. Ελπίζω να με δεχθούνε». Σαν να νοιάστηκε ξαφνικά για όσα άφηνε πίσω της στην τύχη, είπε: «Φρόντισε εσύ το σπίτι του αδελφού σου».

Πλησίασε το παράθυρο και κάθισε στο περβάζι. Έφερε με τη ματιά της ένα γύρο τη μεσαυλή και αναζήτησε τον ουρανό πάνω από τις σκεπές των σπιτιών που την έκλειναν σαν να 'τανε πηγάδι. Ένιωσε την ανάγκη να εξομολογηθεί. Να απολογηθεί για τη στάση της τον τελευταίο καιρό, τις αποφάσεις της, τα λιγοστά δάκρυα που είχε χύσει για το χαμό του Χριστόδουλου και συμπλήρωσε: «Δεν ξέρω γιατί, αλλά εδώ και καιρό δεν το 'νιωθα το σπίτι αυτό δικό μου. Ίσως γιατί εδώ και κάμποσους μήνες, αφότου έπιασα στα σπλάχνα μου τον καρπό του Χριστόδουλου, έπαψα ξαφνικά να τον νιώθω για σύντροφό μου». Σηκώθηκε από τη θέση της και σέρβιρε στον Νεόφυτο το τσάι.

Ο Νεόφυτος αιφνιδιασμένος από τα λόγια της Έρικας, από την επικείμενη αναχώρησή της, μην ξέροντας κι ο ίδιος από πού αντλούσε δύναμη και θάρρος, την άρπαξε με τα χέρια του απ' τις παλάμες, τις έκλεισε και τις έσφιξε μες στις δικές του και με ύφος παρακλητικό, ικετευτικό, κατάφερε να ξεστομίσει δυο λέξεις: «Μη φύγεις!» Πήρε αναπνοή βαθιά και επανέλαβε με ζέση: «Σε παρακαλώ, μη φύγεις!» Δεν ήξερε αν η παράκλησή του έβγαινε από οίκτο απέναντι σ' εκείνη, στο μωρό και την επαύριο που ξημέρωνε για τους δυο τους. Δεν ήξερε αν φοβόταν τη μοναξιά κι ομολογούσε με τον τρόπο αυτό πόσο σημαντική του ήτανε η συντροφιά της, ξεπερνώντας το βαθύ χαντάκι που τον χώριζε από αυτήν, όσο ζούσε ο αδελφός του. Δεν ήξερε τι ήταν πρέπον, με το χώμα μόλις μια βδομάδα να σκεπάζει τον νεκρό αδελφό του. Ήταν όλα τόσο μπερδεμένα, τόσο συγκεχυμένα στο μυαλό και στα αισθήματά του. Όμως κάτι πιο δυνατό τον έσπρωξε και πάλι να επαναλάβει, «σε παρακαλώ, μη φύγεις!» σκύβοντας και φέρνοντας τα χέρια της στο μέτωπό του να μετρήσουνε τον πυρετό του.

Η Έρικα τράβηξε τα χέρια της κι ακούμπησε με το μέτωπο στο παραθύρι, κοιτώντας το άνοιγμα της αυλής στον ουρανό, απ' όπου ένας ανεμοστρόβιλος έφερνε αγκαλιές αγκαλιές τα φύλλα που πέφταν. «Λένε ότι εφέτος θα μπει νωρίς ο χειμώνας», ήταν η απάντησή της στον Νεόφυτο. Σαν να σκέφτηκε μετά κάτι άλλο, βούρκωσε και σκούπισε ένα δάκρυ της, παίρνοντας μια βαθιά ανάσα για να ελέγξει το επόμενο που ακολουθούσε. «Θα πάω μέχρι την εκκλησία», είπε με φωνή αποφασιστική, έριξε ένα σάλι απανωτά στους ώμους της, κουκούλωσε καλά καλά το βρέφος και πετάχτηκε μαζί του απέναντι μέχρι την εκκλησία.

Ο Νεόφυτος στράφηκε γύρω του προσπαθώντας να σκεφθεί τι θα μπορούσε να κάνει, που θα έδινε μία ελπίδα ή έστω λίγη θαλπωρή στην Έρικα, όταν θα επέστρεφε από την εκκλησία. Μάταια στριφογύριζε στα δυο δωμάτια του σπιτιού πάνω κάτω. Στο τέλος πήρε όλα τα ρούχα της, έτσι όπως ήταν στοιβαγμένα και τα 'ριξε σ' ένα ορθάνοιχτο μπαούλο που έχασκε πιο δίπλα. Λίγο αργότερα είδε την Έρικα με το μωρό στην αυλή να συζητά με μια γειτόνισσα κάτω απ' το σκέπαστρο της απέναντι κατοικίας. Άνοιξε την πόρτα κι ακούμπησε στο άνοιγμά της για να την υποδεχθεί, πράγμα πρωτόγνωρο για τις συνήθειές του. Σαν να τον φώτισε ο Θεός, μόλις πλησίασε η Έρικα, έκανε αυθόρμητα τη μεγάλη πράξη. Άπλωσε τα χέρια του και τράβηξε το μωρό στην αγκαλιά του.

Ίσως αυτό, σκεφτόταν ο Νεόφυτος αργότερα, να ήταν η αιτία που η Έρικα άλλαξε την απόφασή της. Ίσως αυτό, μπορεί και το άλλο, αυτό που ένιωθε κι ο ίδιος, την ανάγκη για τη συντροφιά της.

7

Π ίσω στο Βρασοβό τα πράγματα πήρανε το δικό
τους δρόμο. Έφυγαν τα παιδιά του Θεοφάνη κι
ο έρημος ένιωσε κάτι ασυνήθιστο, για την ακρί-
βεια κάτι πρωτόγνωρο για έναν άρχοντα τόσο καλομα-
θημένο. Τη μοναξιά μέσα στο σπίτι του να τον πλακώ-
νει. Το πρώτο βράδυ ξεγέλασε τον εαυτό του, ελέγχο-
ντας και τακτοποιώντας κάποιες εκκρεμότητες με τις
δουλειές του. Γερμένος πάνω από τα κιτάπια του κα-
ταχώρισε την αναχώρηση των παιδιών του, αφιερώνο-
ντας μόνο δυο αράδες στους αρραβώνες της Ζωίτσας.
Το δεύτερο βράδυ ξενύχτησε μέχρι αργά στο εμπορικό
του. Οι λύχνοι φώτιζαν το δρόμο, την αυλή, τα τζαμι-
λίκια, σαν να περίμεναν κάποιον ξενύχτη επισκέπτη.
Περαστικοί έγερναν το κεφάλι τους από το άνοιγμα
της αυλόπορτας να δούνε τι συμβαίνει, αν είχε ο Θεο-
φάνης κάποια χρεία. Την επομένη το πρωί, παρά την

κίνηση που είχε στο εμπορικό του, ο Θεοφάνης δεν άντεξε. Σκοτείνιασε, βούλιαξε μέσα στη μελαγχολία. Προσπάθησε το απόβραδο να πιάσει κουβέντα με τη μητέρα του. Όμως εις μάτην, η κυρα-Μερόπη τον κοιτούσε τρυφερά κατάματα, αλλά δεν τον κατανοούσε. Έσκασε ξαφνικά στα γέλια και αφού σοβαρεύτηκε απότομα, του προσέφερε τη βεντάλια της, παρόλο που ποτέ της δεν την αποχωριζόταν.

Ο Θεοφάνης ένιωθε εκνευρισμένος, σπάνιο πράγμα για τις ιδιότητές του κι αυτό τον ενοχλούσε, τον εκνεύριζε ακόμη παραπάνω. Αισθανόταν αδιάθετος, πότε με καούρες στο στομάχι, πότε με αέρια φουσκωμένος, να ρεύεται για να συνέλθει. Να τον τρώνε τα ρούχα του, τα γένια του και τα μαλλιά του. Να κάνει συνέχεια με τα δάχτυλά του μπούκλες, να μη λέει να σταματήσει. Να δίνει στην έκπληκτη Ευανθία τις πιο αλλοπρόσαλλες εντολές, να εκφράζει για το δείπνο πρωτόγνωρες απαρέσκειες για τα μέχρι χθες αγαπημένα του μανιτάρια ή επιθυμίες που τελευταία στιγμή δεν μπορούσε να προλάβει. Μια στρούντελ έτσι, μια στρούντελ αλλιώς. Να ανακαλύπτει ότι η μητέρα του τον ενοχλούσε. Τα αφεψήματα και τα δροσιστικά να εναλλάσσονται όλη την ημέρα το ένα με το άλλο. Το τρίτο βράδυ βρέθηκε μόνος του με κάποια σναπς στο καπηλειό, το τέταρτο και με παρέα.

Το πέμπτο βράδυ επέστρεφε τρεκλίζοντας, με τον γιο του ταβερνιάρη κάτω από τη μασχάλη του να τον υποβαστάζει. Η ζάλη, η θολούρα του μυαλού έγινε ευθύς ντροπή κι οδύνη, όταν τυχαία έπεσε στο δρόμο του ο Χατζή Νίκου: «Θεοφάνη, για όνομα του Θεού, τι σου συμβαίνει;» αναφώνησε έκπληκτος ο καλός του φίλος. Κατάφερε να σταθεί με ευπρέπεια στα πόδια του, να μουρμουρίσει μια δικαιολογία, όπως επίσης να ορκισθεί λίγο αργότερα στον εαυτό του ότι δεν θα διολίσθαινε ξανά σε τέτοιο χάλι. Άφησε την Ευανθία να τον ελαφρώσει από τα ρούχα του κι έπεσε στο κρεβάτι ανάσκελα με χέρια και πόδια ανοιχτά, δίχως το σκούφο του μήτε το νυχτικό του. Ψελλίζοντας: «Μόνος, ποιος να το φανταζόταν πόσο μόνος...», αποκοιμήθηκε με τα μάτια βουρκωμένα, αλλά κι έκπληκτος πόσο τον είχε συνεπάρει η απουσία των παιδιών του.

Την πρώτη Κυριακή μετά την αναχώρηση του Νεόφυτου, ο Χατζή Νίκου έκρινε σκόπιμο ότι ήταν καιρός πια να επαναφέρει το θέμα του προξενιού της Γιαννοβιάς στον Θεοφάνη. Η συνάντησή του την προηγούμενη μαζί της τον πίεζε ακόμη πιο πολύ να κάνει κάτι. Η Γιαννοβιά το είχε υπενθυμίσει στην ευγένειά του με κάθε διακριτικότητα, χωρίς καν να του ζητήσει να παρέμβει για δεύτερη φορά. Γνωρίζοντας τις αδυναμίες του είχε φτιάξει για τη χάρη του μια πουτίγκα με σταφίδες και καρύδια. Είχε τρέξει να τον προλάβει, κρατώντας την ζεστή ακόμη από το φούρνο, πριν την πιθανή, όπως συνήθιζε, σαββατιάτικη βραδινή έξοδό του στο φαρμακείο. Όρθια στο κεφαλόσκαλο πριν τον καληνυχτίσει, μνημόνευσε απλώς ένα προξενιό με μια γνωστή τους, άπορη σχεδόν, που προχωρούσε κατ' ευχήν.

Όμως δεν χρειαζόταν, για τον Χατζή Νίκου η παρέμβασή του ήταν κάτι παραπάνω από πατρικό καθήκον.

Βγαίνοντας από την εκκλησία, ένιωσε ότι η προμηνυόμενη λιακάδα, ο ευδιάθετος κόσμος — οι πιο πολλοί ανά ζεύγη — ο οργανοπαίχτης να γεμίζει τον αέρα με ωραίες μελωδίες, συνταίριαζαν την πιο πρόσφορη περίσταση για να επαναφέρει το θέμα. Με το αντίδωρο ακόμη στο στόμα, ύψωσε το μπαστούνι του σκουντώντας το γοφό του Θεοφάνη και του παρήγγειλε με κάποια επισημότητα: «Θέλω να σου μιλήσω». Ο Θεοφάνης ανοίγοντας την αγκαλιά του αντί άλλης απάντησης, έδειξε την καλή διάθεσή του. Οι δύο άνδρες προχώρησαν προς την πλατεία. Η καταχνιά ακόμη δεν είχε διαλυθεί εντελώς, οι υπαίθριοι έμποροι μέσα σ' ένα σύθαμπο γλαυκό έστηναν τα τσαντίρια και τις τέντες με τις πραμάτειες τους. Αραιά και πού μια αόρατη εντολή, μια αγουροξυπνημένη βλαστήμια, μια χιλιοειπωμένη γκρίνια, θύμιζαν ότι δεν υπήρχαν μόνο τα πουλερικά που κακάριζαν ή κράζαν.

Το καπηλειό στην αγορά της Απολλώνιας Χίρσερ άνοιγε πρώτο, έκλεινε τελευταίο. Κατευθύνθηκαν δίχως άλλες κουβέντες, σαν να 'τανε συνεννοημένοι. Απόθεσαν τα υπερήφανα καλπάκια τους και παρήγγειλαν μια κούπα γάλα, ένα δίκταμο και σταφιδόφωμο για συνοδεία. Ο Χατζή Νίκου, αφού κατέβασε απανωτά δυο πλούσιες γουλιές γάλα που άσπρισαν το μουστάκι του, σκούπισε τα χείλια του, έστρωσε τη γενειάδα του και μπήκε αμέσως στο θέμα.

«Θεοφάνη, νομίζω, ότι ήρθε ο καιρός να πάρεις κι εσύ τις δικές σου αποφάσεις. Η Ζωή τράβηξε στην ευχή του Θεού κι όσων την αγαπάμε. Σύντομα θα την ξαναδείς και είμαι σίγουρος ότι θα ματαδώσεις την ευχή σου. Τώρα πρέπει να σκεφθείς και τον εαυτό σου. Ό,τι περνούσε από το χέρι σου το έκανες για να μαλακώσεις τα μυαλά του γιου σου. Ακόμη κι αν δεν έχεις καταφέρει να τον μεταπείσεις, δεν μπορεί η δική σου η ζωή, η εξασφάλιση των γηρατειών σου να εξαρτάται από τη γνώμη ή τις παραξενιές του γιου σου. Στο κάτω κάτω της γραφής, εκείνος θα όφειλε να ζητά την άδειά σου για το γάμο του και όχι εσύ από εκείνον την άδεια για το δικό σου γάμο.»

Ο Θεοφάνης αδυνατούσε να καταλάβει και ανοιγόκλεινε μάλλον νευρικά τα ματόκλαδά του. Με δυσκολία παρακολουθούσε αμήχανος τα λεγόμενα του φίλου του και στη συνέχεια έμεινε άναυδος μπροστά σε ό,τι μαζί μ' αυτά του αποκαλυπτόταν. Μισάνοιξε μάλιστα το στόμα του και από το βάρος της κρέμασε η κάτω του σιαγόνα. Ξεροκατάπιε απανωτά, για να μπορέσει να αρθρώσει λέξη.

«Παναγιώτη, τι μου λες; Τι μου ξεφουρνίζεις;» αντέδρασε στο τέλος αναστατωμένος, με μάτια γουρλωμένα. «Μιλάμε για το προξενιό της Σοφίας με τον Νεόφυτο ή για κάτι άλλο; Έλα στα συγκαλά σου!» κι έκανε έντρομος το σημείο του σταυρού. Ο Χατζή Νίκου τον κοίταξε αυστηρά σηκώνοντας το δεξί του φρύδι. Ενοχλημένος έγειρε προς το μέρος του και του

είπε, μιλώντας αργά, σχεδόν απειλητικά: «Εγώ να
'ρθω στα συγκαλά μου; Μπρε, μπας και τα 'χασες,
Θεοφάνη; Σου μίλησα ποτέ εγώ για τον Νεόφυτο και
τη Σοφία; Μάλλον στα όνειρά σου είναι αυτά που εί-
χες πιστέψει. Μιλάμε για το προξενιό ανάμεσα στη
Γιαννοβιά και σ' εσένα!» Βρόντηξε με τη χούφτα του
το κομπολόι του επάνω στο τραπέζι και συνέχισε:
«Τι ανοησίες είναι αυτές για τον Νεόφυτο και τη Σο-
φία; Η Σοφία θα πάει καλογριά. Το ξέρουνε κι οι κό-
τες. Μόλις βάλει στεφάνι η μάνα της, έφυγε την επο-
μένη. Τα έχουν ήδη μιλημένα». Κάτι πήγε να πει ο
Θεοφάνης, όμως ο Χατζή Νίκου δεν τον άφησε καν
να ολοκληρώσει. «Θέλεις να με τρελάνεις; Εγώ πά-
ντως τα έχω τετρακόσια και σε βεβαιώνω ότι πλανά-
σαι. Σκέφου τι σου έλεγα εγώ κι εσύ τι στραβοκατα-
λάβαινες και θα μου δώσεις δίκιο.»

Ο Θεοφάνης ένιωθε να τον περιλούζει κρύος ιδρώ-
τας μπροστά στην παρανόηση που είχε προκύψει ανά-
μεσά τους, κι όπως φαινόταν εξ ολοκλήρου με δική
του ευθύνη. Το προξενιό ήτανε πράγματι από τη
Γιαννοβιά, όμως προφανώς και δυστυχώς αφορούσε
στην ίδια. Αυτός το είχε εκλάβει ότι αφορούσε στη
θυγατέρα της, γιατί έτσι του πήγαινε καλύτερα. Εκεί
από καιρό έτρεχε ο νους του. Δική του η ευθύνη ότι
παρουσίασε ως μόνο εμπόδιο την άρνηση του γιου του
και μάλιστα για άλλο ζήτημα από εκείνο που διακυ-
βευόταν. Όσο για την ουσία του προξενιού και της
παρανόησης, εκεί τα πράγματα ήταν ξεκάθαρα και

270

μακριά από κάθε παζάρι. Δεν χρειάσθηκε ούτε μία στιγμή να τα σκεφθεί. «Παναγιώτη μου, μπορεί να έχεις όλα τα δίκια, εγώ στραβοκατάλαβα, το φταίξιμο όλο δικό μου, αλλά κι εγώ δεν τρελάθηκα στα πενήντα μου να βάλω ξανά στεφάνι και να γίνω περίγελος του κόσμου.»

Αμήχανη σιωπή έπεσε ανάμεσά τους. Ο Θεοφάνης ζάρωσε με την παλάμη του το μέτωπό του. Δεν χρειάσθηκε να πολυσκεφθεί για να συνειδητοποιήσει ότι όλες εκείνες οι φιλικές, έως με κάποια διαχυτικότητα συμπεριφορές της Γιαννοβιάς, είχαν άλλη αιτία. Εκείνη αλλιώς λογάριαζε και εκλάμβανε τη συμπεριφορά του, πιστεύοντας σε ένα ναι σιωπηρό που ο ίδιος όχι μόνο δεν είχε δώσει, αλλά ούτε καν υποπτευθεί ότι επικρεμόταν ως δαμόκλειος σπάθη πάνω από την κεφαλή του. Και το χειρότερο, ότι εύλογα η Γιαννοβιά έπαιρνε στα στραβά την κάθε φιλική κι ευγενική συμπεριφορά του.

«Οχού ντροπή...» ψέλλισε κι άρχισε να ξαίνει με μανία τα γένια του προς τα κάτω. «Πώς θα της πούμε τώρα το όχι... πώς θα της ξεφουρνίσουμε την παρανόηση... πώς θα φέρουμε, Ύψιστε, τα πράγματα εκεί που ήταν πριν ξεκινήσει καθένας αλλιώς να τα εννοεί κι αλλιώς να τα καταλαβαίνει...» Μ' αυτές τις κουβέντες επαναλαμβανόμενες μονότονα επιδόθηκε να τρώει εναγώνια τα νύχια του, χωρίς να βρίσκει μια απάντηση που θα τον ηρεμούσε. Παράτησε το δίκταμό του και ζήτησε ένα σναπς για να αντέξει την καταιγίδα που έφερνε η αποκάλυψη του Χατζή Νίκου.

271

Ο Χατζή Νίκου περιορίστηκε να παίζει σκεφτικός με τις χάντρες του κομπολογιού του. Τον άφησε για κάμποσο στην απόγνωσή του, ώσπου με μια φράση έδωσε τέλος στη συζήτηση εκείνη: «Δεν θα της πούμε κανένα όχι. Να σταματήσεις με τα παιδιαρίσματα και να συνηθίσεις στην ιδέα». Στηρίχθηκε στο μπαστούνι του, έστρωσε μηχανικά το καφτάνι του κι αφήνοντας τον Θεοφάνη να πληρώσει, κατευθύνθηκε προς την πόρτα του καπηλειού, εκνευρισμένος με την απρόσμενη τροπή και την αποκάλυψη των πραγμάτων. Απ' την απόσταση εκείνη δεν άκουσε τον Θεοφάνη, που πίσω του με σφιγμένα χείλη μούγκριζε, καθώς προσπαθούσε να στεριώσει το καλπάκι στην κεφαλή του: «Εγώ, πάντως, δεν παντρεύομαι. Κάλλιο να με παλουκώσει ο Βλαντ, παρά στεφάνι να φορέσω!»

Χώρισαν έξω από το καπηλειό με τον Χατζή Νίκου να τον κοιτά σιωπηλός, όμως αυστηρά, επικρίνοντας ίσως και απειλώντας τον για την παιδιάστικη και πεισματάρικη αντίδρασή του και τον ίδιο ν' αποφεύγει τη ματιά του. Ανηφόρισε προς το εμπορικό του. Τα βήματα της απόγνωσης τον έφεραν τυχαία μπροστά στον πάγκο της φράου Γκρέτα, της μάγισσας με τα ξόρκια, τα φυλαχτά, τα μαντζούνια και τα λόγια τα μυστικά στη χάση του φεγγαριού κι ακόμη τα νύχια, τα κοπανισμένα κόκαλα, τα ξεραμένα εντόσθια σε πέτσινα σακουλάκια με άγνωστα βότανα και μυρωδικά από απόκρυφα βιβλία χιλιοδιαβασμένα. Ό,τι είχε μαζέψει και πλέξει η δεισιδαιμονία κι η αμορφωσιά

272

για να κοιμίζει το μυαλό και να κρατάει ζωντανή την τελευταία ελπίδα. Η φράου Γκρέτα τον αντιλήφθηκε και με μία αποτρόπαια γκριμάτσα που συνοδεύθηκε απ' τον γνωστό στην αγορά κλαυσίγελό της προσπάθησε να τον κερδίσει.

Ο Θεοφάνης την προσπέρασε με μια στυφή γκριμάτσα μουγκρίζοντας: «Άι χάσου κι εσύ βλαμμένη». Μες στην απελπισία του ένιωσε το καλπάκι να του σφίγγει τα μηνίγγια. Το τράβηξε απότομα κι άρχισε να κάνει αέρα. Πήρε βαθιά αναπνοή, είπε μια καλημέρα βιαστική στον γνωστό του πλανόδιο τυροκόμο και συνέχισε το δρόμο προς τον προορισμό του. Μπήκε στο εμπορικό του σαν ζουρνάς που ξεφυσούσε, δίχως να βγάζει ήχο. Τα τσιράκια τον κοιτούσαν και δεν τολμούσανε να του μιλήσουν. Ο Πέτρος μόλις και κατάφερε να του τραβήξει την προσοχή και να του πει ότι κάποια φορτώματα είχαν φθάσει απ' το Βουκουρέστι στις έξω αποθήκες, όμως εκείνος μήτε που τον άκουσε. Αναζήτησε στα μπαχαρικά ένα γαρίφαλο και το κάρφωσε ανάμεσα στα δόντια του πιπιλίζοντάς το.

Η εβδομάδα κύλησε σαν όλες τις άλλες με τις δουλειές να τρέχουνε σαν το ροδάνι σε χέρια επιδέξια και σε πόδια σβέλτα. Ο Θεοφάνης ωστόσο ένιωθε αγρίμι σε κλουβί φυλακισμένο, παρά τις αποφάσεις που είχε πάρει. Συνάντησε δυο τρεις φορές τυχαία τη Γιαννοβιά στην αγορά, μα πρόλαβε και κρύφτηκε σαν κλέφτης, μην ξέροντας πώς να φερθεί, τι να της πει και πώς να της χαμογελάσει. Όμως δεν γλίτωσε στο τέ-

273

λος. Το Σάββατο η Γιαννοβιά εμφανίσθηκε στο εμπορικό του κρατώντας ένα μεγάλο καλάθι για τα φώνια. Καλημέρισε και δήλωσε ότι ήθελε να φωνίσει καρυκεύματα, που καταπώς φαίνεται όλα διαμιάς της είχανε τελειώσει. Κρατούσε κι ένα βάζο με φρέσκια μαρμελάδα από μούρα του Αγίου Ιωάννη. Τα τσιράκια έτρεξαν γύρω της να την περιποιηθούνε.

Ο Θεοφάνης ψέλλισε ένα καλημέρα, κοκκίνισε από την αμηχανία, αλλά και την πίεση που ένιωθε να τον ζώνει, να τον πνίγει. Κρατώντας το βάζο από ευγένεια και με τα δυο του χέρια, προσπάθησε να χαμογελάσει, να πει μια παραπάνω κουβέντα, όπως συνήθιζε μαζί της. Μάταια όλα. Ένοχη η ματιά του να ξεφεύγει από τη δική της, αδέξια μουρμουρητά τα λόγια του. Σαν ένας παρακατιανός που δεν ήξερε να φερθεί μπροστά σε μια κυρά, αρχόντισσα, ανώτερή του, επαναλάμβανε μηχανικά: «Σιναπόσπορους, μαχλέπι, μοσχοκάρυδο..., μπούκοβο..., βανίλια..., κόλιανδρο..., βαλεριάνα και τσιμένι...», φωνάζοντας υπερβολικά, σχεδόν κωμικά, στα τσιράκια του που στέκονταν δίπλα της ευλαβικά κι άκουγαν τις επιθυμίες της από πρώτο χέρι. Στο τέλος τη φίλεψε με μια αρμαθιά σύκα ξερά, που μόλις είχαν φθάσει από την Πόλη. Όμως με τρόπο άπρεπο, σαν να την έσερνε προς την πόρτα, προπορεύθηκε βγαίνοντας σχεδόν από το μαγαζί του.

Η Γιαννοβιά δεν μπορούσε να καταλάβει τι είχε συμβεί, σε τι οφειλόταν η παράξενη συμπεριφορά του. Δεν δίστασε να τον ρωτήσει, μα ούτε με την απάντησή του — κάπως αόριστη ανάμεσα στον βαρύ καιρό και στους κάλους που τον χτυπούσαν — μπόρεσε να βγάλει άκρη. Έφυγε ζεματισμένη, σχεδόν κατσουφιασμένη, μουρμουρίζοντας: «Ας είναι...» πράγμα που έκανε τον Θεοφάνη να νιώθει διπλά υπαίτιος για την όλη εξέλιξη των πραγμάτων. «Ω Θεέ μου, πώς έμπλεξα...» μουρμούρισε όταν έμεινε μόνος, «εγώ που τα είχα όλα σε τάξη και αρμονία, που ήλεγχα τα πάντα, όσα άφηνε η φύση κι ο Θεός έξω από τους ορισμούς τους, εγώ ένα κουβάρι με τη Γιαννοβιά να μην μπορώ κόσμια να ξεμπλέξω...»

Πέρασε κάμποσες ημέρες αναλογιζόμενος με ποιον τρόπο θα 'πρεπε να φέρει την κουβέντα στη Γιαννοβιά για να λύσει την παρεξήγηση. Πρωτίστως να μην την προσβάλει και συγχρόνως ο ίδιος να ξεμπλέξει. Αποφάσισε στην απόγνωσή του να προσφύγει στην αδελφή του για να τη συμβουλευθεί. Σίγουρα κάτι θα ήξερε εκείνη παραπάνω από τέτοια. Τη βρήκε να δίνει εντολές πάνω από καζάνια που άχνιζαν, να επιβλέπει μια μπουγάδα, στοίβα τα πλυμένα κι άλλα τόσα που περίμεναν τη σειρά τους. Η Θεοδώρα ξαφνιάσθηκε από την αναπάντεχη πρωινιάτικη επίσκεψη του αδελφού της. Στραβομουτσούνιασε γιατί χαλούσε τη ρέγουλά της, αλλά δεν μπορούσε και να αποπάρει τον μεγάλο αδελφό της. «Καλώς τον και πάλι καλώς τον!» αναφώνησε σκουπίζοντας τα χέρια της σε μια πετσέτα και βγάζοντας απ' το κεφάλι της ένα τουρμπάνι που έδενε ειδικά σε τέτοιες περιστάσεις.

275

Ο Θεοφάνης την έπιασε απ' τον αγκώνα και την τράβηξε από το πλυσταριό, κοιτώντας λοξά τα δουλάκια που είχαν παρατήσει την πλύση και χάζευαν τον αδελφό της κυράς τους. Μπροστά στο κεφαλόσκαλο που οδηγούσε στο πάνω σπίτι, ο Θεοφάνης εξομολογήθηκε μέσα σε τρεις φράσεις την παρανόηση και το πελώριο μπλέξιμό του. Η Θεοδώρα υπολόγισε σαν αστραπή τι θα σήμαινε μια τέτοια αλλαγή στη ζωή του αδελφού της και κατ' επέκταση στη δική της. Ιδίως τις επιπτώσεις στα οικονομικά και στα κληρονομικά τους. Υπολογίζοντας και τα προικώα της Γιαννοβιάς, ό,τι και να συνέβαινε, δεν έβρισκε κάποιο κακό ενδεχόμενο για τα συμφέροντά της. Έτσι κι αλλιώς, πρώτος ο Νεόφυτος θα κληρονομούσε και σίγουρα απομακρύνονταν οι δικές της έγνοιες κάποτε να τον γηροκομήσει.

«Με το καλό, Θεοφάνη μου, με το καλό! Γιατί διστάζεις και θέλεις να το χαλάσεις;» αντέδρασε πλατιά χαμογελώντας. «Δεν σε ρωτώ αν συμφωνείς, αλλά πώς να το φέρω και να μην την προσβάλω, μετά από όσα έχουν κυλήσει μεταξύ μας», της επαναλάμβανε ο Θεοφάνης φουρκισμένος. Όσα κι αν της αντέτασσε, η Θεοδώρα δεν έστεργε να τον βοηθήσει στη δική του απόφαση και στον τρόπο που έψαχνε ο έρμος, όσο πιο ανώδυνα να ξεμπλέξει.

Χώρισαν με τον Θεοφάνη μετανιωμένο για το χρόνο που είχε χάσει και για την άκαρπη προσπάθειά του. Πραγματικά μετανιωμένος, πικρά μετανιωμένος, ένιωσε ωστόσο την επομένη, όταν αντιλήφθηκε ότι ήδη στης Απολλώνιας Χίρσερ γνώριζαν για το προξενιό που ανέμιζε στον αέρα και όπως έλεγαν από στιγμή σε στιγμή ήτανε ώριμο πια να κλείσει. Μέχρι και ο συμπαθής κατά τα άλλα πλανόδιος τυροκόμος του ευχήθηκε: «Η ώρα η καλή, κύριε Θεοφάνη», κι εκείνος αντέδρασε με μια βλοσυρή ματιά και μια απειλητική χειρονομία.

Έξαλλος με την αδελφή του, που δεν μπορούσε να κλείσει το στόμα της μήτε για τόσο σοβαρές υποθέσεις, οργισμένος με τον εαυτό του, που παρόλο που τη γνώριζε της εμπιστεύθηκε το μυστικό του, τρίζοντας τα δόντια του λες κι ήθελε να σπάσουν, φρόντισε να κρυφτεί στο εμπορικό του μέχρι να ξεθυμάνουν τα κουτσομπολιά στους δρόμους. Σκέφτηκε ότι θα ήταν καλύτερα να κάνει το οτιδήποτε, όταν θα επέστρεφε ο γιος του. Προτιμούσε να πιστεύει ότι η παρουσία του Νεόφυτου θα του 'δινε κουράγιο και θα διευκόλυνε τους χειρισμούς του. Δεν ήθελε να παραδεχθεί ότι έτσι απλώς υπεξέφευγε από το δυσάρεστο καθήκον.

Κάποια χαράματα ξύπνησε ανήσυχος προτού καν το λυκαυγές αφήσει να ξεχωρίσει η κορυφογραμμή στα ανατολικά της πόλης. Μια δύσπνοια, μια δυσφορία γυρόφερνε το στήθος του, έκανε στενή, αφόρητη τη νυχτικιά του, τον πίεζε στο στέρνο. Άνοιξε το παράθυρο για να αναπνεύσει καθαρό αέρα. Ένιωσε την πρωινή υγρασία να τον περονιάζει και οπισθοχωρώντας έριξε στους ώμους του ένα ξεχασμένο σάλι της

277

Ευανθίας. Αναζήτησε στο μαγκάλι κάτω από τη χόβολη μια κάποια αναμμένη σπίθα. Μάταια. Λίγο αργότερα με μια κούπα κρύο γάλα ανάμεσα στις χούφτες ακούμπησε υπομονετικά στο περβάζι του παραθύρου, περιμένοντας να ξημερώσει. Δεν άργησε να τον κυριεύσει και πάλι η έγνοια των τελευταίων ημερών. Όμως εκεί του ήρθε και το αναπάντεχο.

Ανάμεσα σε δυο σκέψεις, σε δυο σταυροδρόμια, η Γιαννοβιά σαν να παρουσιάστηκε ξαφνικά μέσ' απ' το σύθαμπο μπροστά του. Και μάλιστα μ' ένα παιχνίδι του μυαλού, της φαντασίας, με το ολόλευκο νυχτικό της. Μια οπτασία από τον κόσμο των ονείρων και των δεισιδαιμονιών, που τόσο ειρωνευόταν. Απόμεινε βουβός να τη χαζεύει. Του φάνηκε προς στιγμή ότι την έβρισκε του γούστου του. Αφράτη και καλοστεκούμενη. Ποτέ του δεν την είχε δει με τέτοιο μάτι. «Για δες... για δες...» ψιθύρισε, λες και φρόντιζε να μην την τρομάξει. Τη γυρόφερε με τα μάτια του μυαλού, με τις διαθέσεις του αρσενικού. Ένα γλυκό παιχνίδι με τα σωθικά του. Αλλά για γάμο... ούτε ψίθυρος μήτε μια σκέψη.

Άρχισε να τον κυνηγά και πάλι η έμμονη ιδέα του πώς να ξεμπλέξει. Μαζί μ' αυτήν κι η σκέψη, η έγνοια, ότι όπου να 'ναι θα 'πρεπε επιτέλους να επιστρέφει από τη Βιέννα και ο γιος του. Μέτρησε με τα δάχτυλά του μέρες κι εβδομάδες, μα δεν μπορούσε με σιγουριά να υπολογίσει. Τον έπιασε μια τρελή ανυπομονησία. Άναψε το λύχνο, έριξε νερό στο πρόσωπό του και ντύθηκε βιαστικά αδιαφορώντας αν θα χτένιζε, όπως συνήθιζε κάθε πρωί, μαλλιά και γένια. Η πρώτη φροντίδα του όταν κατέβηκε στο εμπορικό του ήταν ν' ανοίξει το κατάστιχο των δοσοληψιών. Ανέτρεξε στη μέρα της αναχώρησης του Νεόφυτου και υπολόγισε μεγαλόφωνα μια και δυο φορές την ημέρα της επιστροφής του μετά από μια εύλογη, αλλά γρήγορη επίσκεψη στη Βιέννα. Σύνολο... εβδομάδες πέντε. Οι υπολογισμοί δικαίωσαν αμέσως τη διαίσθησή του. Πράγματι, ο Νεόφυτος θα 'πρεπε το αργότερο εκείνη την ημέρα, βία την επομένη, να εμφανισθεί, αν όλα είχαν πάει κατ' ευχή, όπως ήλπιζε ο ίδιος. Πήρε μια βαθιά ανάσα ικανοποιημένος. Τα χειρότερα δεν είχαν ακόμα ενσκήψει.

Έκλεισε το κατάστιχο με την ανακουφιστική σκέψη της επικείμενης άφιξης του γιου του και έστρωσε τα γένια του μ' ένα μικρό αλλά άκρως πρακτικό κτενάκι που κουβαλούσε πάντα επάνω του για να φροντίζει σε κάθε ευκαιρία τον εαυτό του. Βιάστηκε να τελειώσει τον καλλωπισμό του στρέφοντας την προσοχή του στον πρώτο πελάτη που δρασκέλιζε την πόρτα. Όμως γελάστηκε, γιατί ο επισκέπτης δεν ήτανε πελάτης, αλλά ο ταχυδρόμος. Ο συνομήλικός του Χάινριχ, γνωστός και αγαπητός σε όλους, με τη μικρή τρομπέτα του κρεμασμένη από τον ώμο, τον καλημέρισε χαμογελώντας και του έδωσε μια επιστολή σταλμένη από το Βένετο. Ο Θεοφάνης ξεπλάγη, γιατί δεν είχε δοσοληψίες, μήτε καν γνωριμίες στη Γαληνοτάτη. Θέλησε προς στιγμή να μαντέψει το περιεχόμενο της επιστολής και τη ζύγιασε

279

με τα ακροδάχτυλά του, λες κι έτσι θα μπορούσε να διαβάσει τα σφραγισμένα της μαντάτα. Έδιωξε ξεφυσώντας ένα κακό προαίσθημα, σπάνιο επισκέπτη στα σώψυχά του και άνοιξε τη μυστηριώδη επιστολή. Έτρεξε με τη ματιά του γρήγορα στο τέλος της για να εντοπίσει τον αποστολέα.

«Ένας φίλος», ψέλλισε. Δεν του άρεσε καθόλου αυτή η εύγλωττη από παρεμφερείς εμπειρίες γνωστών του ανωνυμία. Μετά από μια σειρά από ανόητες εισαγωγικές φιοριτούρες «ο φίλος» τον πληροφορούσε ότι ο κόντε Σπύρος ήταν ένας ξεπεσμένος, ξοφλημένος οικονομικά, που πόνταρε στο γάμο με τη θυγατέρα του για την προίκα που εποφθαλμιούσε. «Ένας ψωράρχοντας που πλέει στο φαλιμέντο» ήταν η κορωνίδα της καταγγελίας. Τέλος, ότι η εξοχότητά του θα έπρεπε να το ξανασκεφθεί, προτού δώσει την ευχή του σε κάποιον, του οποίου ο πατέρας το μόνο που είχε να του αφήσει ήταν ένα κληρονομημένο όνομα καταχωρημένο στο λιμπροντόρο της Γαληνοτάτης και μάλιστα από τους πρόσφατους καιρούς, όταν άρχισε το Βένετο μέσα στα οικονομικά αδιέξοδα του κρητικού πολέμου, πριν έναν αιώνα και κάτι, να μοιράζει τους τίτλους της ευγένειας αβέρτα, δίχως μέτρο, σε όποιον είχε να πληρώσει. Ο ανώνυμος αποστολέας προτού υπογράφει, διευκρίνιζε ως αιτία της ευαισθησίας του να ειδοποιήσει ανώνυμα έναν άγνωστό του στην άλλη άκρη του κόσμου την απέχθειά του προς την υποκρισία ενός πανάθλιου ευγενούς, όπως ο κόντε Σπύρος.

280

Ο Θεοφάνης δάγκωσε το πάνω χείλος του. Διέτρεξε με γρήγορη ματιά και πάλι την επιστολή. Έξυσε το μέτωπό του, το βρήκε νοτισμένο. Ήτανε προφανές ότι ο αποστολέας επεδίωκε για λόγους άγνωστους τη ματαίωση του γάμου. Γνωστά ήταν ανάλογα περιστατικά και στα δικά τους μέρη. Όμως αν ήταν αληθής η πληροφορία για την οικονομική κατάσταση του συμπεθέρου; Άρχισε να νιώθει ξαφνικά τον ίδρο κάτω από τα γένια του να τρέχει στο λαιμό του. Ο μέλλων γαμπρός του πρώτον δεν ομιλούσε την γραικικήν, δεύτερον ήταν ένας ξεπεσμένος που θα διέθετε την προίκα όχι για τα οικογενειακά βάρη στο γάμο του με τη Ζωίτσα, αλλά για να αναστυλώσει τα οικονομικά χάλια του πατρός του. Τύλιξε προσεκτικά την επιστολή, την καταχώνιασε σ' ένα συρτάρι και το διπλοκλείδωσε με ένα κλειδί που κρεμόταν από το λαιμό του.

«Θαυμάσια!» ανέκραξε όλο σαρκασμό, καταβάλλοντας προσπάθεια να πείσει τον εαυτό του να φερθεί με ψυχραιμία. Κυρίως να μην ξεστομίσει κάτι και φανερώσει στα τσιράκια του το κακό που τον είχε βρει, αν ευσταθούσαν οι δηλητηριώδεις αποκαλύψεις. Όμως θα έβρισκε τρόπο να μάθει την αλήθεια, πριν ξεκινήσει το ταξίδι του για το γάμο.

Αναστατωμένος παράτησε στον Πέτρο, επικαλούμενος μία αόριστη δικαιολογία, τους πρώτους πελάτες, που μάλιστα ενδιαφέρονταν για ακριβό πορφυρό μετάξι και βγήκε βιαστικά στο δρόμο. Ένιωθε μούσκεμα, είχε ανάγκη από καθαρό αέρα. Έβγαλε το μαντίλι του και σκούπισε το μέτωπό του, τον ίδρο γύρω από το λαιμό του. Κρατώντας αφηρημένος στο δεξί του το μαντίλι να ανεμίζει, προχώρησε δίχως συγκεκριμένο προορισμό προς την πλατεία. Στα μέσα του δρόμου γύρισε πίσω. Λίγο πριν την εξώθυρά του, άλλαξε πάλι κατεύθυνση και τράβηξε προς το εμπορικό της Απολλώνιας Χίρσερ, για να ανταλλάξει μια κουβέντα και να ξεδώσει ο νους του. Προσπέρασε ή κοντοστάθηκε μπροστά στο μικρομάγαζο κάθε τεχνίτη. Εισέπραξε την καλημέρα, το λόγο τον καλό, το ενδιαφέρον για το τι θα επιθυμούσε η αφεντιά του από χρυσοχόους και γανωτήδες, κλειδαράδες, τροχιστές, μαραγκούς, ραφτάδες, κουμπιάδες, καπελούδες, μανταρίστρες. Δεν ένιωσε καλύτερα.

Βγήκε και πάλι στην πλατεία. Σταμάτησε μπροστά σ' έναν ταχυδακτυλουργό που έκανε στη δημοσιά τα θαύματά του και άρχισε να σκέφτεται μια έτσι, μια αλλιώς. Πείσθηκε τελικά, μπορεί να ήταν και μόνο ψίθυροι της διαίσθησής του, ότι η καταγγελία μάλλον — τι μάλλον; — σίγουρα θα είχε κάποια βάση. Κι αυτή η βάση, ακόμη και η ελαχίστη, του αρκούσε για να καταρρεύσει. Η αίσθηση ότι κατά τρόπο πρωτόγνωρο έχανε τη συνήθη αισιοδοξία και αυτοπεποίθησή του απέναντι στις κάθε λογής αναποδιές, είχε τη μαγική δύναμη των ταχυδακτυλουργιών που του τραβούσαν το χαλί της ζωής του, την ασφάλεια, τη σιγουριά κάτω από τα πόδια. Λύθηκαν τα γόνατά του και τρεκλίζοντας πιάστηκε από τον τοίχο πίσω από τον ταχυδακτυλουργό, λες κι ήθελε να επιδείξει την ανημπόρια του δίπλα στις ικανότητες του πλανόδιου φτωχοτεχνίτη.

Επέστρεφε μετά από μια άσκοπη περιπλάνηση πίσω από την Μαύρη Εκκλησία στο εμπορικό του και οχυρώθηκε σκεφτικός, σχεδόν χαμένος, πίσω από τον πάγκο. Σαν κάποια άλλη δύναμη να σήκωσε το δεξί του και κατάφερε ένα κι ύστερα άλλο ένα ράπισμα στο μάγουλό του. Ένιωθε από δική του αβλεψία — και όχι επειδή το ήθελε η μοίρα, αφού στη μοίρα δεν επίστευε — ότι είχε πιάσει τον πάτο του πιο μαύρου βαρελιού της τόσο προσεκτικής ζωής του. Από τη στεναχώρια του — ποιος θα το φανταζόταν; — δεν έβαλε όλη τη μέρα μπουκιά στο στόμα.

Δεν έφθανε αυτό το κτύπημα.

Την επομένη το πρωί κατέφθασε από το Δημαρχείο ένας παρακατιανός γραφέας. Με κάθε σεβασμό του άφησε μία επιστολή που του είχαν εμπιστευθεί μέσω τρίτων από τη Βιέννα και εισέπραξε το ευχαριστώ από το πουγκί του συνοφρυωμένου Θεοφάνη, ανάμικτο με περιέργεια και κάποια ανησυχία. Λες ο ανώνυμος φίλος να είχε ξεχάσει κάτι σοβαρό ή μετανιωμένος να έπαιρνε πίσω τη χολή και την εμπάθειά του;

Ο Θεοφάνης ζήτησε από τα τσιράκια του ένα ποτήρι νερό που το άδειασε μονορούφι. Ψηλαφώντας τη σφραγισμένη επιστολή, προτίμησε να καθίσει πίσω από τον πάγκο του για να τη διαβάσει. Σαν να επιζητούσε και να απολάμβανε έτσι μια σιγουριά, μια αγκάλη, που ένιωθε ότι θα την είχε άμεσα ανάγκη. Μισόκλεισε τα μάτια του για να μπορέσει να διακρίνει κάποια σημάδια και του φάνηκε — Κύριε των δυνάμεων — ν' αναγνωρίζει το γραφικό χαρακτήρα του γιου του. Τσάκισε το βουλοκέρι και βεβαιώθηκε γι' αυτό απ' την προσφώνηση και την υπογραφή του. Ένιωσε ανεπαίσθητα ένα ρίγος να τον γυροφέρνει. Σαν αεράκι ύπουλο, σερνάμενο από την είσοδο πάνω στο δάπεδο να πλησιάζει η απειλή, το ίδιο το κακό. Η πατούσα του άρχισε νευρικά να ανεβοκατεβαίνει στα πλακάκια, τα βλέφαρά του να τρεμοπαίζουν άτακτα, τα φρύδια του να σμίγουν, να βαραίνουν. Ήτανε σίγουρος ξαφνικά για άσχημα μαντάτα, έστω και αν δεν εγνώριζε το ακριβές περιεχόμενό τους.

Με την πρώτη ανάγνωση απ' το «αγαπημένε και αξιοσέβαστέ μου πατέρα...», μέχρι την πρώτη αποστροφή του για τον Ροβεσπιέρο, βεβαιώθηκε για το κακό προαίσθημά του. Έβαλε την παλάμη του πάνω από την επιστολή, σαν να 'θελε να την κρύψει, να τη σφαλίσει, να προφυλάξει από τον ίδιο του τον εαυτό την παραπέρα ανάγνωσή της. Ακούσθηκε μάλιστα το κτύπημα της παλάμης του πάνω στον πάγκο, έτσι ώστε τα δυο τσιράκια του που δούλευαν πιο πέρα να στραφούν όλο περιέργεια για να δούνε τι συμβαίνει. Ο Θεοφάνης αρκέσθηκε να τα κοιτάξει επιτιμητικά για να στρέφουν αλλού την προσοχή τους. Δάγκωσε το πάνω χείλος του, έλεγξε γύρω του σαν να ήθελε να διαπιστώσει αν κάποιο μάτι τον παρακολουθούσε και ξεδίπλωσε την επιστολή αποφασισμένος ν' αντιμετωπίσει με θάρρος, ό,τι κι αν του διαμηνούσε το απάγκιο των γηρατειών του. Διάβασε δυο και τρεις φορές το περιεχόμενό της. Κατέβαλε προσπάθεια για να πιστέψει αυτά που του 'λεγαν τα μάτια του απ' τα γραφόμενα του γιου του. Για να αντέξει αυτό που δεν έβαζε, δεν θα 'βαζε ποτέ ο νους του. Για ν' αναπνεύσει μια σταλιά αέρα, όση χρειαζόταν για να επιζήσει από τον κεραυνό που εξ ουρανού τα θεριά της Αποκαλύψεως του είχαν ξαμολήσει. Ένιωθε τα μάτια του να καίνε. Στα μηνίγγια του σφυριά όλο και πιο δυνατά να τον χτυπούν, να θέλουνε να τον τελειώσουν. Ο ίδιος ένα ράκος μπροστά στην καταιγίδα της πικρής, της δυσβάσταχτης αλήθειας, που δίχως έλεος του αποκαλυπτόταν. Ο γιος του τον εγκατέλειπε για πάντα. Τον εγκατέλειπε ξεμυαλισμένος από τον Ροβεσπιέρο!

«Άγιοι Γάντες, βοηθάτε!» Έφευγε για να του αφιερώσει το έχει του και την ψυχή του. Για να θυσιάσει στο όνομά του τους κόπους, τις δυνάμεις του και όλο του το είναι. Ποτάμι, χείμαρρος ορμητικός η περιφρόνηση για τη ζωή τους στη Στεφανόπολη, για το ριζικό του να γίνει ένας νοικοκύρης. Να κάνει οικογένεια, να κληρονομήσει το εμπορικό του, να μεγαλώσει το βιος που θα του άφηνε ο ίδιος. Σαν οχετός η απόρριψη, η περιφρόνηση μιας φρόνιμης ζωής που είχε φροντίσει ο ίδιος ως οικογενειάρχης με τόση επιμέλεια να τον περιβάλλει. Αρετές και αξίες, το μέτρο

285

και η φρόνηση, το εμπόριο, το βιος κι οι οικονομίες, όλες με μια σπαθιά της νιότης τελειωμένες. Όλα μια βρισιά, μια αδικία.

Και αλίμονο... «Αλί και τρισαλί...» Όσο κι αν διάβαζε, όσο κι αν έψαχνε, ούτε μισή κουβέντα, μήτε μια νύξη για τα φλορίνια του Χατζή Νίκου. Τι είχαν γίνει; Είχαν κάνει φτερά; Κόντευε να παλαβώσει. Να τρέμει η σιαγόνα του, να μην μπορεί να την ελέγξει. Πώς ήταν δυνατόν; Κι αυτά μπουρλότο, προφανώς χάρη στο σαλεμένο μυαλό του γιου του. Κι αυτά στον Ροβεσπιέρο; Πώς ήταν δυνατόν ένα τέτοιο κατάντημα, έτσι ασυλλόγιστα μία βουτιά στο βούρκο; Δεν πίστευε αυτά που αβίαστα συμπέραινε ο νους του. Ο γιος του ποταπός σφετεριστής της περιουσίας του πιο αγαπητού προσώπου της οικογένειάς τους. Καταπατητής της πιο υψηλής αρετής που μπορεί να δένει ανθρώπους, όπως αυτής της σχέσης εμπιστοσύνης. Εξαφανίσθηκε ο άθλιος, το αίμα του με τα λεφτά που του 'χε εμπιστευθεί ο Χατζή Νίκου.

«Χριστέ μου, βόηθα!» κατάφερε να ξεστομίσει μ' έναν λυγμό από τα βάθη της ψυχής του και έγειρε με το κούτελο συντετριμμένος πάνω στον πάγκο.

Τα τσιράκια έντρομα έτρεξαν να φέρουν νερό, να ειδοποιήσουν τον Πέτρο. Ένας πλανόδιος μουσικάντης με τη θεώρβη του στο άνοιγμα της πόρτας σταμάτησε αμέσως την ψυχαγωγική δραστηριότητά του, σεβόμενος το θλιβερό θέαμα του αφέντη Θεοφάνη. Ο Πέτρος αναστατωμένος έγειρε τα φύλλα της εξώθυρας κι έβαλε ένα τσιράκι για σκοπιά, να δικαιολογείται στους πελάτες και να παρακαλεί να περάσουν άλλη ώρα.

Η ημέρα κύλησε σαν να 'χαν χάσει κάποιον αδόκητα στον άλλο κόσμο. Η Ευανθία βλέποντας τον κύρη της αλλόφρονα να παραμιλά και να παραπατά, γέμισε το ίδιο βράδυ το σπίτι με θυμιατά, άναψε καντήλια και κεριά στο εικονοστάσι. «Μάτι, μάγια και το κακό συναπάντημα» να βρίσκει ως μόνη αιτία και να την επαναλαμβάνει μουρμουρίζοντας ευχές και βασκανίες, σίγουρη για τη διάγνωσή της. Τα ξόρκια και τα μαγικά να προσπαθούν να διώξουν το κακό κρυφά πίσω απ' την πλάτη του αφέντη της, καθώς στο πέρασμά του το παραμιλητό και μια μπόχα περίεργη από τον ίδρο, το ζόρι και την αγωνία έδιναν την εντύπωση ότι το σπίτι είχε στοιχειώσει με νεκρούς, προτού οι ζωντανοί αποδημήσουν. Να φασκελώνει μάταια τους άδειους τοίχους στη μεριά που πιθανολογούσε ότι έβγαινε το φεγγάρι. Μάταια να μασά άγνωστα βότανα και να μην ελέγχει ακριβώς ποια έφτυνε στον κόρφο της και ποια πίσω απ' τον ζερβό της ώμο.

Μόλις την επομένη κατάφερε η Ευανθία να αποσπάσει απ' τον αφέντη της κάποια μισόλογα για το κακό που είχε βρει τον Νεόφυτο και όλο τους το σπίτι, αλλά και πειθάρχησε να ορκισθεί ότι δεν θα της ξέφευγε κουβέντα. Στο άκουσμα ότι ο νεαρός αφέντης της είχε ξεμυαλιστεί από κάποιον Ροβεσπιέρο, αφού ρώτησε για να βεβαιωθεί ότι είχε ακούσει σωστά, ότι ένας άντρας είχε ξεμυαλίσει τον Νεόφυτό τους, έπεσε επιτόπου στα γόνατα και λύθηκε βογκώντας πάνω στα πλακάκια, προφέροντας λόγια δυσνόητα ακόμη και για τους άγιους που κάθε τόσο ξεχώριζε το όνομά τους.

Αντίθετα η γιαγιά Μερόπη έδειξε μια απίστευτη και ανεξήγητη ψυχραιμία στο άκουσμα των μαντάτων από την Ευανθία. Ξεκινώντας την άποψή της με τη φράση: «Ε, δεν είναι δα και του πεθαμού...» κατέληξε επισφραγίζοντας την κατανόηση και την ανοχή της με τη φράση: «Ό,τι και να 'ναι... ο γιος του γιου μου είναι αίμα μας κι αυτό μου φτάνει».

Ο Θεοφάνης ποτέ στη ζωή του δεν είχε επικαλεσθεί με τέτοια ένταση, με τόση αγωνία, το όνομα του Χριστού, της Παναγίας, των Αποστόλων όλων, προκειμένου να τον βοηθήσουν, να τον φωτίσουν να ξεφύγει από τον εφιάλτη που ζούσε έτσι αναπάντεχα από θέληση θεϊκή ή μήπως κατάρα εγκόσμια. Στην κορυφή μίας ζωής στεφανωμένης με επιτυχία, σιγουριά, αναγνώριση και ευημερία, δίχως να βλάψει, να προκαλέσει ή δίχως σύνεση να ενεργήσει, μέσα σε μια στιγμή είχαν έρθει όλα τα πάνω κάτω. Πώς γίνονται αίφνης τα σίγουρα και τα ακλόνητα ατμός που χάνεται στα ύψη; Πώς γίνεται κι έρχεται η ζωή ανάποδα και τα πόδια χτυπούνε το κεφάλι; Ο γιος του, το έργο της ζωής του, η μόνη προσδοκία για τα γηρατειά του καπνός χαμένος στους ουρανούς της Εσπερίας. Ποιος θα το πίστευε; Από τον ίδιο του τον γιο εγκαταλειμμένος και πισώπλατα σημαδεμένος.

Και πάνω απ' όλα ο μείζων εφιάλτης: Ο εφιάλτης

της ντροπής, της απαξίωσης, της ατίμωσης, της ατιμίας, του ευτελισμού. Πού να τα βρει τα ισόποσα φλορίνια που είχε σφετεριστεί ο αναθεματισμένος από τον Χατζή Νίκου; Και μάλιστα τώρα; Που μόλις λίγες βδομάδες πριν είχε μ' όλες τις οικονομίες του προικίσει την πολυαγαπημένη του θυγατέρα, χαμένη κι εκείνη στις θάλασσες του Ιονίου, με τα φλορίνια του, αιχμάλωτη ενός άξεστου τυχοδιώκτη. Με τι μούτρα θα αντίκριζε τον Χατζή Νίκου; Σε μια, σε δυο το αργότερο εβδομάδες, θ' άρχιζε ν' αναρωτιέται και να υποφιάζεται. Σε μια, σε δυο το πολύ εβδομάδες, θ' άρχιζε ο ίδιος να του οφείλει μια απάντηση, μια στοιχειώδη εξήγηση για την αδικαιολόγητη εξαφάνιση του γιου του.

«Δανεικά, ναι, ίσως δανεικά...» βρέθηκε κάποια στιγμή να σιγοφιθυρίζει. Όμως να βγει στο σεργιάνι, αναζητώντας από εδώ και από εκεί να τον δανείσουν; Θα ήταν αναπόφευκτα και πάλι η καταστροφή από άλλο δρόμο. Θα 'ταν και πάλι το τέλος, σαν μαθευόταν η κατάντια του κι αρχίνιζαν να ψάχνουν τις αιτίες. Η αδελφή του πρώτη και καλύτερη θα τον σταύρωνε στις πλατείες και στα σταυροδρόμια με το στόμα της που δεν γνώριζε χαλινό και τη γλώσσα που δεν ήξερε να συγκρατήσει τη χολή της. «Ω! Παναγία, Μητέρα του Θεού, Κύριε των δυνάμεων, Τριάδα Αγία!» έλεγε και ξανάλεγε ανάμεσα σε βογκητά και αναφιλητά, ανήμπορος να πιστέψει ακόμη το μέγεθος της τραγωδίας, ακόμη πιο αδύναμος στους ώμους του να τη σηκώσει.

Στο μαγαζί άρχισαν οι πελάτες να αραιώνουν. Ακόμη και οι πιο επιεικείς δεν άντεχαν την περίεργη, απόμακρη, σχεδόν απόκοσμη συμπεριφορά του. Ο πάντα ευπροσήγορος Θεοφάνης, ο ευπρεπής, να έχει γίνει απόκοσμος. Έφθασε να τον πει ο Οθωμανός πεταλωτής των ζωντανών του τζαναμπέτη. Δυο φορές αμέλησε απανωτά παραγγελίες σε υπεσχημένες ημερομηνίες και εκτέθηκε όσο δεν είχε εκτεθεί σε όλη τη ζωή του. Κάποιοι επεχείρησαν να του μιλήσουν, να δείξουνε ενδιαφέρον, όπως για παράδειγμα ο γαμπρός του. Άδικος κόπος, ανταπόκριση δεν βρήκε. Στο δρόμο έπαφαν να τον χαιρετούν, αφού έτσι θολωμένος και χαμένος δεν διέκρινε τους γνωστούς, δεν άκουγε τις καλημέρες, δεν απαντούσε σ' όσους του απηύθυναν το λόγο. Τυφλός με μάτια ορθάνοιχτα διέσχιζε το δρόμο, με μόνα τα χείλη του να κινούνται νευρικά, σαν να παραμιλούσε. Το Σάββατο το βράδυ δεν εμφανίσθηκε στη συνάθροιση των εμπόρων, όπου θα συζητούσαν για την περιζήτητη συμμετοχή τους στην εμποροπανήγυρη της Λειφίας. Όλοι όσοι γνώριζαν τι σήμαινε εκείνη η εμποροπανήγυρις για τον Θεοφάνη ήταν σίγουροι ότι κάτι του είχε συμβεί, αν ο μη γένοιτο δεν είχε πάθει κάτι πιο σοβαρό μες στο κεφάλι.

Μέσα σε μια εβδομάδα παρέλυσε η εμπορική του αλληλογραφία με το δίκτυο των συνεταίρων, αυτή που ήταν το αίμα κι η ζωή της εμπορικής δραστηριότητάς του. Τον έχασαν από την αγορά, έπαφαν να τον βλέπουν στην ταβέρνα της Απολλώνιας Χίρσερ. Την Κυριακή δεν πάτησε στην εκκλησία, μην τύχει και συναντήσει τον Χατζή Νίκου. Μήτε το αποτόλμησε την επομένη. Στο σπίτι του κλεισμένος κοιτούσε κατάματα τον Θεοφάνη στον καθρέφτη και δεν πίστευε σε τι κατάντια είχε κατρακυλήσει.

Βούιξε η κοινότητα των Γραικών για την αλλόκοτη συμπεριφορά του, κάποιοι μιλούσανε για σπάνια αρρώστια. Έμαθε κι η Γιαννοβιά από κουτσομπολιά τα δυσοίωνα μαντάτα. Δεν σκιάχτηκε, δεν χώθηκε στη φωλιά της να περιμένει. Την Κυριακή μετά τη λειτουργία φάνηκε στο εμπορικό του Θεοφάνη και κάθισε ανήσυχη να τον περιμένει. Τα τσιράκια έτρεξαν να ειδοποιήσουν τον αφέντη τους. Ο Θεοφάνης, με τις τσίμπλες ακόμη στα μάτια, την αντίκρισε λίγο αργότερα κι ένιωσε ένα σφίξιμο στο στομάχι. Με το ζόρι άντλησε λίγη ευγένεια από τους τρόπους του που δεν τον είχαν εγκαταλείψει για να την καλημερίσει. Σαν ένας μπόγος παραφουσκωμένος, που έγερνε πέρα δώθε, σωριάστηκε στην πολυθρόνα του, πίσω από τον πάγκο. «Πώς έτσι πρωί, Γιαννοβιά;» μπόρεσε όλο αμηχανία να αρθρώσει.

Η Γιαννοβιά έβαλε τα δυνατά της, μιλούσε με θέρμη, προσφερόταν με κάθε τρόπο για να τον βοηθήσει, όμως εκείνος καθόταν σιωπηλός κι απόφευγε τη ματιά της όσο μπορούσε, παίζοντας μ' έναν χαρτοκόπτη που βρέθηκε πάνω στον πάγκο. Άκουγε τα λόγια της, που στην αρχή όλο περιστροφές και στη συνέχεια απροκάλυπτα έδειχναν την ανησυχία της για κουβέ-

291

ντες παράξενες που, όπως άκουγε ή διαπίστωνε κι η ίδια, τον συνόδευαν στο πέρασμά του. Κουβέντες από ανθρώπους που τον ήξεραν, τον νοιάζονταν, τον εκτιμούσαν και τελευταία δεν τον αναγνώριζαν από τη συμπεριφορά του.

Ο Θεοφάνης αρκέσθηκε στο τέλος να κάνει ένα νόημα στο τσιράκι του κι εκείνο έτρεξε να προσφέρει μία σουμάδα στην επισκέπτριά τους. Η Γιαννοβιά την πήρε αμήχανα στα χέρια της και υποκρίθηκε βρέχοντας τα χείλη της ότι άρχισε να την πίνει. Απόμειναν στο τέλος σιωπηλοί να κοιτιούνται, ν' αναστενάζουν, να σιγοβράζουν μες στην κουφόβραση του καλοκαιριού που ανέβαινε να πνίξει τη Στεφανόπολη κι όλες τις ψυχές της.

Η Γιαννοβιά δεν αποθαρρύνθηκε, αντίθετα πήρε θάρρος βλέποντας την ανημπόρια του καλού της και δεν έλεγε να το κουνήσει. Δεν δίσταζε μάλιστα να εξυπηρετεί τους πελάτες, όπως μπορούσε, σαν καλή νοικοκυρά που ήξερε να κουμαντάρει το εμπορικό, όπως διαφέντευε το νοικοκυριό της. Διακριτικά χωρίς να γίνεται πιεστική, κατάφερνε να ξαναφέρει το θέμα, να δείχνει ότι ο Θεοφάνης θα μπορούσε να την εμπιστευθεί, να στηριχθεί, να ακουμπήσει πάνω της, να υπολογίσει στη βοήθειά της. Πέρασαν έτσι κάποιες ώρες με αραιά και πού κουβέντες του μαγαζιού ή τετριμμένες ερωταπαντήσεις. Όταν στο τέλος πίστεψε ότι τίποτα δεν είχε καταφέρει, γύρισαν τα πάνω κάτω.

Εκείνο το πρωινό κουβέντα στην κουβέντα με τη δύναμη του νου σαν μυλόπετρα να συνθλίβει ό,τι βρίσκει μπροστά της, ωρίμασαν και οι πιο δύσκολες σκέψεις στο μυαλό του Θεοφάνη. Προχωρημένο μεσημέρι, έπαιρνε ψύχραιμα τη μεγάλη απόφαση που θα ανέτρεπε το δρόμο της ζωής του. Έτσι απότομα και αναπάντεχα, όπως μέσα σε λίγες ώρες τον είχε ανατρέψει με τις αποφάσεις του και την επαίσχυντη συμπεριφορά ο γιος του. Παρά το φυσικό του, τους κανόνες της σύνεσης που ακολουθούσε, τις συνήθειες της φρονιμάδας που τον χαρακτήριζαν, έπαιρνε έτσι πρώτη φορά στη ζωή του μια τόσο σημαντική απόφαση. Μια απόφαση δίχως να τη γυρίσει δυο και τρεις φορές μες στο μυαλό του, αφήνοντας μάλιστα και μέρες να περάσουν από τη μια φορά στην άλλη. Να προσφύγει πάλι στον Χατζή Νίκου, όπως συνήθιζε πριν κάθε μεγάλη απόφασή του, για μία πρόσθετη γνώμη δεν είχε λόγο, ήξερε ήδη την αντίδρασή του.

Σήκωσε τα φρύδια του, τα μισοέσμιξε και κάρφωσε με το βλέμμα του για τελευταία φορά κατάματα τη Γιαννοβιά, προτού κάνει εκεί επιτόπου στα πενήντα του το άλμα της ζωής του. Σαν να τα ζύγιαζε όλα μέσα στις λίμνες των ματιών της. Ναι έτσι, σαν λίμνες του φαίνονταν ξαφνικά τα δυο της μάτια. Σαν λίμνες που γυάλιζαν και αντανακλούσαν στα ήσυχα νερά τους μετά τη θύελλα τη γαλήνη, αλλά και ξεμυαλίστρες υποσχέσεις. Το είχε πια αποφασίσει. Θα έλεγε *ναι* στο προξενιό της Γιαννοβιάς. Από την προί-

293

κα της θα έπαιρνε όσα είχε σφετεριστεί ο προκομμένος του για να τα επιστρέψει με κάποια δικαιολογία στον Χατζή Νίκου. Ήταν η μόνη οδός φυγής από το αδιέξοδο, η μόνη σωτηρία. Μόνο στα γρήγορα ο γάμος, δίχως επισημότητες ή επιδείξεις, χωρίς νταούλια και βιολιά, μη γίνουν κι από πάνω ο περίγελος της πόλης για μια τέτοια απόφαση στα γηρατειά του.

Σηκώθηκε από τον πάγκο του και ζήτησε από τα έκπληκτα τσιράκια του να κλείσουν το εμπορικό, να κάτσουν στην αυλή να δίνουν στους πελάτες μια ευγενική δικαιολογία, να περιμένουνε από τον ίδιο οδηγίες. Εκείνα, σαν να έπιασαν κάτι παράξενο στον αέρα, εξαφανίστηκαν δίχως δεύτερη κουβέντα. Σκοτείνιασε στο εμπορικό, καθώς σφάλισαν τα δυο μεγάλα φύλλα της εξώθυράς του. Ο Θεοφάνης παρακολουθώντας τα τσιράκια μάλλον από αμηχανία, ξεροκατάπιε, στέριωσε το αριστερό στη μέση του για να ορθώσει όσο καλύτερα το ανάστημά του. Έσφιξε με το δεξί ανάμεσα στα δυο του δάχτυλα το κάτω χείλος, σαν να 'δινε σύνθημα για να λυθεί η γλώσσα.

Πήρε βαθιά ανάσα και άνοιξε στη Γιαννοβιά την καρδιά του, όσο του ήταν βέβαια δυνατό, εάν συνυπολόγιζε κανείς τις περιστάσεις. Θα έδινε ο ίδιος την πολυπόθητη απάντηση στο προξενιό, παρακάμπτοντας τον Χατζή Νίκου, δίχως τη βολική και για τις δυο πλευρές παρέμβασή του, που θα βοηθούσε να ξεπεραστούν λεπτά ζητήματα και εύλογες αμηχανίες, αναπόφευκτα ερωτήματα και αναγκαίες διευκρινιστικές απαντήσεις. «Γιαννοβιά. Ξέρεις... σ' αυτό που μου μήνυσε εδώ και καιρό ο Χατζή Νίκου για σένα και για μένα, για τους δρόμους της ζωής μας και τη σκέψη του να συναντηθούνε... θαρρώ καταλαβαίνεις... η απόκρισή μου είναι... μετά χαράς.» Ίσα που κατάφερε να χαμογελάσει μες στην προσπάθειά του. Το ξεστόμισε χαμηλόφωνα, δίχως φόρτιση καμία, αποκρύπτοντας συγχρόνως όλους τους ενδοιασμούς του και τις μέχρι τότε κατηγορηματικές αρνήσεις του στον Χατζή Νίκου. Όμως προτού πάρει ανάσα από το ζόρι που κατέβαλε για να εκφράσει το τόσο δύσκολο «*μετά χαράς*», συμπλήρωσε και την προϋπόθεσή του.

Σκέψη για γάμο δεν μπορούσε να κάνει, όσο δεν είχε διευθετήσει μια εκκρεμότητα τιμής, μια οφειλή δέκα χιλιάδων φλορινιών. Κι η διευθέτησή της ήταν αδύνατη στα χρόνια που έβλεπε μπροστά του, αφού όλες τις οικονομίες του τις είχε δώσει προίκα στη Ζωίτσα. Ντράπηκε να πει όλη την αλήθεια για την κατάντια του Νεόφυτου και το αδιέξοδο στο οποίο είχε ο ίδιος περιέλθει. Ίσως μια άλλη φορά. Αυτά τώρα αρκούσαν. Έκανε μια κίνηση μπροστά στο στήθος του, σαν να είχε ανακαλύψει επάνω του ψίχουλα ή ό,τι άλλο που έπρεπε εκείνη την στιγμή να ξεφορτωθεί ή να ξεσκονίσει. Απ' την αμηχανία του ίσως γινόταν και αστείος, μα πού να σκεφθεί κάτι τέτοιο. Τα είπε όλα μονομιάς, σαν ν' άδειαζε από μέσα του μια κούπα από φαρμάκι, αλλά και μ' ένα περίεργο σφίξιμο που ξέμεινε σαν κατακάθι. Όχι βέβαια επειδή προσέβλεπε στην προίκα. Να προσδοκά κάτι για προίκα, αυτό ήταν βέβαια αυτονόητο, κανείς δεν θα του προσήπτε κάτι τέτοιο ως ψόγο. Τον βασάνιζε όμως κάπου βαθύτερα το άλλο: Αν έπραττε σωστά, κρύβοντας και στρεβλώνοντας την αλήθεια για τις περιστάσεις.

Δεν πρόλαβε να το σκεφθεί ή να ζυγιάσει αυτά που είχε έτσι αυθόρμητα ξεστομίσει, ή ακόμα να εκτιμήσει πώς τα είχε εκλάβει η αρχόντισσα και τι σκεφτόταν.

Η Γιαννοβιά ξεπέρασε αυτοστιγμεί την έκπληξη απ' την απροσδόκητη εξομολόγηση του Θεοφάνη. Όπως καθόταν στον πάγκο, έγειρε προς το μέρος του δίχως να σηκωθεί, κατάπιε έναν κόμπο στο λαιμό της, όμως δεν δίστασε ούτε στιγμή: «Εγώ, αφέντη μου, είμαι εδώ. Εγώ για τις καλές στιγμές, εγώ στα δύσκολα και πάλι στο πλευρό σου. Και δέκα και είκοσι και σαράντα, ό,τι έχω και δεν έχω στην ποδιά σου.» Έτσι ξεκάθαρα τα είπε και χτύπησε με αποφασιστικότητα την παλάμη της στον πάγκο, σαν να 'θελε να τα επικυρώσει. Με τέτοια ευθύτητα αποκρίθηκε και ξεχύθηκε απ' τη συγκίνηση σαν ποταμός μ' ένα χαμόγελο και δυο βουρκωμένα μάτια όλη η γλύκα απ' την καρδιά της.

Ο Θεοφάνης ντράπηκε να υποκριθεί τον υπερήφανο. Αυτόν που δήθεν δεν καταδεχόταν τα φλορίνια της και τη βοήθειά της, που όμως αργότερα με παρακαλετά θα ενέδιδε στην πίεση και στα καλά της λόγια. Θεωρούσε διπλά ανέντιμη μία τέτοια συμπεριφορά, πάνω στην έτσι κι αλλιώς μισή αλήθεια που της είχε αποκαλύψει. Κατέβασε το κεφάλι του, κάθισε δίπλα της και έπιασε με τα δυο του χέρια το δεξί της κλείνοντάς το ανάμεσά τους. Πρώτη φορά το ένιωσε ζεστό, γλυκό, γυναικείο χέρι. Πρώτη φορά ένιωθε την ίδια τη Γιαννοβιά έτσι ζεστή, γλυκιά, γυναικεία παρουσία. «Για δες... Για δες...» του ξέφυγε σαν ψίθυρος και πάλι. Δίχως να το πολυκαταλάβουν, άρχισαν να σφίγγουν οι παλάμες, να δένονται τα δάχτυλα αναμεταξύ τους. Μ' αυτόν τον τρόπο έκλεινε έτσι απλά η συμφωνία, που θα άλλαζε ριζικά τη ζωή τους. Έτσι απλά η τρυφερότητα γεννούσε ανάμεσά τους και τον πρώτο ίδρο.

Αλλά δεν τέλειωναν όλα εκεί. Ο Θεοφάνης είχε και κάποιες περίεργες επιθυμίες, που η Γιαννοβιά μέσα στην ευτυχία της δεν σκέφθηκε ούτε στιγμή ν' αμφισβητήσει. Σύμφωνα με την επιθυμία του Θεοφάνη, δεν θα 'λεγαν ακόμη τίποτα για τους γάμους τους σε κανέναν, ούτε στην κόρη της μήτε στον Χατζή Νίκου. Οι γάμοι θα ακολουθούσαν μία εβδομάδα μετά την πληρωμή τής οφειλής του. Εκείνος θα ανήγγελε τα νέα στον Χατζή Νίκου και θα του ζητούσε να τους στεφανώσει. Οι γάμοι θα γινόντουσαν σχεδόν μυστικά, χωρίς νταούλια και βιολιά, στον Άγιο Νικόλαο, στην ορθόδοξη εκκλησία των Τρανσυλβανών, έξω από τα τείχη της πόλης και όχι στην εκκλησία των Γραικών, για να αποφύγουν τα σχόλια και τις παράτες. Αυτό το τελευταίο στεναχώρησε ιδιαίτερα τη Γιαννοβιά, μα και πάλι δεν είπε κουβέντα. Τουλάχιστον θα την άφηνε να ράψει κάτι ανάλογο για τέτοιες περιστάσεις; Ο Θεοφάνης σαν

297

να αντιλήφθηκε ότι το παρατραβούσε με τα όχι και τα μη, πήγε στο άλλο άκρο. «Μα και βέβαια... και βέβαια, όχι μόνο μία, αλλά δύο μεταξωτές εσθήτες με χρυσοκλωστές κι αληθινά μαργαριτάρια!» ήταν η μάλλον ενθουσιώδης απάντησή του.

Αναστατωμένος πήγε στην εξώθυρα και με μία κίνησε άνοιξε ορθάνοιχτα τα δυο της φύλλα. Το φως μπήκε ορμητικό, σαν κάποια δύναμη μαγική να ευλογούσε το συμφωνημένο μυστικό τους. Ζήτησε από τα τσιράκια να σερβίρουν σναπς μες στο καταμεσήμερο και μάλιστα να πιούνε και τα ίδια. Χώρισαν ζαλισμένοι μέσα στην περιδίνηση των αποφάσεων που είχαν πάρει και των δύο σναπς, που δίχως προπόσεις μ' ένα νεύμα είχαν κατεβάσει. Ο Θεοφάνης ακούμπησε στην αυλόθυρα κι απόμεινε να παρακολουθεί αφηρημένος τη μέλλουσα συμβία του, που μάλλον μουδιασμένη κατηφόριζε προς το αρχοντικό της αργά αργά για να διαφυλάξει την ευστάθειά της.

Μέχρι να φθάσει στην πλατεία, η Γιαννοβιά είχε ήδη ξεπεράσει τη χαρά της και έτρεχε με το μυαλό της σε άλλα. Ότι δεν τόλμησε να κάνει κουβέντα για κάτι πολύ πιο σημαντικό, που δεν είχε καταφέρει να το εκμυστηρευθεί ούτε στον Χατζή Νίκου και το κουβαλούσε μέσα της σωστό εφιάλτη. Όσο κι αν τη βασάνιζε η απόκρυψη της αλήθειας, δεν άντεχε, δεν τολμούσε να τη φανερώσει. Καλά και άγια τα πλούτη της και τα αγαθά της, όμως εδώ και ένα χρόνο δεν είχε πια τα μηνιάτικα σημάδια ότι ήταν γυναίκα που μπορούσε να καρπίσει. Κι αν ο Θεοφάνης εύλογα, όπως κάθε άνθρωπος, προσδοκούσε από το γάμο του να αποκτήσει απογόνους, εκείνη δεν ήταν σε θέση να του το προσφέρει. Έτσι την κυνηγούσε βασανιστικά, την κατεδίωκε στον ξύπνιο και στον ύπνο το ίδιο ερώτημα, σωστό μαρτύριο. Ποιος ήταν ο προορισμός του γάμου, αν δεν ήταν να δώσει απογόνους; Όποιον κι αν ρωτούσες, την ίδια απάντηση θα έπαιρνες με τον ένα ή τον άλλο τρόπο.

Ωστόσο, όλον εκείνο τον καιρό, μέρα με την ημέρα, ανέβαινε στα χείλη της μια άλλη απάντηση που ξέφευγε αυθόρμητα απ' το μυαλό κι από τα σωθικά της: «Η συντροφιά ανάμεσά μας....» μονολογούσε στα κρυφά, πιο συχνά κι από τις καθημερινές προσευχές της. Όσο κι αν το 'θελε, δεν τολμούσε να ξεστομίσει και να υπερασπισθεί ότι σκοπός του γάμου μπορεί να ήτανε κατά πρώτο λόγο αυτό το αλλιώτικο, αυτό το άλλο που το λέμε συντροφιά κι είναι κάτι πολύ μεγάλο. Κι αυτή η συντροφιά ανάμεσά μας, ανάμεσα στο ζευγάρι, καμιά φορά ίσως να ήταν αγαθό πιο σπουδαίο κι από την οικογένεια κι από τους απογόνους. Τα σκεφτόταν κι ανατρίχιαζε από την ιεροσυλία και την αμαρτία που διέπραττε με τέτοιες σκέψεις, απέναντι στα δόγματα και στις παραδόσεις της ορθοδοξίας. Όμως τα πίστευε πια βαθιά και κανείς δεν μπορούσε να της τα ξεριζώσει.

Μέχρι να φθάσει σπίτι της, η χαρά της είχε σβήσει. Παραμονές της ευτυχίας της αποδεικνυόταν ευεπίφορη στις πιο κακές προβλέψεις για όσα την περίμεναν, για όσα έμελλε να ζήσει. Θυμήθηκε τα χρόνια της νιότης της, όλες τις ατυχίες της ζωής της, πως ξάφνου ερχόταν το κακό, όταν ήταν σίγουρη ότι όλα βάδιζαν με του Θεού την ευλογία. Ετούτη την φορά μάλιστα το διαισθανόταν, το έβλεπε από ποιο γεφύρι θα γκρεμίζονταν τα όνειρά της. Όταν θα αντιλαμβανόταν ο Θεοφάνης την αδυναμία της να του χαρίσει απογόνους, θα την έδιωχνε και με το δίκιο του κατσαδιάζοντάς την. «Θεέ μου, γιατί μια τέτοια μοίρα, σε τι σου έχω φταίξει...» ξεχύθηκε σε αναφιλητά μπροστά στην πόρτα του αρχοντικού της.

Πέρασε ένα απόγευμα μελαγχολικό, αντί να λάμπει από το ναι του Θεοφάνη. Δείπνησε σκυθρωπή μέσα σε μια αβάσταχτη σιωπή που επέβαλε η ίδια, παρά τις καλοσυνάτες ερωτήσεις της Μπόνκα και τον παρηγορητικό της λόγο, που προσπαθούσε να αλαφρώσει τη μαυρισμένη καρδιά της κυράς της, δίχως να γνωρίζει την αιτία. Άγγιξε μόλις το πιάτο της, τρέχοντας αλλού με το μυαλό της. Στο τέλος σηκώθηκε σαν υπνοβάτης κι ακούμπησε για λίγο στο άνοιγμα του παραθύρου. «Να σβήσετε τους λύχνους», παρήγγειλε αντί για καληνύχτα. Μούσκεψε το μαξιλάρι της με το παράπονό της. Όμως μπόρεσε κι αποκοιμήθηκε, όταν κατάφερε κι αρπάχτηκε από τη δύναμη της λογικής, από τη δύναμη της συντροφιάς ανάμεσα σε δυο ανθρώπους, που θα μπορούσαν να αγαπηθούν με το δικό τους τρόπο.

Στην εβδομάδα επάνω έπιασε μια καλοκαιριάτικη

μπόρα με αστραπές και με βροντές, που θύμιζε τη μεγάλη κακοκαιρία του Ιουνίου που είχε παραλύσει την πόλη. Στο εμπορικό του Θεοφάνη δεν πάτησε όλη την ημέρα ένας πελάτης. Πέρασε μόνο ο σαράφης ο Ιωακείμ, εβραίος φίλος του από τα παιδικά τους χρόνια, να του δείξει ένα δαχτυλίδι που μόλις είχε αποκτήσει και να τον ρωτήσει αν ενδιαφερόταν. Ο Θεοφάνης δεν τόλμησε να το πάρει στα χέρια του, μήτε καν να ρωτήσει την τιμή του. Αυτό του υπαγόρευε η κατάντια των οικονομικών του. «Άλλη φορά, Ιωακείμ», μουρμούρισε και τον ξεπροβόδισε μέχρι την πόρτα συννεφιασμένος σαν την καταιγίδα. Μήτε που σκέφθηκε να τον τρατάρει, όπως συνήθιζε με τους πιο κοντινούς του, και όταν αντιλήφθηκε την αμέλειά του, τα 'βαλε με τον εαυτό του.

Όμως ευτυχώς για λίγο μόνο. Το απόγευμα εμφανίσθηκε μέσα από την κακοκαιρία που δεν έλεγε να καταλαγιάσει, η Γιαννοβιά με συνοδεία τη θυγατέρα της και τον καροτσέρη της στο εμπορικό του. Έβγαλε τη μουσκεμένη μπέρτα της και αδιαφορώντας την άφησε να γλιστρήσει χάμω στα πλακάκια. Μ' ένα χαμόγελο αινιγματικό, με δυο λόγια πεταχτά στ' αυτί του, που δεν τ' άκουσε κανείς, ακούμπησε στον Θεοφάνη τα δέκα χιλιάδες φλορίνια και μία πίτα με δαμάσκηνα, μετά τον υπαινιγμό εκ μέρους του στην τελευταία συνάντησή τους για τη δυσκοιλιότητά του. Ο Θεοφάνης απόμεινε βουβός μπροστά στην αναπάντεχη επέλαση της Γιαννοβιάς και τη γενναιόψυχη χειρονομία της.

301

Άρχισε να χαμογελά κάτω απ' τα μουστάκια του, να ξύνει το μέτωπό του, να μην ξέρει πώς να φερθεί, παραπαίοντας ανάμεσα σε ευγένεια και αμηχανία. Φώναξε στα τσιράκια του να φέρουν αμέσως σναπς και να κεράσουνε τους επισκέπτες. Ανάμεσα σε δυο βροντερά αστροπελέκια ήπιε ακόμη κι η εγκρατής Σοφία.

Κάποια στιγμή σαν να θυμήθηκε κάτι, που παρ' ολίγο να του διαφύγει, ο Θεοφάνης τράβηξε τη Γιαννοβιά από το χέρι κι ανέβηκαν στο γαμπινέτο του σπιτιού του. Στρογγυλοκάθισε μπροστά στην τράπεζά του ψελλίζοντας: «Ωραία...» Με κάποια νευρικότητα, ίσως κι αδεξιότητα που δεν τον χαρακτήριζε, για όσους ήξεραν τις δεξιότητές του, πήρε το φτερό κι ανεβοκατέβασε στον αέρα το χέρι του, σαν να προσπαθούσε από κάτι αόρατο να ξεμπλέξει ή να κερδίσει χρόνο για να το καλοσκεφθεί και για να καταλήξει. Έτσι κατέγραψε με κάθε προσοχή και δεοντολογία σε ένα φύλλο χαρτί την πράξη της καταβολής του ποσού. Δίστασε ωστόσο να το κατονομάσει ως προίκα. Την τελευταία στιγμή σκέφθηκε ότι ίσως κάποτε της το ξεπλήρωνε το ποσό ως δάνειο, κανείς ποτέ δεν ξέρει πώς έρχονται τα πράγματα και πώς η ζωή φέρνει τα πάνω κάτω. Υπέγραψε, το δίπλωσε, το σφράγισε με βουλοκέρι και το 'δωσε στη Γιαννοβιά, στρέφοντας αλλού, δήθεν τυχαία, τη ματιά του.

Λίγο αργότερα ξεπροβόδισε μέχρι την πόρτα μητέρα και θυγατέρα. Η βροχή είχε πια σταματήσει, τα νερά της μόνο γουργούριζαν στα κιούγκια και στα κά-

θε λογής αυλάκια. Ο Θεοφάνης σφίγγοντας τις παλά-
μες του και ξεφυσώντας ανακουφισμένος, συνόδευσε
τους επισκέπτες του με τη ματιά του, έως που χάθη-
καν στη στροφή του δρόμου. Για την ακρίβεια, δεν
παρακολουθούσε τους επισκέπτες του, αλλά τα κα-
πούλια της καλής του.

Εκείνο το βράδυ γέμισε το φεγγάρι κι αποτραβή-
χθηκαν τα σύννεφα κάνοντας τη νύχτα μέρα. Ο Θεο-
φάνης μόλις αποδείπνησε, άναψε τη μακρύλαιμή του
πίπα. Ένιωσε να χαλαρώνει. Να φτιάχνει η διάθεσή
του, να γίνεται άλλος άνθρωπος. Άνοιξε τα παράθυρα
δίπλα στο γαμπινέτο, έγειρε προς τα έξω και κρεμά-
στηκε σχεδόν για ν' απολαύσει τη γλυκιά βραδιά.
Άκουσε ένα νυχτοπούλι να τον συντροφεύει και προ-
σπάθησε επίμονα, όμως μάταια, να το εντοπίσει. Πή-
ρε απανωτά βαθιές ανάσες κι ένιωσε τις μυρουδιές του
απόβροχου από το δάσος να φθάνουν μέχρι τα σωθικά
του. Ανέπνευσε λυτρωμένος, πρώτη φορά ύστερα από
τον εφιάλτη, άγνωστο πόσων ημερών, σκεφτόμενος
ότι τουλάχιστον θα γλίτωνε όπως όπως την ντροπή,
το ρεζιλίκι απέναντι στον Χατζή Νίκου. Η ανακούφι-
ση ήτανε τέτοια που το τίμημά της, ο γάμος του με
την Γιαννοβιά, είχε χάσει την ίδια στιγμή το δυσβά-
στακτο βάρος του.

Μόλις τότε άρχισαν να περνούν απ' το μυαλό του κι
άλλες σκέψεις. Ερωτήματα απλά, πρακτικά, που μέ-
χρι πριν δεν τα είχε αγγίξει. Άρχισε να τα κλωθογυρί-
ζει στο μυαλό του. Θα άλλαζε ξαφνικά η ζωή του.

303

Πού θα έμεναν; Δεν το είχαν συζητήσει. Σίγουρα στο δικό του σπίτι. Άραγε θα 'πρεπε να το παζαρέψει; Τα προικιά της δεν τον ενδιέφεραν. Ας έγραφε στο κατάστιχο ό,τι εκείνη νόμιζε πρέπον και αναγκαίο. Αλλού ήταν τα δύσκολα. Θα μοιράζονταν καθένας τους μ' έναν ξένο άνθρωπο τόσα και τόσα δικά του ή του άλλου. Στιγμές προσωπικές, στιγμές ιδιωτικές, στιγμές αιδημοσύνης. Πράγματα που τα μοιράζεσαι, τα ανέχεσαι και τα αντέχεις διαφορετικά, όταν το πάθος τυφλό σε οδηγεί, ή έστω όταν τα νιάτα σε κρατούν ορθό στα πόδια και στιβαρό στα μπράτσα. Παντρεύεσαι χήρος στα πενήντα σου; Ποιος άραγε το 'χει αποτολμήσει; Μπορεί να γνώριζε μια χούφτα ανύπαντρους που είχαν ξεμείνει κι όταν σταφίδιασαν έβαλαν νου και στεφάνι, όμως χήρο κανένα. Μετά ήταν και το άλλο. Πώς συνταιριάζονται έτσι στην τύχη τόσες και τόσες συνήθειες και ιδιότητες που έχουν πια βαθιά ριζώσει και όση προσπάθεια κι αν καταβάλλεις δεν μπορείς να αλλάξεις το φυσικό σου; «Όχου μπλεξίματα απρόσμενα που με περιμένουν.» Γυρνούσε στη συνέχεια τις σκέψεις του αλλιώτικα: «Άραγε, θα 'ναι έτσι άμεμπτη, ανοιχτόκαρδη και προσηνής όπως μου δείχνει;»

Ξανάναψε την πίπα του που είχε σβήσει. Έφερε αυτά και άλλα τόσα μπρος πίσω στο μυαλό του και ύστερα από πολλά κατέληξε μονότονα και πάλι ότι θα άλλαζε ξαφνικά όλη η ζωή του. Όμως ετούτη τη φορά, αφού το καλοσκέφτηκε, δεν δυσκολεύθηκε να συμπληρώσει: «Γιατί όχι...» και να χαμογελάσει ανεπαίσθη-

304

τα, μέσα από τα πυκνά του γένια. Είχε φέρει στη μνήμη του την εικόνα της, την ευτραφή κορμοστασιά της, τα πλούσια κάλλη της. Όσο τη σκεφτόταν, τόσο την έβρισκε του γούστου του κι η πονηριά του γαργαλούσε το μεδούλι, του στέγνωνε τα χείλη, του έφερνε μια ασυνήθιστη φαγούρα στις παλάμες, ώστε άρχισε να τις τρίβει μεταξύ τους δίχως να το πολυκαταλάβει. Απόμεινε στο τέλος μ' ένα ασυνήθιστο χαμόγελο στα χείλη κι ένα βλέμμα γλαρωμένο. Αυτό που μόνο μια ανώνυμη, κρυφή ψυχή, στο Βουκουρέστι είχε στις επισκέψεις του επ' αμοιβή γνωρίσει, λίγο πριν πέσει ο Θεοφάνης σαν τρυφερή αρκούδα στην αγκαλιά της.

Την ίδια ώρα η Γιαννοβιά κρεμασμένη στο παράθυρό της δυσκολευόταν να πεισθεί από τα πράγματα τα ίδια ότι είχε πλησιάσει τόσο κοντά στον πολυπόθητο σκοπό της. Πειθόταν περισσότερο βλέποντας σαν μαγεμένη το πελώριο αυγουστιάτικο φεγγάρι με τα καλά σημάδια του, που μια τσιγγάνα τα είχε μαντέψει από την προηγουμένη. Όμως φοβόταν μην και κάτι συμβεί και χαλάσει το όνειρό της, έτσι άτυχη που πάντα ήταν. Φοβόταν για ό,τι απέκρυβε στον Θεοφάνη, αναρωτιόταν αν θα του άρεσε, όπως άρεσε σ' αυτήν εκείνος. Αναρωτιόταν και φοβόταν. «Για μια συντροφιά ανάμεσά μας...» ψιθύρισε σαν προσευχή προς το φεγγάρι, στο γλαυκό φως του που τύλιγε την πόλη, τα δάση, τις νεράιδες με τα ξωτικά. Βούρκωσε και πάλι παρασυρμένη από το παράπονο για την αβάσταχτη μοναξιά της.

305

Την επομένη κιόλας ο Θεοφάνης έστειλε το πρωί ως προπομπό στου Χατζή Νίκου ένα τσιράκι του με δύο βάζα συκαλάκι, μόλις αφιχθέντα από την Πόλη. Λίγο πριν το απομεσήμερο γυρίσει σε απογευματάκι, με τα φλορίνια σ' ένα δισάκι ασφαλισμένα, τα χέρια του πιασμένα πίσω στα λαγόνια, τράβηξε για το αρχοντικό του φίλου του. Η κουφόβραση που άλλοτε δεν θα του επέτρεπε να ξεμυτίσει, η αφόρητη υγρασία, δεν κατάφερναν να τον αναχαιτίσουν. Το ανάλαφρο καφτάνι του ανέμιζε, ακολουθώντας τον αγέρωχο και γρήγορο βηματισμό του, καθώς διέσχιζε την αγορά που ζούσε ώρες μάλλον βαθιάς ραστώνης. Προσπέρασε τους μικροπειρασμούς που άλλοτε θα τον καθυστερούσαν. Δεν κοντοστάθηκε μπροστά στα δύο ρωμαλέα άλογα, που επεδείκνυε ένας τσιγγάνος καλώντας τους πιο εύπορους περαστικούς να τα τιμήσουν έστω με μια ματιά τους. Δεν έπιασε κουβέντα για τα σημαντικά εμπορεύματα που είχαν μπει στην πόλη ή για πραμάτειες που ήταν έτοιμες να φύγουν. Δεν χαιρέτησε πρόσωπα, στα οποία άλλοτε θα απηύθυνε ένα λόγο, θα χάριζε ένα νεύμα.

Όλη του η έγνοια ήταν στραμμένη στη συνάντηση που είχε μπροστά του, στα μετρημένα λόγια του που θα τον προστάτευαν απ' την ντροπή και το ρεζίλι. Τα είχε όλα σχεδιάσει στο μυαλό του, ιδίως λέξη προς λέξη εκείνα που αφορούσαν στα φλορίνια. Οπλισμένος με τη δοκιμασμένη αυτοπεποίθησή του ήταν σίγουρος ότι θα τα έβγαζε πέρα. Έφθασε μπροστά στην εξώθυρα του Χατζή Νίκου. Για μια στιγμή μονάχα κράτησε την αναπνοή του, έτσι όπως κρατούσε το σήμαντρο μετέωρο στο δεξί του κι αμέσως το βρόντηξε αποφασιστικά στην πόρτα του καλύτερού του φίλου.

Η δούλα που του άνοιξε έκανε από συνήθεια μισοσκυμένη το σταυρό της και προπορεύθηκε βουβή, δείχνοντας προς το άνοιγμα της πόρτας, όπου καθόταν το αφεντικό της. Ο Θεοφάνης βρήκε τον Χατζή Νίκου εκνευρισμένο, αλαφιασμένο, καθώς με ένα πεσκίρι έδινε πέρα δώθε αλύπητα κτυπήματα στις μύγες, που αφηνιασμένες δεν τον άφηναν να ησυχάσει. «Παναγιώτη, ηρέμησε, θα πάθεις!» ήχησε προστατευτικά η φωνή του. Ο Χατζή Νίκου σταμάτησε απότομα, ξεφυσώντας από τον μάταιο αγώνα που είχε δώσει. Σκούπισε τον ίδρο κάτω από τα πλούσιά του γένια κι αποκαμωμένος έγειρε με το πλάι στη γωνιά του. «Τι ζέστη είν' αυτή!» μούγκρισε αντί να τον καλωσορίσει και χωρίς να περιμένει απάντηση παρήγγειλε στη δούλα του τους καφέδες με τους ναργιλέδες. Κάνοντας αέρα με μια εντυπωσιακή βεντάλια, για την ακρίβεια μια δέσμη από φτερά παγωνιού, κατάφερε ασθμαίνοντας να ρωτήσει: «Τι καλά νέα μάς φέρνεις;»

Ο Θεοφάνης δεν άντεχε να ξεκινήσει, όπως συνήθιζε, με τα μαντάτα του εμπορίου ή το τι συνέβαινε στον έξω κόσμο. Ούτε καν ν' αναφερθεί στην αφόρητη κουφόβραση, αναμασώντας του φίλου του τη δυσφορία. Προτίμησε να μπει χωρίς περιστροφές στο πρώτο και πιο εύκολο ζήτημα της επίσκεψής του. Άπλωσε μόνο το χέρι του και πήρε στη χούφτα του το κεχριμπαρένιο κομπολόι του Παναγιώτη για να διώξει όση αμηχανία ακόμη τον ακολουθούσε.

«Παναγιώτη μου, ζύγιασα με περίσκεψη όσα μου εμπιστεύθηκες για τη Γιαννοβιά», έτσι άνοιξε την κουβέντα του και παράθεσε τους λόγους που συνηγορούσαν για το προξενιό ανάμεσά τους, αιφνιδιάζοντας ευχάριστα τον Χατζή Νίκου. Συνέχισε λέγοντας ότι παρά την αρχική αντίδρασή του τα είχε όλα ξανασκεφθεί. Με σύνεση είχε πια καταλήξει. Είχε αποφασίσει να κάνει το μεγάλο βήμα, γιατί ό,τι και να πεις η μοναξιά στα γηρατειά είναι μεγάλο βάρος. Σιώπησε προς στιγμή και πήρε μια βαθιά ανάσα. Τα πίστευε, δεν τα πίστευε όσα αράδιαζε, δύσκολα θα μπορούσε εκείνη τη στιγμή με το χέρι στην καρδιά να απαντήσει ακόμη και ο ίδιος. Σίγουρα πάντως η σκοπιμότητα για τα φλορίνια δεν ήταν πια η μόνη αιτία, κι όσο για τα προικιά, δεν σκόπευε καν να τα παζαρέψει, κι ας γινόταν περίγελος σε όσους το μαθαίναν.

Έκλεισε την εξομολόγησή του, ζητώντας από τον φίλο και συμβουλάτορά του να τους στεφανώσει. Και για να νιώθει με τη συνείδησή του εντάξει, συμπλήρωσε με έμφαση: «Το συντομότερο δυνατό!» Αρκέσθηκε στο τέλος να τον ενημερώσει ότι όλα τα είχε ήδη μιλημένα και συμφωνημένα με τη Γιαννοβιά και να τον συμπαθούσε, αλλά δεν χρειαζόταν άλλο η διαμεσολάβησή του. Δεν ήταν άλλωστε οι μελλόνυμφοι παιδιά, να μην μπορούν να συνεννοηθούνε. Κι εκεί συμπλήρωσε ότι ο γάμος θα γινόταν με κάθε σεμνότητα, λιτά, χωρίς ζουρνάδες και βιολιά και δίχως καλεσμένους σε ολοήμερα τσιμπούσια. Όπως επίσης ότι ο γάμος δεν θα γινόταν στην Αγία Τριάδα, αλλά στην ορθόδοξη εκκλησία της έξω πόλης, μακριά από τα μάτια και τις κακές γλώσσες των Γραικών. Θα το μάθαιναν βέβαια, σίγουρα το αργότερο μέχρι την επομένη, όμως κατόπιν εορτής... Τουλάχιστον θα γλίτωνε να γίνει θέαμα μπρος στα ειρωνικά χαμόγελά τους.

Τα είπε σαν παρλάτα από πριν δοκιμασμένη και κυρίως δίχως ν' αφήσει τον Παναγιώτη να τον διακόψει, εκφέροντας μια άλλη γνώμη. Τα είπε και ρούφηξε μια γουλιά καφέ που του τσουρούφλισε τα χείλη.

Ο Χατζή Νίκου, λιγομίλητος όπως πάντα, υποδέχθηκε με μια γαλήνια έκφραση τα ευχάριστα μαντάτα, αλλά και καταβάλλοντας τη μέγιστη προσπάθεια, απέκρυψε κάθε ίχνος από τη δυσαρέσκειά του για τη σχεδόν προσβλητική αιχμή του Θεοφάνη για την καλοπροαίρετη διαμεσολάβησή του. Ήταν τόσο ενοχλημένος που παραιτήθηκε από την επιθυμία του να διαμαρτυρηθεί, γιατί ο γάμος δεν θα γινόταν στην εκκλησία των Γραικών, κάτι αδιανόητο για την κοινότητά τους που έφθανε τα όρια του σκανδάλου. Κατάφερε με κόπο να δώσει μέσα από τα μισόκλειστά του χείλη την ευχή του και να δηλώσει μετά βίας τη χαρά του που θα στεφάνωνε τον φίλο του με την προστατευόμενή του.

309

Ο Θεοφάνης ένιωσε πως είχε φθάσει πια η ώρα για τον πιο δύσκολο χειρισμό της μοναδικής κλωστής από την οποία κρεμόταν η υπόληψη και η τιμή του. Κοίταξε προς το παράθυρο. Χοντρές στάλες γύριζαν την κουφόβραση και πάλι σε καταιγίδα. Ακούστηκε να πέφτει ένα αστροπελέκι. Ξεροκατάπιε και με μια έκφραση αναστάτωσης στο πρόσωπο, πρωτόγνωρη για όσους τον είχαν ζήσει σε άλλες δύσκολες στιγμές, ξιφούλκησε μπροστά στο μεγάλο κόμπο.

«Παναγιώτη... σε εξορκίζω στη φιλία μας και στην εμπιστοσύνη που μας δένει, μη με ρωτήσεις πώς και γιατί. Εδώ είναι τα δέκα χιλιάδες φλορίνια για το σχολείο. Πάρ' τα και φρόντισέ τα καταπώς εσύ νομίζεις» κι απόθεσε στην ποδιά του το δισάκι με τα φλορίνια.

Ο Χατζή Νίκου παραξενεύτηκε με το ύφος του φίλου του, όμως τίποτα περισσότερο. Θες γιατί είχε ενοχληθεί από την προηγούμενη άκομψη έως προσβλητική κουβέντα, αλλά και το ίδιο το γεγονός της παράκαμψής του, θες γιατί είχε πλαντάξει από την πνιγηρή κουφόβραση, συμμορφώθηκε αβίαστα στην έκκληση του φίλου του, θεωρώντας εύλογα ότι εκείνα τα φλορίνια ήταν του Θεοφάνη η συμβολή για τον υψηλό σκοπό τους. Ήταν άλλωστε λογικό, αφού εκείνου ο καημός για το σχολείο ήταν πιο δυνατός απ' τον δικό του. Δίχως να σχολιάσει τα αυτονόητα, πήρε το δισάκι, το εναπόθεσε πίσω από τη μαξιλάρα του και βιάστηκε να κλείσει τα παραθυρόφυλλα γύρω από το λιακωτό του, για να το προστατέψει από την καταιγίδα που είχε ξεσπάσει. Αρκέσθηκε μόνο να τον ρωτήσει πώς με τόσες γνωριμίες δεν έβρισκε τρόπο να στείλει τα φλορίνια στην Τράπεζα της Βιέννας.

Όμως ο Θεοφάνης ήδη είχε σηκωθεί και ταραγμένος — ο ίδιος θα ομολογούσε πανικόβλητος — έστρωνε νευρικά επάνω του το καφτάνι και τις πτυχές του, παρά την ευτυχή έκβαση της ανεκδιήγητης περιπέτειάς του. Εκώφευσε στην ερώτηση του Παναγιώτη και προφασιζόμενος κάτι ανάμεσα στην καταιγίδα και μια συνάντηση στο εμπορικό του με τον κύριο Δικαστή, το 'βαζε ήδη στα πόδια, τσεπώνοντας μες στην αφηρημάδα και στην αναστάτωσή του το κομπολόι του εμβρόντητου Χατζή Νίκου.

Μπήκαν μπροστά οι ετοιμασίες του γάμου σύμφωνα με τις επιθυμίες του Θεοφάνη, για οτιδήποτε είχε να κάνει με τις προς τα έξω εντυπώσεις. Αραιά και πού εισακουγόταν και η γνώμη της Γιαννοβιάς, όταν πια απηυδισμένη αντιστεκόταν σε ακραίες υποχόνδριες αντιλήψεις του. Όπως για παράδειγμα, η αρχική του πρόθεση να αποκρύψει από τη μητέρα του το χαρμόσυνο γεγονός μέχρι την παραμονή του γάμου, γιατί δεν της είχε καμία εμπιστοσύνη για το πώς θα αντιδρούσε από το ανοιχτό παράθυρό της. Όταν αναγκάσθηκε να της το φανερώσει, πείσθηκε και για την υπερβολή του. Η άμοιρη γιαγιά Μερόπη έδωσε απλόχερα την ευχή της, σχολιάζοντας ότι ήταν καιρός πια να κάνει οικογένεια και στη συνέχεια ρώτησε διευκρινιστικά δυο και τρεις φορές ποια παίρνει, τη μάνα ή την κόρη.

Ωστόσο η Γιαννοβιά δεν επέμενε ούτε σε εκείνα που θα άλλαζαν την καθημερινή ζωή της. Εύκολα συγχωνεύθηκαν τα δυο νοικοκυριά σε ένα. Εδώ ο Θεοφάνης έδειξε κατανόηση στις επιθυμίες της Γιαννοβιάς, που στρίμωξε όσα ήθελε στο καινούργιο σπιτικό της και ξαπέστειλε όσα δεν της άρεσαν στην αποθήκη. Υπήρξαν όμως και εξαιρέσεις. Ο Θεοφάνης μόνος του σκέφθηκε και παρήγγειλε στον μαραγκό ένα φαρδύ, αλλά κυρίως μέχρι το μπόι του κρεβάτι, για να αντικαταστήσει το κοντόσωμο των γονιών του, στο οποίο από παράδοση κοιμόντουσαν μισοκαθιστοί για να λαγοκοιμούνται και να πετάγονται ευθύς μόλις συνέτρεχε ανάγκη. Τουλάχιστον για τους λύκους και τις αλεπούδες που ρήμαζαν τα οικόσιτα ζωντανά τους. Επιτέλους θα κοιμόταν σαν άρχοντας από την κορυφή μέχρι τα νύχια ξαπλωμένος. Μόνος του τέλος σκέφθηκε κι έκανε έκπληξη στη Γιαννοβιά ένα καλό σερβίτσιο από περσελάνη.

Ευτυχισμένη η Γιαννοβιά προέβλεπε μέρα με την ημέρα ότι θα συναντιόνταν οι συνήθειές τους, ότι οι επιθυμίες τους θα γίνονταν πραγματικότητα δίχως σύννεφα ή στεναχώριες.

Αντίθετα η Ευανθία τα έβαφε μαύρα, βλέποντας από τη μια μέρα στην άλλη να χάνει το κουμάντο του σπιτιού, όμως δεν τόλμησε να το δείξει. «Να 'σαι καλά, αφέντη μου, και ο Χριστός μαζί σου» ήταν η μόνη της κουβέντα. Τα ξόρκια που έκανε το ίδιο βράδυ και όσες μαγγανείες μηχανεύτηκε την επομένη με τη βοήθεια της φράου Γκρέτα δεν στάθηκαν ικανές να φράξουν το δρόμο του υμεναίου.

Η Θεοδώρα Σνελ πρόλαβε και ξεστόμισε μία κακία για την ηλικία της Γιαννοβιάς, αλλά ήταν κι η τελευταία μετά τη βλοσυρή ματιά που εξαπέλυσε σαν κεραυνό ο αδελφός της.

Παραμονή του γάμου, ο Χατζή Νίκου εμφανίσθηκε πρωί πρωί στο εμπορικό του Θεοφάνη. Κάθισε σε μια γωνιά ευδιάθετος, δεν έλεγε να το κουνήσει, παίζοντας με το κομπολόι του, που ήδη του το είχε στείλει ο Θεοφάνης πίσω. Όταν μετά από κάμποση ώρα βεβαιώθηκε ότι ο φίλος του παρέμενε ακλόνητος σε όσα είχε αποφασίσει, του θύμισε αυτό που ο ίδιος όφειλε πρώτος να θυμάται. Προσέφυγαν μαζί στου Ιωακείμ το θησαυροφυλάκιο — ημέρα Σάββατο, ποιος να το φανταζόταν — κι ο Θεοφάνης αγόρασε το καθιερωμένο δαχτυλίδι, ένα εντυπωσιακό μονόπετρο από το Βένετο, ένα σμαράγδι ίσα μ' ένα χοντρό φασόλι. «Αντάξιο της νύφης και όλων των χαρισμάτων της», όπως δήλωσε ο Παναγιώτης, χτυπώντας τον φίλο του στην πλάτη για να τον εμψυχώσει στην επιλογή του. Ο Χατζή Νίκου είχε κέφια, δεν έλεγε να αποχωρισθεί τον γαμπρό της προστατευόμενής του. Επιμένοντας στον μάλλον διστακτικό Θεοφάνη, που αναρωτιόταν, σεβόμενος τις παραδόσεις, αν ήταν σωστό να κάνουν

313

επισκέψεις μια τέτοια μέρα, παραμονή του γάμου, οι δύο φίλοι κατέληξαν στο σπίτι της Γιαννοβιάς. Να πιούνε ένα σναπς και να ενδιαφερθούνε διακριτικά, αν είχε κάτι ανάγκη.

Βρήκαν στην αυλή της τον καροτσέρη να περιποιείται και να γυαλοκοπά την άμαξά της για τη μεγάλη στιγμή της επομένης. Έκαναν ένα καλοσυνάτο χωρατό, που εξέπληξε τον ασυνήθιστο σε τέτοια από τους αφέντες του αμαξηλάτη. Βρήκαν τη Σοφία περιχαρή, γονατιστή μπροστά σε ένα μπαούλο να στρώνει τις αλλαξιές και τα λευκά της για το δικό της μεγάλο ταξίδι, για το μοναστήρι Αγάπια και τα Θεία. Έκαναν το σταυρό τους με αμφίσημο σεβασμό προς τα προικιά και τον προορισμό τους. Βρήκαν μια δούλα της Γιαννοβιάς με μια γειτόνισσα να σιδερώνουν υπό τις οδηγίες της Μπόνκα ένα βουνό από λευκά, φίνα βαμβακερά, λινά, μεταξωτά, δαντέλες και εσθήτες, που θα μετακόμιζαν από την επομένη μαζί με την κυρά τους στο νέο σπιτικό τους. Έφεραν όρθιο το δείκτη τους μπροστά στα χείλη, κάνοντας νόημα απερίσπαστες να συνεχίσουν.

Βρήκαν τέλος τη Γιαννοβιά με τη Θεοδώρα αναφοκοκκινισμένες, να μην ξέρουν τι να πρωτοπρολάβουν, αλλά και αιφνιδιασμένες από την αναπάντεχη επίσκεψή τους. Η Θεοδώρα έκανε ένα νεύμα αποδοκιμασίας προς τον αδελφό της, όμως την αποπήρε η Γιαννοβιά, που έτρεξε αυτοστιγμεί να περιποιηθεί τους δυο πιο ακριβούς άνδρες της ζωής της. Ήπιαν το πρώτο σναπς και διασταύρωσαν τις ευχές τους. Έφθασαν στο τρίτο

κι ακόμα δώδεκα δεν είχε πάει. Ακολουθούσε μονο-
ρούφι, δίχως δισταγμό και η καθ' όλα αυστηρή Θεο-
δώρα «λόγω των περιστάσεων και μόνο», όπως δή-
λωνε κάθε φορά που άδειαζε το ποτηράκι της μέχρι
τον πάτο. Γύρισε μάλιστα κάποια στιγμή προς τον
αδελφό της και δίχως να υπαινίσσεται κάτι άλλο, τον
έψεξε ότι θα έπρεπε να περιμένει την επιστροφή του
Νεόφυτου, ώστε τουλάχιστον να 'ναι αυτός από τα
παιδιά του παρών στους γάμους.

Ο Θεοφάνης αναπήδησε στο άκουσμα του ονόματος
του γιου του. Ένιωσε αμήχανος, έμφοβος για το πού
θα μπορούσε να οδηγήσει μια τέτοια κουβέντα. Μήτε
στη Γιαννοβιά δεν είχε ακόμη αποκαλύψει όλη την
αλήθεια. Όμως η αγωνία του δεν κράτησε πολύ. Πή-
ρε το λόγο ο Χατζή Νίκου και με μια κουβέντα έφερε
τα πάνω κάτω από όσα πίστευε ο Θεοφάνης.

«Περίεργο αυτό το παιδί. Πήγε στην Τράπεζα της
Βιέννας και τοποθέτησε τα φλορίνια που του είχα
εμπιστευθεί, έτσι όπως του είχα υποδείξει. Μου έστει-
λε τα αποδεικτικά της πράξης κι ο ίδιος ακόμη να
επιστρέψει. Έχεις νέα του; Του είχες κάτι άλλο ανα-
θέσει;» ρώτησε στρεφόμενος στον Θεοφάνη, που προ-
σπαθούσε να παρακολουθήσει. Συνέχισε σοβαρεύοντας
απότομα: «Τόσες μέρες δεν μιλώ για να μη σε βάλω
σε σκέψεις, όμως δεν σου κρύβω πια ότι ανησυχώ».

Ο Θεοφάνης πρώτη φορά άκουγε έτσι ξεκάθαρα
από τον Παναγιώτη όσα είχαν διαμειφθεί ανάμεσα σ'
εκείνον και στον γιο του. Τόλμησε να του ζητήσει να

επαναλάβει, γιατί αφηρημένος δεν είχε καλοκαταλά-
βει, κι εκείνος επανέλαβε κυρίως το πιο κρίσιμο απ'
όλα. Είχε λάβει επιστολή από τον Νεόφυτο με τα
αποδειχτικά της κατάθεσης των δέκα χιλιάδων φλορι-
νιών στην Τράπεζα της Βιέννας!

«Ξέμεινε στη Βιέννα...» μπήκε αιφνίδια στη συζή-
τηση η Γιαννοβιά με μια κουβέντα που δεν έλεγε τί-
ποτα, αλλά ικανή να βοηθήσει τον καλό της να ξεφύ-
γει. Κάτι είχε ακούσει από την Ευανθία, όμως δεν εί-
χε επιμείνει, όταν ρωτώντας περισσότερα την είδε να
μουλαρώνει και να μην της λέει κουβέντα.

Ο Θεοφάνης δεν μπορούσε να πιστέψει στα αυτιά
του. Άκουγε βουβός, κοιτούσε σαν χαμένος. Ένιωσε
να του λύνονται τα γόνατα, το σναπς να τον συμπα-
ρασύρει κι ο ίδιος να βουλιάζει μαζί με όλες του τις
αισθήσεις. Κατέβαλε προσπάθεια για να κρατηθεί στα
συγκαλά του. Κοίταξε στην οροφή και είδε τους ουρα-
νούς ν' ανοίγουν, αγγέλους με τρομπέτες να διαλα-
λούν το χαρμόσυνο μήνυμα στον δύστυχο πατέρα.
Ώστε ο γιος του, το καμάρι του, δεν ήτανε σφετερι-
στής, άθλιος, απατεώνας. Άμυαλος, ίσως και ανερμά-
τιστος, όμως τουλάχιστον τίμιος κι αυτό μετρούσε
πάνω απ' όλα. Τίμιος και άξιος της πίστης που του
είχε δείξει ο Παναγιώτης. Ώστε άδικα λοιπόν είχε
τόσες εβδομάδες δυστυχήσει. Ώστε άδικα είχε ταπει-
νωθεί μπροστά στη Γιαννοβιά, σχεδόν επαίτης για δέ-
κα χιλιάδες φλορίνια. Και τώρα πώς να τα ζητήσει
απ' τον Παναγιώτη πίσω, αφού είχαν πάει για έναν

άγιο σκοπό, του οποίου ο ίδιος ήτανε σημαιοφόρος; Χαλάλι τους λοιπόν, ας πάνε για ένα μεγάλο ιδανικό, για ένα σχολείο κοιτίδα της γλώσσας των Γραικών. Βρήκε μπροστά του τη βεντάλια της Θεοδώρας και άρχισε να κάνει αέρα ξεφυσώντας.

Έφθασε αναπόφευκτα και στο τελευταίο ερώτημά του. Έμενε μετέωρο και αναπάντητο μες στο μυαλό του: Ώστε άδικα, μόνο από μια παρανόηση και μια ανύπαρκτη ανάγκη παντρευόταν;

Κοίταξε τη Γιαννοβιά κατάματα με θάρρος, σαν να 'θελε να διαπεράσει με τα μάτια της ψυχής του τη δική της. Σαν να διαπραγματευόταν με τον εαυτό του την αλήθεια, τα πραγματικά αισθήματά του, την παραδοχή τους. Απήντησε με ειλικρίνεια στον εαυτό του: Όχι, δεν παντρευόταν άδικα, από τα πράγματα εξαναγκασμένος, συρμένος από τις περιστάσεις. Μπορεί η τύχη ή η ατυχία να 'χε στην αρχή κάποια πράγματα κλωθογυρίσει, όμως τώρα ήταν ευτυχής που από την επομένη θα είχε τη Γιαννοβιά συμβία. Θες η ευχάριστη αποκάλυψη, η ζέστη ή το σναπς που κατακούτελα τον είχε βαρέσει, ο Θεοφάνης δεν μπόρεσε να συγκρατηθεί. Έκανε το ανήκουστο και για τον τελευταίο μεθυσμένο υλοτόμο ή χαμάλη. Έριξε με τα μούτρα μια βουτιά στο ορθάνοιχτο ντεκολτέ της και έσκασε στου κόρφου της το βάθος, εκεί δίπλα στην ελιά της, ένα ηχηρό φιλί, που έκανε αφέντες και δουλικά να αναφωνήσουν ένα «Αααααα...!» μπροστά στην πρωτόγονη τόλμη του Θεοφάνη.

317

Εκείνη τη στιγμή βρήκε η Γιαννοβιά κατάλληλη, για να ζητήσει από τον Θεοφάνη μία χάρη. Είχε ακούσει για ένα πορφυρό χρυσοκέντητο καφτάνι, που είχε απούλητο ανάμεσα στις πιο ακριβές πραμάτειές του. Ζήτησε να το φορέσει στους γάμους τους την επομένη. Ο Θεοφάνης δέχθηκε αυθόρμητα να της κάνει το χατίρι.

«Άντε άλλο ένα και το τελευταίο... για τους απογόνους», αναφώνησε ανυποψίαστη η Θεοδώρα και ύψωσε το χέρι της, έχοντας γεμίσει το ποτηράκι της με τις τελευταίες σταγόνες σναπς απ' το μπουκάλι. Ήτανε η σειρά της Γιαννοβιάς να νιώσει να χάνει γύρω της τον κόσμο. Αιφνιδιάστηκε, πάγωσε, σαν να έπρεπε εκείνη τη στιγμή υψώνοντας το χέρι με το σναπς να επιβεβαιώσει αυτό που είχε αποκρύψει και την κατάτρεχε τόσον καιρό σωστός εφιάλτης. Δίχως να πει κουβέντα, να αρθρώσει λέξη, ανήμπορη να φερθεί ψεύτικα, να υποκριθεί μπροστά στον άνθρωπο με τον οποίο θα έδενε την υπόλοιπη ζωή της, λύθηκε σε λυγμούς σπαραξικάρδιους, σε αναφιλητά που έκοβαν απανωτά την αναπνοή της. Έπεσαν δίπλα της η Σοφία με τη γειτόνισσα και την Μπόνκα, πήρανε να ρωτούν τι συμβαίνει, να φέρνουν δυόσμο και λεβάντα για να τη συνεφέρουν. Κι η Θεοδώρα τι να κάνει, άρχισε να απολογείται, να εξηγεί. «Δεν είπα τίποτα κακό, μόνο που ευχήθηκα καλούς απογόνους.» Όλοι κοιτάζονταν με απορία στην αρχή, με κατανόηση στη συνέχεια γι' αυτό που είχαν αρχίσει να υποψιάζονται

318

μπροστά στο θέαμα της Γιαννοβιάς, ανήμπορης να κρατήσει τους λυγμούς της.

Τότε ήταν που ο Θεοφάνης πήρε το λόγο και είπε με φωνή ξεκάθαρη που δεν επιδεχόταν αντιρρήσεις: «Απογόνους; Τι να τους κάνουμε τους απογόνους; Εμείς παντρευόμαστε... για μια συντροφιά ανάμεσά μας», συμπλήρωσε αυθόρμητα από τα βάθη της ψυχής του. Άπλωσε τη χερούκλα του και αγκάλιασε τη Γιαννοβιά πίσω από τους ώμους, σφίγγοντάς την πάνω του για να την ηρεμήσει. Της έδωσε μάλιστα το μαντιλάκι του για να σκουπίσει μάτια και μύτη. Στην άκρη του είχε δέσει το γαμήλιο δαχτυλίδι που μόλις της είχε αγοράσει. Η Γιαννοβιά έμεινε άφωνη προς στιγμή, βλέποντας το δαχτυλίδι που άστραφτε επάνω στο κατάλευκο δαντελωτό μαντίλι. Πήρε μια βαθιά αναπνοή και ξέσπασε πάλι σε κλάματα, αν και για διαφορετική αιτία. «Μπα σε καλό σου με τις καταιγίδες σου...» την αποπήρε ο Θεοφάνης.

Οι γάμοι έγιναν έτσι όπως τους ήθελε ο Θεοφάνης. Στον Άγιο Νικόλαο, στην έξω εκκλησία της ορθοδοξίας, με κάθε σεμνότητα και παρόντες λίγους συγγενείς και φίλους. Μήτε η καμπάνα ήχησε έστω μια φορά για να δηλώσει το χαρμόσυνο των γάμων, από φόβο μην και προκαλέσουν. Ίσως μόνη εξαίρεση η Γιαννοβιά, που άστραφτε και λαμποκοπούσε περισσότερο κι από τη Μεγάλη Αικατερίνη. Βούρκωνε όμως

319

σε κάθε σκέψη ή ανάμνηση της περασμένης της ζωής, μια δυο φορές τα μάτια της έγιναν βρυσούλες. Η συγκίνηση έπνιγε και τον Θεοφάνη, όμως ανάμεικτη με μια πικρία, γιατί όπου κι αν έστρεφε τη ματιά του δεν έβλεπε το θαύμα που τόσο επιθυμούσε. Ούτε ένα από τα παιδιά του δεν ήταν παρόν σε εκείνη την τόσο σημαντική στιγμή της ζωής του. Και δεν έφθανε μόνο αυτό, ολόκληρη η τελετή — πώς του είχε διαφύγει; — ξετυλιγόταν στα ρουμάνικα και όχι στη γραικική. Ποιος να φανταζόταν τέτοια ντροπή, τέτοια κατάντια, για την οποία αποκλειστικός υπεύθυνος ήταν ο ίδιος;

Μια έκπληξη ωστόσο τους περίμενε στην έξοδο της εκκλησίας. Αντίκρισαν τη μεγάλη άμαξα του κύριου Δικαστή να καταφθάνει, αφήνοντας με την ορμή της πίσω της ντουμάνι σκόνη. Ο εξοχότατος κύριος Μίχαελ Τράουγκοτ Φρόνιους κατέβηκε από την άμαξα στολισμένος με την επίσημη περιβολή του και την ολόχρυση καδένα για τις περιστάσεις. Μ' ένα πλούσιο χαμόγελο πλησίασε τους νεόνυμφους. Έσφιξε στα χέρια του πρώτα τον Θεοφάνη, πιάνοντάς τον από τους ώμους και χειροφίλησε στη συνέχεια τη Γιαννοβιά, που κατασυγκινημένη δεν πίστευε στα μάτια της για την τιμή και την ευχάριστη έκπληξη που απρόσκλητος ο κύριος Δικαστής τους είχε κάνει.

Τελειώνοντας τις ευχές του, ο κύριος Δικαστής κοντοστάθηκε σιωπηλός θαυμάζοντας το καφτάνι του Θεοφάνη. Έγειρε στο αυτί του και τον ρώτησε εμπιστευτικά: «Εκείνο το καφτάνι που προ καιρού μου είχε δείξει ο γιος σου, ακόμη το πουλάς;» «Μα και βέβαια, αφέντη μου, για σένα το 'χω κρατημένο», αποκρίθηκε ο Θεοφάνης. Την άλλη μέρα κιόλας του το έστελνε σ' ένα πολύ ωραίο δέμα από βελούδο τυλιγμένο.

Μέσα στην εβδομάδα, ο Θεοφάνης και η Γιαννοβιά αποχαιρετούσαν τη Σοφία, που έφευγε με έναν συνοδό πάνω σ' ένα μουλάρι για το δικό της όνειρο, το μοναστήρι Αγάπια.

Προτού καλά καλά ο Θεοφάνης και η Γιαννοβιά μπούνε στην καινούργια τους ζωή και γνωρισθούνε μεταξύ τους, ήρθαν δυο γράμματα, το δεύτερο σε μικρή απόσταση από το πρώτο.

Το πρώτο ήταν από τη Ζωίτσα. Έκπληκτος διάβασε ο Θεοφάνης ότι η θυγατέρα του είχε παντρευτεί και τον παρακαλούσε να μην κατεβεί στην Κέρκυρα, όπως είχαν σχεδιάσει. Μια άλλη φορά θα του εξηγούσε. Ο Θεοφάνης πικράθηκε. Δέχθηκε όμως αδιαμαρτύρητα την είδηση, παραδίδοντας σιωπηλά το γράμμα στη Γιαννοβιά, όταν το βράδυ τον ρώτησε, γιατί ήτανε κατσουφιασμένος. Σκεφτόταν μάλιστα ότι με ένα γράμμα θα ανεχοίνωνε κι ο ίδιος στη θυγατέρα του το γάμο του, αποσιωπώντας βέβαια ότι από αυτόν δεν θα είχε να περιμένει απογόνους. Η Γιαννοβιά παρ' όλο ότι γνώριζε την οργή του Θεοφάνη, για όσα πίστευε ότι του είχαν διαφύγει, δεν δίστασε να τον παροτρύνει να δώσει ξανά από μακριά την έγκριση και την ευχή του. Ο Θεοφάνης την κοίταξε ζεματισμένος και κούνησε το κεφάλι του, δείχνοντας τη διάθεσή του να συμφωνήσει. Άλλωστε η θυγατέρα του — ήτανε σίγουρος με την ανατροφή που είχε πάρει — θα έκανε ό,τι ήταν δυνατό, ώστε ο εγγονός του να μάθει σωστά τη γλώσσα των Γραικών. «Ας είναι ευτυχισμένοι», μουρμούρισε κάποια στιγμή του απόδειπνου και ύψωσε την κούπα του με το κρασί, περιμένοντας να δει τη Γιαννοβιά να τον ακολουθεί με τη δικιά της.

Το δεύτερο γράμμα ήταν από τον Νεόφυτο. Ο ταχυδρόμος του το παρέδωσε βιαστικά, καθώς εκείνος ξεπροβόδιζε δυο σπεντιτόρους από το Βουκουρέστι. Ο Θεοφάνης δεν χρειάστηκε να ρίξει δεύτερη ματιά. Γνώρισε αμέσως το γραφικό χαρακτήρα του γιου του και τ' άνοιξε αναστατωμένος, συνθλίβοντας νευρικά το βουλοκέρι. Το τραγικό μαντάτο του θανάτου του Χριστόδουλου συγκάλυψε κάθε άλλη είδηση για την τύχη του άλλου γιου του. Δεν άντεχε να ξαναδιαβάσει την τραγική είδηση. Αλαφιασμένος ανέβηκε τις σκάλες. «Γιαννοβιά, Γιαννοβιά...» πρόλαβε και φώναξε από το κεφαλόσκαλο στο πάνω σπίτι και σύρθηκε στο γαμπινέτο του συντετριμμένος.

Πέρασαν μέρες για να έρθει στα συγκαλά του, να πει μια φράση με αρχή και τέλος. Κι αυτή η φράση ήτανε μια κουβέντα παρηγοριάς για τον Νεόφυτό του και την είδηση εκ μέρους του ότι τουλάχιστον εκείνος δεν βρισκόταν στο Παρίσιο ξεμυαλισμένος, αλλά κάπου στη Βιέννα νοικοκυρεμένος. «Να δεις που αργά ή γρήγορα σε μας ο άσωτος θα επιστρέψει», είπε στη Γιαννοβιά ξαφνικά, δίχως προηγούμενη άλλη κουβέντα, καθώς έβγαιναν την Κυριακή από την εκκλησία. Η Γιαννοβιά δεν του απήντησε για να μην τον στενοχωρήσει. Άγνωστο πώς, ίσως από το γράψιμο της ίδιας της επιστολής, μάντευε τις διαθέσεις του Νεόφυτου και πίστευε βαθιά ότι δεν είχε πρόθεση να επιστρέφει. Σαν να αισθάνθηκε δυο βήματα πιο πέρα τον καλό της να λέει από μέσα του «Είμαι σίγουρος, θα επιστρέψει», απάντησε φωναχτά αιφνιδιάζοντάς τον: «Μακάρι, αφέντη μου, μακάρι...»

Μπήκε απότομα ο χειμώνας. Φούντωσαν οι καμινάδες. Σταχτής ο ουρανός, ακίνητος να περιμένει. Άρχισαν να πέφτουνε στα υψώματα λευκές κουρτίνες οι νιφάδες, να θολώνουν οι βουνοκορφές, να σβήνουν οι γραμμές τους. Άσπρισαν πρώτα τα βουνά, τα δάση, τα ξέφωτα ανάμεσά τους. Βάρυναν τα έλατα κι έγειραν τα κλαδιά και οι κορφές τους. Αργά το απόγευμα της ίδιας μέρας, άρχισε να το στρώνει και στην πόλη. Σιωπηλά να κατεβαίνει από τους ουρανούς ασταμάτητα πυκνό το χιόνι. Να ασπρίζει τις σκεπές, τα λιθόστρωτα, τις δημόσιες και τις αυλές της πόλης, όπου μπορούσε ν' ακουμπήσει. Να ξεχωρίζουνε παντού οι μαύρες κάργες που έψαχναν την τροφή τους. Να φθάνουνε τα πρώτα μαντάτα ότι κάποιοι δρόμοι έκλεισαν, το ίδιο όλα τα δυτικά μονοπάτια.

Η πόλη ξέροντας χρόνια πια τι σήμαινε χιονιάς,

μπήκε πανέτοιμη στις χειμωνιάτικες συνήθειές της. Τόσα και τόσα πράγματα πήρανε πιο αργούς ρυθμούς, το έβλεπες στις ρόδες που διέσχιζαν το χιόνι, στις μαύρες κάπες και στους βηματισμούς αυτών που είχαν στην ύπαιθρο τις δουλειές τους. Σκεπασμένη από το χιόνι ήξερε ωστόσο να ζει, να ανασαίνει, να προωθεί τις τέχνες, το εμπόριο και να προκόφτει.

Βρήκαν κι ο Θεοφάνης με τη Γιαννοβιά τους εσωτερικούς ρυθμούς τους. Κάθε βράδυ μιλούσαν για τα λίγα ή τα πολλά της ημέρας που είχε περάσει, έδιναν τη γνώμη τους, δεν επιμέναν. Τα πρώτα βράδια διηγόντουσαν ιστορίες από την περασμένη τους ζωή. Απολάμβαναν πότε έτσι πότε αλλιώς τη σιγουριά, την τρυφερότητα, τη θαλπωρή, που τους προσέφερε η απόφασή τους να σμίξουν. Πότε νωρίς, πότε αργά, έσβηνε ο λύχνος στην κρεβατοκάμαρά τους κι ο Θεοφάνης πάσχιζε να ζεστάνει τις κρύες πατούσες της καλής του. Άλλοτε πάλι κοιτούσαν τα δοκάρια της οροφής κι έτρεχαν μόνοι τους με τους συλλογισμούς τους. Αραιά και πού η Γιαννοβιά αναρωτιόταν πώς κι έτσι σκορπίστηκε στα πέρατα της γης η οικογένεια του εκλεκτού της, αλλά και η δική της και τόσων Γραικών γνωστών της. Ίσως να έρεε μέσα στο αίμα τους ή ήταν γραφτό του γένους τους όλο να ταξιδεύουν. Πιο συχνά ο Θεοφάνης αναλογιζόταν και ηρεμούσε στη σκέψη πόσο σωστή ήταν η κρίση του, να διαλέξει τη συντροφιά ανάμεσά τους, ως το πιο σημαντικό που είχε στη ζωή του να επιζητά, να περιμένει.

Γλωσσάρι

Απόσπασμα από το «ΚΕΡΚΥΡΑΪΚΟ ΓΛΩΣΣΑΡΙ» του Γεράσιμου Χυτήρη

Α

αβάστα (γ)ος, ο, επίθ. (βαστάω) = ανυπόμονος, ασυγκράτητος

αγιούτο, το (aiuto) = βοήθεια. «Θα σου δώκω ξύλο, που θα φωνάξεις αγιούτο»

αγκλυστήρι, το (κλύζω) = η συσκευή του υποκλυσμού

αμάντζαλος, ο, επιθ. = κακοντυμένος, ρυπαρός, ακατάστατος

αμελέτητο, το = ο όρχις (μελετώ)

αμπονόρα, επίρ. (a buon ora) = ενωρίς. Επιτ.: «αμπονόρα αμπονόρα» = λίαν πρωί

ανάβραδο, το = η μικρή χρονική περίοδος από το ηλιοβασίλεμα ως τη νύχτα, το σούρουπο

αναπαφόλια, τα = βαμβακερό ή μάλλινο πλεχτό σκοινί, που τα άκρα του κατέληγαν σε θηλιές. Κρεμόταν από το δοκάρι της οροφής πάνω από το συζυγικό κρεβάτι και στις θηλιές τοποθετούσε τα πόδια της η σύζυγος κατά τη γενετήσια πράξη (ανά-παύω ‹ ανάπαψη)

αντιγνωμάω = εκφέρω αντίθετη γνώμη. Στα παιδιά = αυθαδιάζω (γνώμη ‹ γιγνώσκω)

αντιλογάω = αντιλέγω, αυθαδιάζω. Και περιφρ.: «λόγο μου και λόγο σου»

άντσι (anzi) = κατά οποιονδήποτε τρόπο: «άντσι-άντσι» = έτσι ή αλλιώς, όπως κι αν έχει η υπόθεση

Άουστος, ο = Αύγουστος. Παρ.: «Πάει η κάψα με τον Άουστο»

απαλάτι, το = μονώροφο σπίτι («παλάτι», σε σύγκριση με τα χαμόγια, κατά γενικό κανόνα στα χωριά κάποτε) (λατ. palatium)

απαφημένη, η = κόρη που ο μνηστήρας της διέλυσε τους αρραβώνες (αφίημι)

απενισάριστος ο, επίθ. (pensare) = απερίσκεπτος, επιπόλαιος. Παρ. έκφραση: «Αυτός είναι κώλος απενισάριστος»

αρεβάρω, (arrivare), και αρεβέρνω = καταφθάνω, προφθάνω: «Πάω μπροστά κι αρέβαρέ με»

αφέντης, ο ‹ αυθέντης = ο πατέρας

αφόρκος, ο = επίορκος. «Αφόρκος τσης αγάπης μας εγίνηκες και φεύγεις» (Δ. στ.)

Β

βαγαπόντες ο, επίθ. (vagabondo) = απατεών, αλήτης

βεραμέντε, επίρ. (veramente) = αληθινά, βέβαια

βιάτζο, το (viaggio) = διαδρομή, ταξίδι: «Εβαρέθηκα τόσα βιάτζα, πήγαιν' έλα»

βουρλίζομαι (burlare) = τρελαίνομαι

Γ

γαλαντόμος, ο (galantuomo) = ευγενής, γενναιόδωρος
γάλικο, το (gallo) = ο διάνος. Μετ. ο άβουλος, χαζός: «Του
'δωκε μια ξυλιά κατακέφαλα που τον άφηκε γάλικο»
γαρμπούνι, το (carbone) = η ασθένεια άνθραξ. Κατ.: «Να
τόνε φάει κακό γαρμπούνι»
γιακετόνι, το = κοντό παλτό
γκρατσιόζα, η (graziosa) = χαριτωμένη
γκρίντα, η (grida) = διένεξη, διχόνοια, λογομαχία
γοδέμπελος, ο (godibile) επίθ. = πρόσχαρος
γρέτζος, ο, επίθ. (grezzo = ακατέργαστος) = σκληρός στην
αφή. Μετ. = απολίτιστος

Δ

διαφεντεύω (difendere) = υπερασπίζω, περιφρουρώ, κατο-
χυρώνω
διορισμένο, το = μοιραίο «Έτσι του ήτανε διορισμένο»
δίχτωση, η = παλιό διχτυωτό κέντημα (δίκτυον)

Ε

εντεντάρω (intendere) = πιάνω με το μυαλό μου, επινοώ

Ζ

ζόρκος, ο, επίθ. (δορά) = γυμνός. (πρβ. δορκάς < ζαρκάδι
κ.ά.). Μετ.: φτωχός: «Αυτόνε θα παντρευτείς, που 'ναι
ζόρκος και κακομοίρης;»

Θ

θεατρίζομαι = γίνομαι καταγέλαστος, χλευάζομαι
θερμολοιμικό, το < θερμολοίμη = λοιμώδης πυρετός
θολίθρι, το = θολός ορίζοντας με υγρασία (όρθρος;)

I

ιμπένιο, το (impegno) = το δώρο που δινόταν στη νέα, κατά το κλείσιμο του συνοικεσίου, ως εγγύηση γάμου

K

καδίνα, η (catena) = αλυσίδα: «η καδίνα του σκύλου», χρυσό κόσμημα

κάζο, το (caso) = συμβάν: «Ένα τιποτένιο περιστατικό και το 'καμε μεγάλο κάζο»

κακηώρα, η = ακαθόριστη χρονική περίοδος με δυσχέρειες και δυστυχίες: «Κακηώρα του που αγάπησε κι αρνήθη την αγάπη...» (Δημ. Στίχος). «Ο Γενάρης κι ο Φλεβάρης τση κακηώρας το ζευγάρι» (Παρ.) Και κατάρα

κακοκίντυνος, ο, επίθ. = αυτός που εμπλέκεται σε δυσχερείς καταστάσεις: «Σαν καράβι κακοκίντυνο, όπου πνιμό δεν έχει» (Παρ.)

κακοπόδιακος, ο = με κακό ποδαρικό, γρουσούζης

κακόσαρκη, η = φιλήδονη, ερωτομανής

καλοΐσκιωτος, ο = άτομο με αγαθή επήρεια

καλοκαθισμένος, ο = εύπορος, αφρόντιστος

καλτσαμπράγα, η (calza braca) = καλσόν, η ως τη λεκάνη κάλτσα των αριστοκρατών της Επτανήσου

καναβέτα, η = κιβώτιο σε σχήμα ελλειπτικό, η προικοπαράδοτη κασέλα (χάνναβις)

καντούνι, το (cantone) = στενός δρόμος ανάμεσα σε σπίτια, σοκάκι

καπιτσίνια, τα = γυναικεία νυφικά παπούτσια από κεντητό με χρυσόγνεμα βελούδο κι ασημένια ή επίχρυση πόρπη

κάπος, ο (capo) = αρχηγός, προϊστάμενος εργατικής ομάδας. «Κάπος τση φαμίλιας» = ο οικογενειάρχης

καρέτο, το (caretto) = μικρό δίτροχο κάρο

καροτσάδα, η (carrozzata) = αμαξάδα: «Θα σε παίρνω κα-

ροτσάδα δυο φορές την εβδομάδα...» (Δημ. Στίχος)
κασάρι, το ‹ κοσσάρι ‹ κόσσα (κόπτω) = κυρτό μαχαίρι με
λαβή από σίδερο, με υποδοχή για να στυλώνεται σε ξύλο.
Χρησιμοποιείται στο ξελόγγιασμα
κογιοναρία, η (coglioneria) = εμπαιγμός
κο(υ)μάντο, το (comando) = διοίκηση, διαχείριση, πρωτο-
βουλία: «Εδώ εγώ κάνω κουμάντο»
κόπελος, ο = εύσωμη νέα
κορδιάλο, το (cordiale) = τονωτικό
κότολο, το = γυν. μεσοφούστανο. «Τον έφαε το κότολο»
(για ερωτύλους)
κουζινιέρα, η = μαγείρισσα
κουτεντάρω (contentare) = συντηρώ, διατρέφω
κουτόκαλος, ο = ευήθης

Λ

λαβαμάνο, το (lavamano) = νιπτήρας
λαντσέτα, η (lancetta) = ιατρικό νυστέρι
λατιτσένιος, ο (latte) = γαλακτώδης, κάτασπρος: «...Μόν'
βγάλτε μου τα μπελεχρά, βάλτε μου λατιτσένια» (= ρού-
χα νυφικά, κάτασπρα) (Δημ. Στίχος)
λειφοπροίκι, το = οφειλόμενο συμπλήρωμα της προίκας
λεμέντο, το (lamento = κλάψιμο) = παράπονο
λιμόζινο, το (limosina) = ελεημοσύνη, υλική βοήθεια ασή-
μαντη
λιμπροντόρο, το (libro d' oro) = χρυσή βίβλος = βιβλίο κα-
ταγραφής των ονομάτων των αριστοκρατών στα Επτάνη-
σα επί ενετοκρατίας
λουμίνι, το (lumino) = καντήλι, μικρό δοχείο λαδιού με
φυτίλι, μέσα σε φορητό φαναράκι
λουχτουκιώ = ξεσπάω σε λυγμούς

Μ

μαϊνάρω (mainare) = ελαττώνω, εξασθενώ: «Μαϊνάρησε η θέρμη του» = ο πυρετός ελαττώθηκε. Προστ.: «Μαϊνάρησε» = κατέβασε τον θυμό σου

μαλινκονία, η (malinconia) = αθυμία, κατήφεια, μελαγχολία

μαντινούτα, η (mantinuta) = ερωμένη που την συντηρεί ο εραστής

μέρλο, το (merlo) = κέντημα, ταινία για γαρνίρισμα γυν. φορεμάτων

μομέντο, το (momento) = στιγμή. «Έφτακα στο μομέντο» = αμέσως

μόντες, ο (monte di pieta) = κρατικό ενεχυροδανειστήριο επί ενετοκρατίας — υπόγεια αποθήκη λαδιού και μούργας στα παλιά ελαιοτριβεία

μόρος, ο (moro) = το αντίστοιχο του «αράπη», στοιχειό σε σπίτια και ελαιοτριβεία, προστάτης του κτίσματος, ενίοτε και φύλακας θησαυρού

μπαγάγια, τα (bagaglio) = αποσκευές. Μετ.: τα αντρικά γεννητικά μόρια

μπαρονιά, η = βαρονία, μεγάλη έκταση γης. Μετ. πλούσιος οικ. πόρος: «Η διακονιά είναι μπαρονιά, χαράς τον που την κάνει» (Παρ.)

μπάστα (bastare=αρκώ) = αρκεί, φτάνει να..., φτάνει που...

μπάσταρδος, ο (bastardo) = νόθος, κίβδηλος

μπελβεντέρε, το (belvedere) = επίστεγο μικρό δωμάτιο με ευρεία θέα

μπενεστάντες, ο (benestante) = ευκατάστατος, οικονομικά καλοστεχούμενος

μπισνόνος, ο (bisnonno) = προπάππους

μποσκέτο, το (boscato) = ανθώνας, χώρος με πρασιές

μπουρδέτο, το = φαγητό με πετρόφαρα, κοκκινοπίπερο, ντομάτα και λάδι

μπούσουλας, ο (busola = ναυτική πυξίδα). Φρ.: «Έχασε τον μπούσουλα» = αποπροσανατολίστηκε. — Τρίπλευρο υαλό-φραγμα με επιστέγασμα και μία ή τρεις θύρες. Τοποθετεί-ται αμέσως μετά την θύρα εισόδου. — Κιβωτίδιο ψηφοφο-ρίας στα χρόνια της ενετοκρατίας

μπρατσολέτο, το (braccialetto) = βραχιόλι

μπροστελίνα, η (έμπροσθεν) = ποδιά (και μπροστούρα, η)

Ν

νεροκουβάλος, ο = μεταφορέας νερού στα σπίτια από πηγές, παλιό επάγγελμα στην πόλη της Κέρκυρας, κατά τον 19ο αιώνα. — Πουλί (χαράκαλος)

νομπιλιτά, η (nobilita) = αριστοκρατία

νόμπιλος, ο (nobile) = ο καταχωρημένος στο τοπικό λι-μπροντόρο ευγενής

νταραβέρι, το (dare-avere = δούναι-λαβείν) = συναλλαγή. Μετ. φιλικές ή ερωτικές σχέσεις: «Τι νταραβέρια έχεις με την ξένη κοπέλα;»

ντεμέλα, η (και ιντεμέλα: intemela) = μαξιλαροθήκη

ντομενικάλε το (domenicale) = πατρικό σπίτι, η κυρίως κα-τοικία των αριστοκρατών

ντρίτα, επίρ. (dritta) = ευθέως, χωρίς περιστροφές: «Μίλα μου ντρίτα»

Ξ

ξεκάμωμα, το (ξεκάνω) = εκποίηση, καταδαπάνηση, εξά-ντληση. — Φόνος

ξενοτικός, ο = φερμένος από ξένον τόπο: «Φασούλια ντόπια και φασούλια ξενοτικά»

Ο

ονόρε, το (onore) = τιμή, κοινων. υπόληψη: «Δεν πάει για
λεφτά, πάει για το ονόρε ο βουλευτής μας»
οφίτσιο, το (ufficio) = αξίωμα: «Τώρα που πήρε κι ετούτος
οφίτσιο μας κάνει τον μεγάλο»

Π

παγουνάτσο, το (pa(v)onazzo) = χρώμα ιώδες σε μεταξω-
τά και βελούδα
πάπαρδος, ο = σωματώδης και κοιλαράς παπάς
πάρλα, η (parlata) = φλυαρία
πασεγκιάρω (passeggiare) = κάνω περίπατο
παστρόκιο, το (pastocchia =απάτη) = δόλιο ανακάτεμα,
λαθροχειρία, κόλπο
πάχτο, το (λατιν. pactum) = εκμίσθωση αγρού ή ελαιοκάρπου
περγέλιο, το ‹ περίγελος: «Μ' αρνήθηκες, μ' απόδιωξες και
γίνηκα περγέλιο...» (Δημ. στίχος)
πεσκάδα, η (pescata) = αλίευμα, ψαριά
πιατσέτα, η (piazzetta) = μικρή πλατεία
Πίνια, η (pino = κουκουνάρα) = κέντρο της αγοράς στην
παλιά Κέρκυρα. Η ονομασία από σιδερένια κουκουνάρα,
που κρεμόταν σε γειτονικό κτίριο
πόβερος, ο (povero) = φτωχός, πένης
πολβερη, η (polvere) = πούδρα − μπαρούτι
ποπολάρος, ο (popolare) = άνθρωπος του λαού
ποστάρω (postare) = ταχυδρομώ. Συσκευάζω και τοποθετώ
σε σειρές
πουλαρίζω (πώλος) = σφριγώ, σφύζω: «Ο γιος σου πουλα-
ρίζει, πάντρεψέ τονε»
προικοπαράδοση, η = το έγγραφο προικοσύμφωνο
προποδιάζω (ευοδώ) = εισάγω για πρώτη φορά την μνηστή
στο σπίτι του μνηστήρα (με σχετική τέλεση εθίμων)

προποδιάσμα, το, προποδιάστρα, η = γυναίκα συνοδός της μνηστής, που θεωρείται τυχερή και «καλοπόδιακη»

Ρ

ράμπα, η (rampa) = επικλινές τείχος. Απότομη ανηφοριά
ρεκάμο, το (ricamo) = κέντημα
ρεντικολέτσα, τα = διασυρμός, ευτελισμός, γελοιοποίηση
ρετσέτα, η (ricetta) = Ιατρική συνταγή. – Σημείωμα. –
Σημείωμα μαθητή γι' αντιγραφή σε διαγωνισμούς
ριζικάρω (risicare) = αποτολμώ, διακινδυνεύω: «Ριζικάρη-
σέ το κι ό,τι βγει»
ροζόλιο, το (rosolio) = ηδύποτο με απόσταγμα ρόδων
ρουμπαρούμ, επίρ. για την έκφραση πλήρους καταστροφής:
«Επήγανε όλα ρουμπαρούμ» = δεν έμεινε λίθος επί λίθου
ρουσιά, η (russo) = η παιδική ασθένεια ερυθρά

Σ

σαμπιέρος, ο (San Pierro) = χριστόψαρο
σβήνομαι = έχω τάση για λιποθυμία, αισθάνομαι να με
εγκαταλείπουν οι δυνάμεις μου
σεκρέτο, το (segreto = μυστικό) = έπιπλο με κρυφό συρτάρι
σερβάρω (servare) = φρουρώ, παρατηρώ, προσέχω εξετα-
στικά
σερβιτσιάλι, το (serviziale) = εργαλείο για υποκλυσμούς,
κλυστήρι
σιάλι, το (scialle) = σάλι, επώμιο
σιάτικα, τα (sciatica) = ισχυαλγία
σιληκουτιά (σιλός + κοτίς) = χλευαστικό χτύπημα στον αυ-
χένα με την παλάμη
σκαβίνα, η (και σκιαβίνα: schiavina) = χοντρή κουβέρτα
σκαλινάδα, η (scalinata) = πλατειά υπαίθρια σκάλα πέτρινη
ή μαρμάρινη

333

σκλήθρα, η = γενιά, ράτσα: «Είναι από καλή σκλήθρα». −
Πελεκούδι ξύλου
σοφρίτο, το (soffritto) = φαγητό από τηγανητές φέτες κρέα-
τος
σπιτσερικά, τα (spezie) − μπαχαρικά. Η ονομασία από το
σπιτσεριό, το (spezieria) = φαρμακείο, που αποκλειστικά
πωλούσε τα μπαχαρικά στο απώτερο παρελθόν
σταμπένε, επίρ. (sta bene = έχει καλώς) = συγκατάθεση,
αποδοχή: «Δω μου εσύ το σταμπένε κι η δουλειά σου θα
γένει με το παραπάνου» (= περισσότερο από καλή)
στιβαλέτο, το (stivaletto) = παπούτσι, μποτάκι
στόλος, ο (στολίζω ‹ στολίς) = το σύνολο των στολιδιών:
«Ο στόλος τση νύφης»
στρατόνι, το (stratone) = μονοπάτι στην ύπαιθρο
συχομαΐδα, η (μαγίς) = πίτα από ξεραμένα και φιλοκομμέ-
να σύκα, με αρωματικά χόρτα, μπαχαρικά και μούστο
σύναυγα, επίρ. χρον. (αυγή) = με την πρώτη εμφάνιση της
αυγής: «Θ' ασκωθούμε και θα φύγουμε σύναυγα»
σφαλιάζω = παθαίνω έμφραξη του εντέρου. Το ους. σφαλια-
σμάρα, η, «Έπαθε σφαλιασμάρα από τα πολλά παυλό-
σουκα που έφαε»
σώγαμπρος, ο = ο γαμπρός που κατοικεί στο σπίτι της νύ-
φης από έλλειψη αρσενικών αδελφών

Τ
ταβουλομέσαλο, το = τραπεζομάντηλο: «Χωρίς ταβουλομέ-
σαλο δεν κάθεται να φάει»
τζαφαράνα, η (zafferano) = ο κρόκος, φυτό. Μετ. το κατα-
κίτρινο: «Εγίνηκε κίτρινος, σαν τζαφαράνα»
τζόγια, η (goia = χαρά): «Μια τζόγια είσαι, μάτια μου»
= χαριτωμένη. − Ουροδοχείο οικογεν. χρήσης στο πα-
ρελθόν (από την χαρά που δίνει η ανακούφιση)

τουρναλέτο, το (tornare letto) = κουρτίνα κρεβατιού, που κρεμόταν από την οροφή κι έφτανε ως την κλινοστρωμνή
τσελέστε (celeste) = χρώμα ουρανί
τσιγαρόλι, το = έδεσμα από ειδικά αγριόχορτα, μαζί με αρωματικά, παρασκευασμένα με σκόρδο, κοκκινοπίπερο και λάδι. Ενίοτε προσθέτουν και μπακαλιάρο αλίπαστο

Φ
φαλιμέντο, το (fallimento) = χρεωκοπία
φιάκα, η (fiacca) = κόπωση, εξάντληση, τεμπελιά: «Τον έπιακε η φιάκα»
φιορεντίνα, η (fiorentina) = λυχνία λαδιού χάλκινη, με ψηλό στέλεχος, εφοδιασμένη με φαλίδι και σβηστήρι, για τα τρία βαμβακερά της φυτίλια
φλορέντσα, η (influenza) = γρίππη
φόρσι (force) = μήπως, ίσως: «φόρσι την καταφέρουμε τούτη την μαυρομάτα» (Δημ. στίχος)
φούμπια, η (fibbia) = πόρπη

Χ
χολομανάω (μανέω) = οργίζομαι, συγχύζομαι

Ψ
ψωράρχοντας, ο = ο οικονομικά ξεπεσμένος αριστοκράτης, που διατηρεί την υπερηφάνειά του

ΤΟ ΒΙΒΛΙΟ ΤΟΥ ΝΙΚΟΥ ΘΕΜΕΛΗ
ΓΙΑ ΜΙΑ ΣΥΝΤΡΟΦΙΑ ΑΝΑΜΕΣΑ ΜΑΣ
ΣΤΟΙΧΕΙΟΘΕΤΗΘΗΚΕ & ΣΕΛΙΔΟΠΟΙΗΘΗΚΕ
ΣΤΙΣ ΕΓΚΑΤΑΣΤΑΣΕΙΣ ΤΩΝ ΕΚΔΟΣΕΩΝ «ΚΕΔΡΟΣ»
ΤΥΠΩΘΗΚΕ ΣΕ 2.000 ΑΝΤΙΤΥΠΑ
ΣΤΙΣ ΓΡΑΦΙΚΕΣ ΤΕΧΝΕΣ
Μ. ΠΕΡΑΝΤΙΝΟΥ - Γ. ΚΑΝΑΚΗΣ Ο.Ε.
ΥΨΗΛΑΝΤΟΥ 65, ΑΝΩ ΧΑΡΑΥΓΗ, ΔΑΦΝΗ, ΤΗΛ. 210-97.51.513
ΒΙΒΛΙΟΔΕΤΗΘΗΚΕ ΑΠΟ ΤΟΝ Θ. ΗΛΙΟΠΟΥΛΟ – Π. ΡΟΔΟΠΟΥΛΟ Ο.Ε.
ΟΡΦΕΩΣ 200, ΑΙΓΑΛΕΩ, Τ.Κ. 122 41. ΤΗΛ. 210-34.77.108
ΤΟΝ ΙΟΥΛΙΟ ΤΟΥ 2005
ΓΙΑ ΛΟΓΑΡΙΑΣΜΟ ΤΗΣ ΕΚΔΟΤΙΚΗΣ ΕΤΑΙΡΙΑΣ «ΚΕΔΡΟΣ»
Γ. ΓΕΝΝΑΔΙΟΥ 3, ΑΘΗΝΑ 106 78
ΤΗΛ. 210-38.02.007 – 210-38.09.712 FAX: 210-33.02.655

ΕΠΙΜΕΛΕΙΑ-ΔΙΟΡΘΩΣΗ
ΕΛΕΝΗ ΜΠΟΥΡΑ

38η ΕΚΔΟΣΗ – 2.000 ΑΝΤΙΤΥΠΑ
ΙΟΥΝΙΟΣ 2006